D0238222

Les clefs de la confiance

Couverture
- Photo:
  FRANÇOIS DUMOUCHEL
  Studio Dumouchel et Lefebvre inc.
- Maquette:
  JACQUES BOURGET

Maquette intérieure
- Conception graphique:
  MICHEL-GÉRALD BOUTET

DISTRIBUTEURS EXCLUSIFS:

- Pour le Canada:
  AGENCE DE DISTRIBUTION POPULAIRE INC.*
  955, rue Amherst, Montréal H2L 3K4 (tél.: 514-523-1182)
  *Filiale de Sogides Ltée
- Pour la France et l'Afrique:
  INTER-FORUM
  13, rue de la Glacière, 75013 Paris (tél.: 570-1180)
- Pour la Belgique, la Suisse, le Portugal, les pays de l'Est:
  S.A. VANDER
  Avenue des Volontaires 321, 1150 Bruxelles (tél.: 02-762-0662)

Dr Jack Gibb

Les clefs de la confiance

Traduit de l'américain
par
Henriette Nobert

Cet ouvrage de la collection **actualisation** *vous présente un moyen concret de réaliser votre potentiel.*

Sa lecture vous permettra de vous familiariser avec cette approche.

Vous pouvez développer davantage cette dimension de votre personne en participant à des séances de consultation individuelle, des sessions et stages de formation de groupe.

Actualisation *fournit les services appropriés pour* **réaliser son potentiel.**

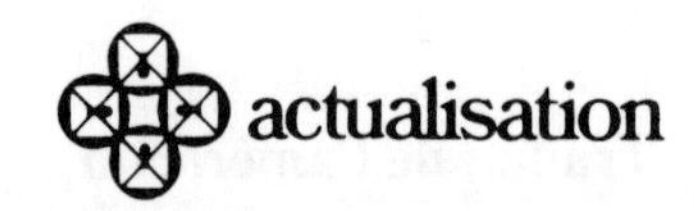

INSTITUT DE DÉVELOPPEMENT HUMAIN

QUÉBEC: 3125, Joncas, G1E 1P8 (418) 667-4542
MONTRÉAL: 2335, Sherbrooke O., H3H 1G6 (514) 9329754

Ce livre a été publié en américain sous le titre:
Trust chez Guild of Tutors Press

Bibliothèque nationale du Québec
Dépôt légal — 2e trimestre 1981

ISBN 2-89044-069-9

Préface

Cet ouvrage résume l'ensemble de mes croyances et de mes attitudes personnelles au sujet de la confiance, élément fondamental de l'approche CORI (Théorie du niveau de confiance). C'est aussi la description de cette théorie et il est conçu à l'intention du lecteur qui s'intéresse à la confiance et à son importance dans notre monde. Il s'adresse aux parents, directeurs, professeurs, thérapeutes, animateurs, bref à toute personne qui veut se départir de son rôle, attitude-clé permettant d'atteindre la confiance en soi et de gagner celle des autres. Lorraine Gibb et moi avons créé ensemble nos vies et la théorie CORI. Nous sommes donc, dans le plein sens du terme, les coauteurs de ce livre issu de nos années de vie commune, d'amour, de confiance et de plusieurs autres collaborations. Ma vie puise sa signification et sa force première dans cette profonde relation. Je ne connais aucune façon adéquate d'exprimer à Lorraine ma gratitude et mon amour.

Ce volume est le premier d'une série de publications créées et écrites par des membres de la Communauté internationale CORI, décrivant l'évolution constante de la théorie et son application. Plus tard, d'autres volumes présenteront plus formellement cette théorie et les bases de son expérimentation. Nous avons d'une part mis au point un certain nombre d'instruments de recherche et de formation que nous analyserons dans un ouvrage subséquent. D'autre part, les lecteurs désireux d'étudier davantage la théorie trouveront en appendice deux formules d'évaluation que nous avons déjà employées mais qui ne sont pas normalisées.

Quoique au cours de plusieurs années de recherches et d'études pilotes, Lorraine, mes collègues et moi avons raffiné et vérifié la structure de la théorie, le lecteur se rendra compte cependant que les fondements en sont encore à l'état empirique. Notre vie dans trois communautés d'apprentissage nous permet, à Lorraine et à moi, d'y apporter de nouveaux éléments. Notre communauté de base demeure sans aucun doute notre famille. Blair, John, Lorraine et moi créons ensemble un climat d'intense confiance où les règles et les rôles disparaissent. Ils m'ont permis de me retirer pour écrire ce livre. Je leur dédie cet ouvrage et ma gratitude envers eux s'y reflète constamment.

Nous appartenons aussi à une communauté plus imposante qui compte environ 10 000 membres. La Communauté internationale CORI regroupe nos amis, collègues, compagnons de vie, coapprentis et cothéoriciens. À leur seule évocation, une foule d'images et de sentiments chaleureux surgissent à mon esprit. Il me faudrait une liste interminable pour leur exprimer à chacun ma gratitude. J'aimerais toutefois remercier particulièrement Dean Meinke qui, avec plusieurs autres, a pris en charge mes activités CORI afin que je puisse écrire ce livre. Notre communauté s'oriente vraiment vers les besoins de ses membres. Nos vies s'enrichissent au contact les uns des autres.

Lorraine et moi vivons maintenant une expérience de trois ans sur le développement de la confiance à l'intérieur d'un nouveau groupe appelé « Tori Professional Intern », groupe créé au cours de l'été 1977, et qui transcende déjà toutes mes expériences passées. Cette communauté m'offre une nouvelle vision et nos vies s'y touchent d'une façon rédemptrice.

J'aimerais souligner aussi ma reconnaissance et ma gratitude profonde envers ma mère, Ada Dyer. Sa vie et sa foi en la confiance ont donné naissance à mon intérêt personnel envers la confiance et ses diverses manifestations.

Les éditeurs ne m'inspiraient que terreur ! Comme toujours, j'avais créé cette peur de toutes pièces. Ainsi, ma relation avec Paul Proehl a été marquée d'une joie intense. J'ai apprécié ses sages conseils, ses critiques amicales, son travail acharné sur mon manuscrit et son amitié chaleureuse. Écrire ce livre m'a beaucoup appris et, grâce à Paul, le prochain sera certainement meilleur.

Depuis plusieurs années, Paul Lloyd me manifeste amitié et amour. Il m'a apporté lors de la rédaction de ce livre une aide dont je n'aurais pu me passer. J'aimerais aussi remercier chaleureusement Barbara Hulsing. Elle m'a grandement facilité la tâche par son travail de dactylographie héroïque et efficace.

Jack R. Gibb
La Jolla, Californie
Janvier 1978

La confiance ouvre les portes de l'esprit.

Chapitre 1
Confiance intégrale

Sans appuis politiques visibles, un fermier et homme d'affaires arrive du Sud des États-Unis, déclare sa confiance en ses concitoyens et leur dit : « Faites-moi confiance ». Le résultat ? Il est élu président. Évidemment, les mécanismes américains de mise en candidature et d'élection sont fort complexes et plusieurs circonstances, événements et personnalités ont vraiment décidé du sort de Jimmy Carter et de ses adversaires. Mais jamais à ma connaissance n'avait-on lancé à la grandeur d'un pays un appel aussi particulier lors d'une élection nationale.

Selon moi, cet appel à la confiance a différencié cette élection des autres et il a touché, à la suite du traumatisme du Watergate, une corde particulièrement sensible chez les Américains. Cependant, nous n'en connaîtrons sans doute jamais les véritables conséquences. Force nous est, en effet, de nous rendre à l'évidence : quelles qu'en soient les raisons, la confiance mutuelle entre le président et les électeurs n'aura survécu que l'instant d'un vote. En fait, peut-être le citoyen moyen n'a-t-il jamais vraiment cru en Carter. De plus, le congrès, les bureaucrates, les groupes représentant divers intérêts et même les dirigeants étrangers ont peut-être empêché l'émergence de la confiance. Ces groupes manifestent en effet des niveaux de confiance particulièrement faibles et leur attitude générale se décrit essentiellement par le pouvoir, la peur, la défensive, le dirigisme et la manipulation. Le gouvernement représente pour eux un organisme dépersonnalisé et cette perception entraîne à son tour une déshumanisation plus grande de l'État envers les citoyens. La confiance, malheureusement, ne fait pas partie de la vie politique des Américains (ou de qui que ce soit d'autre d'ailleurs). En vérité, notre culture actuelle, ses aspects sociaux, économiques, artistiques et politiques découragent la confiance.

Heureusement, celle-ci existe et croît, particulièrement à l'intérieur de sous-groupes et de sous-cultures. Nous la trouvons d'abord dans des familles ou dans d'autres petits groupes, partout où règnent l'intimité, l'amour, l'interdépendance et l'ouverture aux autres. L'instinct ou la connaissance apprennent aux membres l'élément essentiel de la confiance, c'est-à-dire être soi-même avec autrui. Sa puissance se manifeste aussi à l'intérieur de certains groupes ou organismes à caractère ethnique, fraternel, religieux ou social. Des liens solides, issus de l'homogénéité et de la ressemblance, chassent les peurs, sources habituelles de division parmi des inconnus. Dans de tels groupes, la confiance permet une vie individuelle plus satisfaisante et des rapports plus efficaces dans la vie sociale. Elle rend inutile l'étude des motivations, la recherche des significations cachées et la présence de garanties écrites. Les personnes peuvent alors se comprendre sans craindre de se blesser et sans demander l'aide d'un avocat, d'un bureaucrate, d'un prêtre ou d'un thérapeute.

Ouverture, interdépendance, communication profonde et valable diminuent au fur et à mesure que la confiance baisse entre nous. Nos relations manquent alors de naturel et deviennent trop étudiées. Nous recherchons l'aide des autres, nous tentons de nous protéger derrière des normes, des règles, des contrats ou des actes légaux. La crainte de ne pouvoir vous faire confiance me pousse à me défendre. Une confiance affaiblie et une peur croissante marquent le début de l'aliénation, de l'hostilité et de la solitude. On peut dire, littéralement, que le niveau de confiance est le thermomètre de la santé individuelle et sociale. Le naturel et la franchise en découlent. Sans la confiance, au contraire, nous recherchons les contraintes, les chefs, les dirigeants, les professeurs et les intermédiaires. Nous leur abandonnons notre personne et notre vie pour qu'ils nous dirigent, nous guident et nous manipulent.

La véritable confiance (comme son étymologie l'indique : de l'ancien français *fiance*, « foi ») implique une foi inébranlable et instinctive, une dépendance en quelqu'un ou quelque chose. Elle ne s'appuie pas sur de bonnes raisons, sur des preuves évidentes ou sur une expérience passée. Elle n'est ni cérébrale, ni calculée, ni basée sur des attentes particulières. L'instinct, la spontanéité et l'absence de stratégie et de contraintes la caractérisent. Elle ressemble en cela beaucoup à l'amour et sa présence ou son absence change complètement notre vie.

Mais cette confiance, comment pouvons-nous la reconnaître ? La meilleure façon pour moi d'en parler demeure sans doute d'en décrire les manifestations dans ma propre vie.

La confiance crée le mouvement intérieur et adoucit la vie de l'être entier. Lorsque je me fais confiance, je peux m'engager pleinement dans le processus de découverte et de création de mon identité. Lorsque je me fie à ma démarche intérieure, je peux réaliser mes véritables aspirations. Lorsque je vous fais confiance, je vous laisse entrer en moi. Et quand je me fie aux mécanismes vitaux, je peux me joindre aux autres dans l'aventure de la vie.

La peur paralyse le mouvement intérieur et soulève des défenses : je n'emploie plus mes énergies à la découverte et à la création, mais plutôt à me protéger contre des dangers constatés, attendus ou imaginaires. Je doute alors de mon identité, je me dissimule, je me cache derrière des masques protecteurs. Je me crois *obligé* de rechercher et d'adopter un comportement qui correspondra aux attentes des autres et je trouve alors complexe d'être *avec* les autres.

La confiance enrichit ma vie ; la peur l'appauvrit. J'y trouve l'amitié, l'accueil, l'amour. Je deviens transparent, ouvert, prêt à vivre pleinement. Je rencontre l'autre et l'autre m'accepte dans son monde. À mes meilleurs moments, ce sont ces sentiments qui m'animent.

La confiance joue un rôle de catalyseur

Le monde est-il dangereux ? Peut-on se fier aux gens ? Devons-nous tenter de préserver notre confiance enfantine et d'encourager nos enfants à en faire autant ? Ou devons-nous apprendre la prudence, la « juste » méfiance, le réalisme face au danger ? J'étais un jour dans un ascenseur. Je me sentais détendu et j'ai salué une fillette d'environ 5 ans qui portait un maillot de bain, tenait une serviette et se rendait à la piscine de l'hôtel. Elle était tellement hautaine et glaciale que le garçon d'ascenseur, la seule autre personne présente, m'a amicalement dit : « Sa mère lui a certainement défendu de parler à des inconnus. » Je l'avais aussi compris et j'ai apprécié sa sympathie, mais je n'ai pu m'empêcher de songer qu'une multitude d'expériences comme celles-ci conduisent inévitablement à la solitude, à l'aliénation et aux rapports décousus de la vie moderne. Une méfiance si précoce m'a attristé.

Évidemment, le danger *existe*. On néglige, on rejette, on poursuit, on enlève ou on viole des enfants et des adultes. Les journaux mentionnaient récemment la découverte de deux fillettes assassinées et, au moment où j'écris, l'étrangleur rôde encore librement. Certaines rues *sont* dangereuses, surtout la nuit. On *attaque* des professeurs et des élèves dans leurs salles de cours. Dans les bureaux et les usines, on *vit* constamment sous une tension dangereuse qui draine l'énergie vitale. L'escroquerie *peut* venir d'un mécanicien malhonnête et même d'une banque. Le Watergate *a bel et bien existé*. Hitler *a réellement fait assassiner* des millions de Juifs... Comment pouvons-nous nous préparer, avec nos enfants, nos étudiants, à vivre pleinement dans un monde où tant de dangers nous guettent ? Devons-nous aller chercher nos enfants à l'école ou engager des gardes pour ce faire ? Devons-nous multiplier les serrures à nos portes ? Accroître le nombre de policiers ? Adopter des lois plus sévères ? Resserrer les règles de sécurité dans les aéroports ? Punir de mort un plus grand nombre de crimes ? Jusqu'où faire confiance à qui que ce soit ? Nous tous, consommateurs, électeurs, directeurs, parents, professeurs, comment allons-nous affronter nos peurs et nos méfiances ?

La confiance engendre la confiance ; la peur accroît la peur. Par sa seule présence, la confiance déclenche toutes les autres réactions. Elle agit comme un stimulant. Elle se propage, adoucit nos perceptions, engendre la confiance chez les autres, *nous rend moins dangereux* et se reproduit d'elle-même. La peur et la méfiance exagèrent le danger, déclenchent une attitude défensive, augmentent la tension et se reproduisent aussi d'elles-mêmes. *La peur crée bel et bien le danger.*

À dix-sept ans, une de mes amies a voyagé en Afrique pendant près d'un an. Elle était seule et faisait de l'auto-stop. Nous l'écoutions raconter ses expériences et nous pensions aux dangers qu'une belle jeune femme aurait pu courir, à la fin des années soixante, dans de telles circonstances. Nous lui avons donc demandé si elle avait été escroquée, molestée, ou violée. Elle nous a répondu que de telles mésaventures ne lui arrivaient tout simplement pas. Elle est pleine de confiance, elle manifeste une attitude non défensive et *crée son propre environnement.*

La confiance et la peur sont les clés qui permettent de comprendre les gens et les systèmes sociaux. Elles jouent un rôle multiplicateur primordial dans toute vie humaine.

Une confiance élevée, comparativement à la peur, permet aux gens et aux systèmes sociaux de bien fonctionner. Au contraire, tout s'écroule lorsque la peur domine.

La confiance intensifie le mouvement constant des mécanismes de l'être entier. Elle crée et mobilise l'énergie. Tous les processus créateurs de l'individu ou de la collectivité sont accrus. Sentiment et pensée s'unissent et se manifestent avec plus de puissance. Les gens agissent selon un comportement plus direct et plus efficace. La conscience s'éveille. Dans un climat de confiance suffisamment élevé, les gens et les sociétés transcendent leurs limites apparentes. Ils se découvrent de surprenantes possibilités nouvelles.

Quand la peur domine, le fonctionnement individuel et social s'affaiblit. Les réactions défensives mobilisent les forces vitales au détriment de la créativité. La conscience s'atrophie et l'acuité diminue. Les perspectives se trouvent restreintes. Les sentiments et les émotions sont bouleversés. Il devient de plus en plus difficile de penser, de résoudre un problème et d'agir efficacement. L'esprit et le corps se séparent et ne vivent plus en harmonie. La peur immobilise les individus et les sociétés ; elle les conduit à la psychose et à la destruction.

La confiance porte en elle une force d'intégration et d'unification. Elle est une propriété du corps et de l'esprit dans leur ensemble. La confiance ne se communique pas par des paroles. Elle se reflète à travers tout le corps et l'esprit. Peut-être n'est-on pas toujours conscient de la confiance qu'on dégage. Les mots, les pensées et même la conscience peuvent diluer la confiance, en diminuer les effets sur soi et sur autrui. O.J. Simpson, l'athlète du siècle, parle de « laisser [son] corps dominer », de lui permettre de trouver une faille à la défense ou au champ arrière et de laisser courir vers d'incroyables victoires. Il décrit clairement sa recherche-création comme un processus essentiellement organique au cours duquel la pensée s'efface ; en fait, il constate que, lors d'une course, la pensée nuit au mouvement et à l'efficacité. En ce sens, nous pouvons qualifier Simpson de coureur extrêmement confiant. La confiance intègre toutes les énergies, apporte l'intégrité, la plénitude.

La peur contraint et empêche. La peur m'embarrasse, m'inhibe et me limite. Mes sentiments, mon imagination, mes jeux, mon sens de l'aventure et du plaisir, mon courage, ma vision, le courant d'énergie de mon esprit et de mon corps, mon intuition, ma conscience, toute ma vie ralentissent. Un optométriste m'a déjà affirmé qu'il pouvait, simplement en observant les gens dans sa salle d'attente, prédire s'ils pourraient se détendre suffisamment pour pouvoir porter des lentilles cornéennes : ceux qui, assis sur leur chaise, tentaient de maîtriser leur corps ou leurs enfants seraient trop « effrayés ». Les golfeurs emploient la même expression : cette personne n'a pas assez de *courage* pour réussir un coup roulé !

La confiance correspond à un processus de libération. Elle dégage ma créativité, permet à mon énergie de se concentrer sur la création et sur la découverte plutôt que sur la défense. Elle libère mon courage. Elle *est* mon courage. Toutes mes possibilités se manifestent et je peux jouer, sentir, apprécier, me fâcher, vivre mes peines, être moi-même. Ma vie entière est spontanée, sans contrainte, en mouvement, confiante. Certaines études sur le cancer sont ici révélatrices. Les chercheurs ont en effet découvert que les patients qui pouvaient en arriver à «voir » leurs cellules résister activement et constamment aux substances toxiques, pouvaient retarder l'évolution de leur maladie. J'ai d'ailleurs remarqué un phénomène semblable à la suite d'une heure de course. Quand je fais corps avec mon mouvement, tous mes processus vitaux s'accroissent : l'énergie, la respiration, la créativité, l'imagination, le courage, la vue, l'ouie et l'odorat. Je m'ouvre à moi-même et aux autres.

La confiance correspond à un processus de libération. Elle liberté vient de mon mouvement intérieur. Les autres ne me l'apportent ni ne m'en privent. Je crée la confiance de mon corps et de mon esprit unifiés et cette confiance *est* ma liberté. Je crée aussi mes peurs et mes servitudes. *La liberté ne vient pas de l'extérieur.* Elle est en moi.

La confiance transcende la peur. La confiance se trouve toujours en nous. Quand nous lui sommes disponibles, elle produit des « miracles ». Nous pouvons découvrir nos pouvoirs illimités et transcendants de plusieurs façons : l'hypnose, l'analyse des rêves, les drogues, la prière, le biofeedback, les états de conscience mystiques ou modifiés, les expériences extra-corporelles. Tous ces moyens relèvent de notre niveau de conscience. À ma connaissance, personne n'a eu une foi (une confiance) plus profonde et plus entière que ma mère. Elle est morte chez elle, seule. Le coroner, qui avait passé sa vie à examiner des gens immédiatement après leur décès, a déclaré qu'il n'avait jamais vu une telle expression de sérénité et de joie devant la mort. Je n'ai pas été surpris. Ma mère *savait* qu'elle était un esprit éternel et que sa mort marquait le début d'une autre étape de sa vie perpétuelle. J'ai alors pensé qu'elle m'avait donné ce qu'elle avait de plus précieux : ma connaissance intime de sa foi et de sa confiance et la constatation de leur pouvoir.

La confiance comme rencontre de la théorie et de la pratique

Pour ceux d'entre nous qui l'utilisons, la principale qualité de la théorie CORI (niveau de confiance) consiste en son pouvoir constructif. Il s'agit en effet d'employer un seul ensemble de principes, d'ailleurs en nombre très restreint, et de les appliquer à toutes nos tâches professionnelles et à nos institutions humaines. La même théorie s'applique à tous les problèmes de l'humanité, de l'éducation des enfants retardés à l'utilisation maximale des spécialistes de l'espace ; de l'analyse de la contre-culture à la compréhension de la haute direction d'une entreprise ; de la crainte de porter une robe de la mauvaise longueur à l'angoisse existentielle ; de l'apprentissage de l'alphabet à l'acquisition des moyens pour marcher sur le feu ; du soin des enfants aux relations internationales ; des effets d'une diète aux aventures cosmiques vécues lors de voyages astraux. Même si la théorie CORI en est encore à ses premiers pas, son pouvoir réside en l'application d'un seul ensemble de règles simples à des phénomènes universels.

Il s'agit en fait d'une théorie futuriste. Elle constitue un essai d'extrapolation des tendances actuelles, de prévision de l'avenir prochain et lointain de l'évolution personnelle, institutionnelle et cosmique. Elle vise aussi à la maîtrise immédiate de forces latentes (à la fois créatrices et destructrices), et ce avant qu'elles ne se manifestent davantage et qu'elles n'échappent à notre compréhension, notre utilisation ou notre contrôle.

Dans les années cinquante, des analyses basées sur la théorie du niveau de confiance ont dévoilé deux évolutions culturelles embryonnaires. Chacune a des implications profondes sur l'avenir probable des deux prochaines décennies. Elles décrivent d'une part la perte de confiance en nos institutions et en leurs pouvoirs de direction et, d'autre part, l'augmentation de la foi qui caractérise la transcendance révolutionnaire du mouvement étudiant les capacités humaines. Ces deux évolutions se trouvent étroitement liées au niveau de confiance. L'une concerne l'érosion de la confiance des citoyens face au mouvement et au monde industriel, l'autre représente une foi accrue en la transcendance et en la guérison. La théorie du niveau de confiance s'applique spécifiquement à ces deux tendances.

La confiance fournit un environnement qui favorise la croissance personnelle, la spiritualité, la découverte de l'âme et la santé dans son sens le plus large. Le niveau de confiance conduit à la compréhension des individus et des groupes. Il permet la création d'un foyer familial épanouissant, d'une salle de cours active, de séances thérapeutiques efficaces, d'un ministère rédempteur, d'un travail productif ou d'un véritable environnement éducatif. Notre foyer représente l'endroit où Lorraine et moi avons le plus appris sur la confiance et son environnement. Nos fils, Larry, Blair et John, nous en ont fourni de multiples exemples. Je conserve entre autres le souvenir très vivant d'une discussion familiale. John et Blair venaient de vivre une excitante et dangereuse aventure. Nous étions à Hawaï et, munis de machettes, ils avaient abattu plusieurs arbres d'une petite jungle. Ils avaient alors six et onze ans et je leur ai demandé de décrire ce qu'ils croyaient être nos sentiments face à leurs actions. Pour Blair, « Jack avait peur que nous nous coupions et Lorraine pensait que nous nous amusions beaucoup ». Comme John ne répondait pas, j'ai répété ma question. Voici sa « réponse », indulgente et troublante : « Vous attendez-vous à ce que je me demande ce que pensent les autres quand je fais quelque chose ? » C'était là une des multiples manifestations de sa confiance intérieure.

Le niveau de confiance représente la clé de la comprehension de systèmes plus vastes. Comme consultant et comme administrateur, je peux orienter ma « théorie » sur une ou sur plusieurs

TABLEAU I : PROCESSUS DE DÉCOUVERTE CORI

Processus de découverte	Orientation de la personne	Orientation de l'énergie et de l'activité	Désirs personnels
Confiance — identité (C) Personnalisation Intériorité Acceptation Chaleur	*Être moi — découvrir qui je suis* Comment me créer ? Quelles sont mes caractéristiques propres ?	*Acceptation de soi et des autres* Confiance Chaleur Perception des différences	*Amour — aimer et être aimé*
Ouverture — (O) révélation Relation étroite Écoute Identité réelle Sympathie	*Me dévoiler* — découvrir comment me révéler aux autres. Comment pouvez-vous entrer en étroite relation avec moi ? Comment pouvons-nous partager notre espace intérieur ? Comment vous montrer mes sentiments et mes perceptions ?	*Spontanéité* Impulsivité Relation harmonieuse Écoute	*Intimité* — intimité et communication profonde lors de nos échanges mutuels
Réalisation — (R) concrétisation Affirmation de soi Recherche Élaboration de mes projets Désir	*Réaliser mes désirs* — découvrir mes désirs et les moyens de les réaliser. Qu'est-ce qui m'importe ? Quel est le but de ma vie ?	*Recherche* Accomplissement Vie fructueuse Esprit ouvert Épanouissement	*Accomplissement* Accomplissement personnel réciproque
Interdépendance — (I) relation profonde Union Lien étroit Partage Synergie	*Être avec les autres* — découvrir comment vivre et travailler avec les autres. Comment puis-je créer ma liberté ? Comment pouvons-nous transcender notre être ?	*Interaction* Participation Coopération Liberté réciproque	*Liberté* — liberté réciproque

« réalités » : les courants d'énergie, les relations de puissance, la formation des rôles, les points de rencontre des sous-unités, les barrières à la productivité, la rentabilité. Les possibilités sont infinies et diverses théories s'appliquent à chacune. Je préfère commencer par le niveau de confiance car tout en découle. Les systèmes sociaux peuvent présenter un étalage ahurissant de symptômes. Récemment, une compagnie me présentait une somme impressionnante d'informations recueillies à la suite d'enquêtes, d'observations, de plaintes et d'interviews. Une donnée toutefois déroutait les dirigeants davantage. Lors d'un vote au sein de toute la compagnie, les employés avaient rejeté un projet très avantageux d'achat d'actions dont seuls les cadres pouvaient auparavant profiter ; tous les employés qui le désiraient auraient pu dorénavant en acquérir.

TABLEAU II : LE NIVEAU DE CONFIANCE MOBILISE LES FORCES DE LA PERSONNE

Processus de l'être entier	*Conséquences d'un niveau de confiance élevé*
1. Motivation	Création et mobilisation de l'énergie, motivation plus importante et plus forte.
2. Conscience	Libération de l'énergie, conscience accrue, facilité d'accès à l'inconscient.
3. Perception	Perceptions plus vives, accrues, horizon plus large.
4. Émotivité	Stimulation libre de toutes les fonctions du corps et de l'esprit par les sentiments et les émotions.
5. Connaissance	Réflexion sur un problème et recherche de la solution facilitée.
6. Action	Comportement actif et spontané de la personne.
7. Synergie	Union totale et coordonnée de toute la personne.

Nous avons alors recueilli de nouvelles informations basées sur les hypothèses de la théorie de la confiance. Les employés interrogés fournirent différentes réponses, mais une constante revenait : « Si les administrateurs de la compagnie semblent vous donner quelque chose pour rien, alors attention ! Il y a sûrement une faille quelque part ! » Difficile à percevoir, cet état latent de méfiance et de peur provenait de l'attitude dirigiste de l'administration, basée sur une stratégie secrète, des techniques de persuasion et des tentatives de contrôle. Le comportement de l'administration avait involontairement augmenté la méfiance et la peur, et avait par conséquent diminué la productivité et la créativité.

La confiance correspond à un processus de découverte

Une entière confiance signifie *la découverte et la création de ma propre vie* ainsi que l'existence d'une relation étroite entre ces deux mécanismes. En voici les quatre éléments fondamentaux et indissociables* :

— la découverte et la création de mon identité, la conscience de mes caractéristiques unifiées et de mon essence ; me faire *confiance, être moi-même* (C)

— la découverte et la création de moyens me permettant de m'*ouvrir* et de me révéler à moi-même et aux autres ; dévoiler mon essence, découvrir la vôtre, communiquer avec vous ; *montrer mon identité* (O)

— la découverte et la création de ma voie, de mon mouvement et de mon rythme ; la création de ma nature visible et organique ; devenir, actualiser ou *réaliser* cette nature ; *agir selon ma volonté* (R)

— la découverte et la création d'une relation profonde, de nos possibilités *d'interdépendance*, de vie commune libre et intime ; *être avec vous.* (I)

---

* CORI correspond aux initiales des quatre procédés qui se situent au centre de toute croissance personnelle, organisationnelle et internationale : *confiance* en son identité et en sa démarche, *ouverture* de sa vie, *réalisation* ou actualisation de sa nature et de son énergie intrinsèques, *interdépendance* ou relation profonde. Cette façon générale de concevoir la vie s'appelle la théorie CORI ou encore la théorie du niveau de confiance. Les tableaux I à IV en résument les grands principes.

L'emploi des termes « découverte » et « création » pourrait laisser sous-entendre que je parle de processus rationnels et conscients. Il n'en est rien. Je me réfère plutôt à des processus organiques, impliquant la personne entière dont la *qualité* fondamentale relève plutôt d'une quête instinctive et intuitive. Chaque processus réunit *indissociablement* découverte *et* création. Pour moi, l'individu, le groupe et l'organisation correspondent à des entités globales qui développent ces mécanismes, particulièrement dans un climat de grande confiance. Voici ces quatre processus :

1. *Être.* Il s'agit de rechercher et de créer mon identité, d'être constamment sur le point de la saisir dans sa complexité et dans sa simplicité. Je découvre et je crée mon intériorité, ma signification, mes valeurs permanentes. Ma recherche s'oriente de l'intérieur de moi-même. Je suis ma principale ressource, mon propre gourou, mon propre guide. Lors de cette démarche, je découvre souvent que l'objet de ma recherche est une cible mouvante. Il n'y a rien de « concret » à trouver. On peut difficilement photographier mon identité. Ce qui importe à la fin c'est l'acte de la découverte, non la chose découverte. L'apprentissage se trouve dans le processus de la découverte lui-même et il correspond *en lui-même* à mon identité. Je *suis* la découverte. Je suis *dans* ce processus. Je *suis* ce processus. « Être » dépasse la simple existence. C'est le *devenir*.

Quand j'ai confiance en moi et que les autres me font confiance, je peux davantage vivre en paix avec moi-même, m'accepter, m'aimer et séjourner confortablement dans mon être. Je peux correspondre à ce que je suis. Quand je me connais et que j'évolue dans mon propre espace, je peux alors m'aimer et être *dans* mon unicité. Mon besoin de comparaison avec les autres s'atténue, je crée ma capacité d'accepter et d'aimer les autres, de les côtoyer dans leur unicité et leur individualité. Je n'entrave pas leur propre recherche. Librement, et sur une base personnelle, je manifeste et je partage ma chaleur, ma colère, mon amour, mes blessures — toute ma réalité.

Il m'est difficile de communiquer ce que j'entends par « être ». Notre culture, en effet, s'attache particulièrement à *nier l'être* et elle met plutôt en valeur les rôles, l'effort accompli, la persuasion, la punition et la récompense. Si je veux être un bon père, un professeur efficace, un consultant utile et un thérapeute inspirant la confiance, je dois vivre la réponse à cette question : « Comment puis-je réaliser pleinement ce que je suis ? » ou, simplement,

« Comment puis-je être ? » En réalité, je dois éviter de me demander « Comment être un bon père ? »ou« Comment être un thérapeute efficace ? » Toute la différence est là. Le processus me détache d'un rôle et me fait entrer en moi-même. Je projette mon identité et elle seule.

J'ai appris à répondre à ces questions simplement et je suis à l'aise pour en parler lorsque je participe à des séances réunissant des professeurs, des thérapeutes ou des consultants. « Être » ou « Être soi-même » constituent parfois les réponses les plus valables à des questions comme celle-ci : « Comment puis-je être un thérapeute efficace ? » Le contact avec une personne réelle et consciente de sa propre réalité *est* thérapeutique. Une telle attitude crée également un environnement idéal qui favorisera l'apprentissage à l'école, l'élaboration d'une vie religieuse intense et la croissance à l'intérieur de la famille. Les professeurs, parents et thérapeutes inexpérimentés ou mal formés commencent toujours par catégoriser l'élève, l'enfant ou le patient. Ils les étiquettent ensuite selon une déficience, une incapacité ou un besoin particulier, et ils tentent d'appliquer une technique qui résoudra le problème diagnostiqué. Cette démarche séduisante et très répandue semble très subtile et « professionnelle » et elle s'apprend assez facilement dans un cours ou dans un livre. En fait, cette démarche représente la négation du professeur et de l'élève, des parents et de l'enfant, du thérapeute et du client. Une vie épanouissante ne peut surgir de mécanismes toxiques et défensifs.

L'identité personnelle émerge d'un climat de confiance.

2. *Ouverture.* Quand une relation est authentique, je me reflète à travers les autres. Ils agissent comme un miroir et la recherche de mon identité s'en trouve souvent d'autant facilitée. J'essaie de communiquer et de créer des moyens pour me dévoiler à vous, et cette démarche correspond en partie à ma recherche d'identité. À mesure que je grandis dans la confiance, me dévoiler à vous devient une quête en elle-même. La quête est l'être. Je vous livre mon identité. Je sens votre amour et je peux me dévoiler entièrement et enlever les fards et les masques. Plus j'accepte mon identité, moins je crains de me montrer à vous. Je me perçois comme un être complet, comme un être valable et je peux donc vous voir comme vous êtes en cette quasi-absence de mécanismes de défense : je ne vous associe pas à une menace mais bien à une aventure, à une expérience de perception et de sentiment.

La véritable intimité correspond chez l'homme à un besoin primordial. Elle devient possible si nous nous voyons tels que nous sommes, sans masques, sans voiles, sans façades. Un climat de confiance et d'intimité me permet de vous dévoiler ma vulnérabilité. Je reconnais ici que *ce concept de vulnérabilité est issu de ma peur et d'une réaction défensive*. En réalité, je projette en vous la possibilité de me blesser mais, si j'ai profondément confiance en vous, je sais qu'il n'en sera rien. Par conséquent, je serai la seule cause de mes blessures. Mon calme intérieur provient de ces deux sources : ma confiance en moi et ma confiance en vous. Seule une confiance élevée favorise une véritable intimité. Celle-ci apporte le calme, car elle réduit les risques de blessures. Si ces risques existent, ils s'estompent devant les récompenses de l'intimité.

3. *Réalisation.* Libre d'être ce que je suis, confiant et me méritant la confiance des autres, ne ressentant que peu ou pas le besoin de me défendre, le mouvement intime de mon corps et de mon esprit émerge, se forme, s'épanouit, se découvre et se crée lui-même ; il émerge en interaction avec d'autres organismes, se réalise lui-même et vit sa destinée naissante. Ce processus n'a en apparence aucune limite. Je crée mon état de confiance intérieur et son environnement extérieur. Seule peut me limiter cette imagination qui est ma propre création.

Le processus s'impose graduellement à ma conscience. Cette conscience grandissante se manifeste sous la forme de désirs. La confiance réciproque entre moi et autrui me permet de découvrir les désirs qui correspondent à mon intériorité profonde. Ma recherche totale de l'autodétermination et de l'autoréalisation s'assimile à un processus de découverte et de création de mes désirs et des moyens nécessaires à leur réalisation. Minute après minute, jour après jour, je crée de nouvelles expériences et mes désirs se modifient. Grâce à cette quête, et c'est là sa signification, ma vie peut s'orienter selon mes désirs et non selon des devoirs. Une seule personne peut trouver la meilleure façon possible de cerner mes désirs, de choisir parmi eux et de créer l'environnement propice à leur réalisation ; dans un véritable climat de confiance, je me rends compte que je suis cette personne. Je me dirige de l'intérieur et rien ne vient de l'extérieur pour intervenir sauf lorsque je désire communiquer avec vous dans un climat de confiance et d'intimité mutuelles.

La dernière colonne du Tableau I illustre bien ce schéma d'analyse basé essentiellement sur la confiance. Il met en valeur quatre désirs importants et permanents chez l'homme, soit *l'amour réciproque, l'intimité, l'accomplissement de soi et la liberté*. Ceux qui communiquent étroitement avec leur être le plus profond mentionnent ces quatre désirs constamment sous diverses appellations. L'importance de ce phénomène universel ne réside pas dans le fait de nommer ou de classifier des désirs ; elle se trouve plutôt dans la possibilité, génératrice de confiance, de poursuivre la découverte et la création de désirs qui enrichissent la vie et lui donnent un sens, et ce, conformément aux conceptions de chaque individu.

4. *Interdépendance*. Cette recherche d'une manière épanouissante d'être profondément *avec* les autres correspond aussi à un processus d'apprentissage. Je dois apprendre (c'est une autre facette de ma quête) la liberté réciproque, l'union avec l'autre dans le respect de nos individualités et la communication, facteur de libération et d'expression constantes de notre amour. Je dois aussi apprendre à créer une relation commune qui transcende les faits et gestes que chacun de nous posons dans la solitude. Nous constatons les difficultés, l'intensité et la prédominance de cette recherche et de ce désir quand nous observons les nouvelles formes d'institutions qui apparaissent dans notre culture. Celles-ci présentent une alternative à nos habitudes culturelles et elles impressionnent par leur diversité ainsi que par leur santé. Les difficultés et l'intensité de leur quête se manifestent par le nombre troublant d'échecs ou de demi-succès qu'elles rencontrent. Ces institutions basent leur recherche sur la création d'un véritable climat de confiance et elles tentent, par exemple, de le concrétiser dans la famille, la communauté, l'entreprise, l'école, et dans le milieu religieux. Mais elles rencontrent de nombreux obstacles, car notre société et son environnement se caractérisent par la méfiance et la peur, et les individus arrivent difficilement à avoir confiance en eux. Il semble, cependant, que l'interdépendance, l'union et la synergie s'apprennent, se créent et se réalisent : les gens qui se connaissent, qui s'expriment et qui réalisent leurs désirs peuvent atteindre cette interdépendance sans l'intervention des notions de sacrifice, de devoir et d'obligation et sans l'abandon de leurs libertés individuelles. L'interdépendance vient de l'intériorité des personnes unies. Elle ne peut venir de la persuasion, de l'enseignement, de l'exercice répété ou de tout autre mécanisme provenant de l'extérieur.

Dans un véritable climat de confiance, chaque personne semble rechercher de plus en plus de manières d'être et désire vivre en communauté avec autrui. En présence de ce climat de peur, les besoins d'intimité et de solitude s'accroissent et, sans raison, l'individu craint de perdre sa liberté et son autonomie. La confiance, au contraire, permet de développer envers l'autre un amour solide. Dans un tel contexte, se révéler entièrement devient une expérience gratifiante et créatrice d'intimité ; on découvre la possibilité de satisfaire ses véritables désirs à l'intérieur d'une relation complète. À la suite de cette démarche, la personne peut communiquer avec un plus grand nombre d'individus. Plus je vis dans un état de confiance, plus je peux me joindre à d'autres et créer de nouvelles relations ; je peux ainsi m'unir à un individu, à un petit groupe, à une communauté et, peut-être, à un monde davantage basé sur la confiance. Le processus de création d'une communauté à l'échelle mondiale prend sa source dans les mécanismes de confiance de chaque individu qui découvre lui-même comment se créer un milieu de communication authentique et d'intimité.

Je suppose que ces quatre processus de découverte se créent d'eux-mêmes et trouvent leurs récompenses en eux-mêmes. Ils croissent davantage hors de la peur, dans un environnement intérieur et extérieur où règne la confiance.

Confiance et attitude défensive s'excluent

Lorsque la peur est là, les mécanismes de défense se déclenchent et s'amplifient. Lorsque je manque de confiance en moi et que mon entourage se méfie de moi, je ressens le besoin de me défendre. Je découvre et je crée alors mes peurs et mes défenses. Le processus de défense se compose de quatre éléments fondamentaux et étroitement reliés entre eux :

1. *La dépersonnalisation.* La dépersonnalisation implique que je m'éloigne de ma propre identité et que j'emprunte plutôt des rôles, et ces derniers, correspondant à un besoin de protection, apparaissent habituellement en réaction à des pressions extérieures. En fait, il m'est encore possible d'être efficace dans un rôle particulier, par exemple, un poste de surveillant, si j'emprunte une attitude « personnelle » et que ce comportement me permet d'atteindre les objectifs de l'organisme auquel j'appartiens. Toutefois, si j'ai peur, je deviens moins personnel ; j'use d'une attitude protectrice et j'agis selon les prérogatives de mon rôle formel. Plus la

TABLEAU III
LES PROCESSUS DE DÉFENSE CORI

Processus de défense	Orientation de la personne	Orientation de l'énergie défensive	Besoins personnels
La dépersonnalisation Codification Rôle Détachement Jugement Observation	*Trouver un rôle* — découvrir et créer un rôle Quel est mon rôle ? Quels sont mes points de comparaison avec les autres ?	*Punition de soi et des autres* Évaluation Méfiance Attitude moralisatrice	*Punition* — punition réciproque Besoin de chaleur
Masques Fermeture Éloignement Filtrage Stratégie Dissimulation	*Construire une façade* — découvrir une stratégie Comment puis-je me protéger ? Quelle est ma meilleure tactique de dissimulation ?	*Stratégie* Ruse Déformation Formalisme	*Éloignement* — isolement social Besoin d'intimité
Devoir Influence Persuasion Paternalisme Contrainte Manipulation	*Trouver mes besoins* — découvrir vos désirs et vos attentes Que devrais-je faire ? Comment puis-je me changer ou vous changer ? Comment puis-je atteindre le pouvoir ?	*Persuasion* Influence Passivité Résistance	*Influence* — influence réciproque Besoin de motivations
La dépendance Contrôle Soumission Commandemement Domination Révolte	*Me contrôler et vous contrôler* découvrir des règles, des limites, des contrats Comment puis-je me protéger ? Que dit la loi ?	*Contrôle* Dépendance Direction Révolte	*Contrôle* — contrôle réciproque Besoin d'établir des relations

TABLEAU IV : LA PEUR AFFAIBLIT LES FORCES VITALES DE L'ÊTRE

Processus de l'être entier	*Conséquences d'un niveau de peur élevé*
1. Motivation	Mobilisation de l'énergie par les mécanismes de défense, diminution de la motivation.
2. Conscience	Diminution du niveau de conscience, difficulté de cerner les zones menaçantes de la quasi-conscience et de l'inconscient.
3. Perception	Perceptions affaiblies, horizons plus étroits.
4. Émotivité	Sentiments et émotions disloqués, orientés vers la défense et mal dirigés.
5. Connaissance	Inefficacité face à un problème, attitude défensive, mauvaise orientation des solutions.
6. Action	Comportement réactif marqué par l'inquiétude exagérée, l'embarras et l'inhibition. Préoccupation face aux conséquences des gestes posés.
7. Synergie	Manque d'harmonie et de synchronisation entre les processus vitaux, division de la personne.

confiance règne, plus je peux être personnel. Lorsque j'accepte un rôle, je reprends ou j'institue des contrôles officiels ou officieux. J'adopte une attitude d'autorité parentale et je me conforme à l'image du surveillant. Le processus vise à me protéger contre ceux qui possèdent une conception semblable de ce rôle mais il s'agit souvent d'une démarche illusoire. Le mécanisme de protection s'avère en effet inefficace et coûte très cher. Le respect, la déférence et le pouvoir acquis s'accompagnent de l'éloignement de mon entourage, d'anxiété, d'hostilité latente et d'autres résultats négatifs inhérents à cette attitude. D'ailleurs, celle-ci engendre plusieurs autres mécanismes. J'identifie les gens aux rôles qu'ils jouent dans le cadre organisationnel et je les évalue selon mes propres critères de compétence. Un autre processus connexe s'avère encore plus nuisible : il se manifeste lorsque j'évalue et je juge les sentiments, les comportements et les attitudes d'autrui ; plus je me conforme à ce rôle, déterminé avant tout par des « obligations » et des valeurs extérieures, plus j'évalue les gens et plus je porte des jugements de valeur sur leur comportement. Ces processus toxiques sont nés de la peur et ils accentuent ou nourrissent les méfiances ou les peurs latentes que nous entretenons les uns vis-à-vis les autres.

Lorsque je me défends, je suis projeté aux antipodes des mécanismes qui peuvent me personnaliser. Afin de me protéger, je m'éloigne de moi. En fait, j'emprunte une toute nouvelle identité, je revêts les habits d'un autre afin de repousser ou de détourner les forces ennemies, ceux qui pourraient me blesser, diminuer mon autorité, m'embarrasser, me ridiculiser, me punir ou me nuire de *quelque manière que ce soit. Plus j'ai peur, plus je me découvre des ennemis et moins je vois la possibilité de sortir indemne de toutes ces épreuves.*

2. *Les masques.* Au fur et à mesure que la peur croît, j'intensifie mes efforts afin de découvrir et de créer des façades derrière lesquelles je pourrai me cacher et me protéger contre les dangers de l'intimité et du contact avec autrui. Je filtre ou je déforme mes messages, je pose des gestes froids et je me dissimule derrière les voiles de mes attitudes protectrices.

Créer ce masque s'accompagne d'un processus qui génère encore plus de méfiance. Lorsqu'on porte un masque, on a tendance à se protéger en élaborant tout un arsenal de stratégies secrètes, celles-ci relativement habituelles et inconscientes, comme c'est le cas de la politesse qui vise à écarter d'éventuelles représailles. Mais elles peuvent aussi être conscientes puisqu'elles s'opposent à la spontanéité et aux pulsions profondes. Vivant de stratégies associées à des détours et à de la manipulation, on retrouve encore et toujours la méfiance et la peur. Ces stratégies produisent des contre-stratégies, l'isolement social, la ruse et l'organisation d'un grand nombre de contre-défenses.

3. *Le devoir.* La présence chez moi de la peur et d'une attitude défensive me pousse à découvrir et à créer des façons de réaliser vos attentes et vos désirs et j'essaie d'atteindre les objectifs des groupes ou des organisations auxquels j'appartiens. Je parle davantage de « besoins » plutôt que de « désirs », j'attribue à mes besoins les mêmes caractéristiques contraignantes que je décèle dans les attentes des autres. Bref, je suis cerné de toutes parts. Quand je vis dans un monde d'attentes et de besoins, j'assimile ces

derniers à des demandes qu'on ne peut ignorer. D'autre part, les *désirs* semblent impliquer une idée de choix, de contrôle conscient et de liberté plus étendue. Si je base mes gestes sur des obligations, je suis sur la défensive. Je m'interroge et j'interroge les autres sur ce que je devrais faire, mais, toutefois, je ne me demande jamais ce que j'aurais le *goût* de faire. Lorsque je vis en fonction de devoirs et de besoins, le pouvoir, l'autorité, la loi, la structure, les rôles et les obligations m'aident à résoudre mes problèmes ou, selon les circonstances, constituent au contraire des obstacles à ma réussite. Mais je m'appuie plutôt sur mon mouvement intérieur, mon rythme et mon identité propre si, par contre, des désirs et des choix orientent ma vie. J'y recherche la force et les ressources nécessaires à la résolution des problèmes que je choisis d'affronter.

Quand je définis le monde en termes de devoirs et de stratégies, toutes mes énergies s'orientent dans le même sens : je tente d'influencer les autres, de les persuader, de les changer ou de les manipuler ; je consacre peu d'efforts à une action basée sur les désirs et les choix, mon pouvoir et mon identité ne viennent pas de moi, mon énergie ne me provient que de l'extérieur.

4. *La dépendance*. Lorsque la peur l'emporte sur la confiance, j'essaie de contrôler et mes réactions et les vôtres. J'emploie tous mes efforts à la découverte et à la création de frontières, de lois, de règles, de contrats, de mesures protectrices et de structures diverses qui incarnent le contrôle apparemment nécessaire au maintien de l'ordre. Je me soumets parfois à l'autorité en laquelle je trouve ordre et protection. Si l'attitude de l'autorité ne me convient pas, je me révolte et je me bats. La révolte et la dépendance puisent leur source dans les mêmes besoins d'autorité.

En présence de la peur, les individus sont prédisposés à accorder trop d'importance à l'autorité, au pouvoir, à la direction et au contrôle, et leurs réactions face à ces phénomènes deviennent aussi exagérées. Dans un monde perçu comme foncièrement hostile, les personnes détenant le pouvoir deviennent les plus dangereuses. Ainsi, le respect du statut, de la hiérarchie et du pouvoir prend les couleurs de la peur. Face aux autorités, la personne qui a peur se sent de plus en plus incompétente et insignifiante, mais elle peut cependant s'identifier à elles et se sentir au contraire revalorisée. D'autre part, placée dans une situation de pouvoir, la personne qui a peur tentera de dominer, de protéger, de diriger ou d'exercer un contrôle à outrance. Selon son style de vie, une telle personnalité sera bienveillante, protectrice, dominatrice ou coercitive. Née de la peur, l'hostilité forme la base de la plupart des réactions de dépendance ou d'opposition à la dépendance.

Ces quatre mécanismes de défense naissent dans un climat de peur et de méfiance et s'en nourrissent. Les individus et les institutions adoptent des modèles particuliers de défense qui tendent à disparaître au fur et à mesure qu'apparaît la confiance.

Je crée ma vie en dehors de ces processus indissociables de découverte et de défense. Tous les systèmes sociaux, groupes, institutions et nations sont issus de ces mêmes mécanismes. Le niveau de confiance constitue la variable centrale qui détermine leur interaction particulière et, de là, l'efficacité des systèmes.

Être personnel, c'est s'intégrer au processus de découverte de l'autre.

Chapitre 2

Découvrir la façon d'être personnel

Être soi-même est une *relation* rendue possible alors que la confiance grandit entre nous. Je vous invite à vous joindre à moi afin de vivre le processus de découverte de mon identité et, à votre tour, vous m'invitez à faire de même. En ce moment, nous partageons l'appréhension, le mystère et peut-être l'extase d'une création commune.

Notre confiance réciproque augmente à la faveur de ce processus de découverte.

Quelles sont les caractéristiques d'un être personnel ?

Quand je suis moi-même :

1. *Je corresponds à mon identité* et je fais peu d'efforts pour être ce que je ne suis pas. Être personnel commence avec l'*être*, lequel représente toujours un devenir. Je ne suis pas un être figé ; au contraire, je suis constamment en mouvement, je me découvre et me recrée continuellement.

Je trouve toutefois dans ma découverte une qualité permanente : je suis celui qui découvre, je dépasse toujours la représentation que je me faisais de moi-même. Cette démarche comporte donc un constant mystère. Je présume que vous vivez ce même processus et je vous laisse évoluer en conformité avec votre identité.

2. *Je me perçois comme unique* et je reconnais votre unicité. Je vis un processus vital sans équivalent et chacun de nous formons une réalité et un être propres. Par conséquent, lorsque j'établis une relation avec vous, j'arrive de mon espace particulier et je respecte le vôtre. Une telle attitude favorise la confiance et nous pouvons ainsi créer de nouveaux espaces uniques que nous partagerons. Chaque *relation* est donc unique, tout comme chaque individu, et tout comme personne n'a à sentir le besoin d'écraser l'autre, il en est de même des relations entre elles. Cette particularité commune aux personnes et aux relations enlève toute pertinence aux comparaisons et aux classifications qui conduisent, en fait, à la dépersonnalisation. L'acceptation de cette unicité se révèle essentielle au maintien de véritables relations personnelles avec autrui.

Je puise ma force en partie dans cette conscience profonde de mes caractéristiques propres. Toutefois, même si je m'ouvre aux autres, je demeure le seul à me connaître vraiment et je juge seul de mes sentiments et de ma vie intérieure. Je ne ressens nullement le besoin de me comparer avec d'autres : pour moi, la vie n'est ni une course ni une compétition.

Les gens qui réalisent pleinement leur *être* et leur *unicité* peuvent *laisser les autres correspondre à leur identité*. En fait, ils permettent aux autres d'être eux-mêmes et ils apprennent en même temps à être personnels. Ils favorisent l'unicité. J'ai rencontré lors de mes consultations un homme qui illustre particulièrement bien cette qualité. Malgré maintes normes qui le poussent à agir autrement, il correspond vraiment à son identité et il laisse les autres vivre selon leurs aspirations. De plus, il possède ce talent propre aux gens authentiques : il sait respecter les autres et reconnaître leurs actions. Sur son bureau, on peut lire la phrase suivante : « Vous pouvez poser tous les gestes que vous voulez à la condition d'en laisser le mérite aux autres. » Il applique pleinement ce credo qui, selon moi, lui permet d'être considéré comme l'un des directeurs les plus efficaces, les plus créateurs, les plus respectés et les plus appréciés du monde des affaires. Il est unique et il *reconnaît toujours l'unicité des autres*. Il se respecte et respecte les gens qu'il rencontre ou avec qui il travaille. Il adopte cette attitude partout, avec son fils, avec ses collègues et avec les ouvriers de l'usine. Il entretient leur dignité. Il est personnel.

3. *Je suis près de ma réalité intérieure.* Ce contact constant avec mon intériorité se révèle particulièrement difficile. Beaucoup de pressions s'exercent en effet pour que je me conforme aux perceptions des autres. Une façon d'atteindre l'intimité consiste à exprimer à autrui la réalité vécue. Quand je suis impersonnel, je m'éloigne vers des régions périphériques, je m'éloigne du coeur, du centre de ma personne et de votre intériorité. L'intimité, la compréhension et la confiance proviennent du contact entre chacune de nos réalités intérieures.

4. *Je suis entièrement responsable de mes sentiments, de mes opinions et de mes perceptions.* Je crée mon identité et je détermine mes gestes. Plus j'ai confiance en moi , plus je maîtrise mes attitudes, j'accepte mon corps, j'emploie le « je » pour exprimer mes perceptions et mes sentiments, et je « possède » mon intériorité.

Mais lorsque j'ai peur, je me protège contre les controverses possibles, j'assois mes idées sur des citations célèbres, je me donne au moins un allié en me plaçant à la remorque d'opinions extérieures ou j'attends les courageuses prises de position d'autrui avant d'exprimer mon opinion. Ces comportements servent de mesures de sécurité mais ils ne me protègent pas vraiment. Ils ne me satisfont pas mais m'empêchent plutôt de prendre le risque d'une relation profonde avec autrui.

5. *Je corresponds à ce que je parais.* Mes faits et gestes reflètent vraiment mon intériorité. J'exprime honnêtement mes sentiments intimes sans les déformer ou sans les dissimuler. Quelqu'un d'impersonnel camoufle son message. Il emploie pour cela les masques volontaires ou inconscients, la fausse gaieté, les formalités et les complications inutiles, la déformation ou toutes autres formes de tromperie. Dans mes relations avec les autres, je ne me manipule pas.

L'énergie consacrée à construire une façade ou à paraître ce que je ne suis pas est une énergie très mal dirigée. Elle mène à un déploiement de défenses névrotiques, ne m'apporte strictement rien de concret et rend très difficiles des relations authentiques. Alors qu'il était âgé d'environ seize ans, Blair m'aperçut au retour de l'école et me déclara : « Oh ! tu viens de te faire couper les cheveux. Je croyais que tu voulais les laisser allonger. » Je lui répondis que je devais travailler avec un nouvel organisme et que cela m'inquiétait. Il rétorqua : « N'est-ce pas hypocrite d'agir ainsi et de leur dire ensuite qu'il ne faut pas vivre selon les attentes des autres ? » Il ajouta : « Mais je suppose que tu sens le besoin d'adopter ce comportement afin de rendre la communication plus facile. » Blair, qui ne fait jamais de semblables compromis et *qui correspond toujours à son identité*, accepte aussi mes peurs et ma façon de les affronter. J'admire son intégrité, et sa façon ouverte d'être personnel m'a beaucoup appris.

6. *Je rends mes motivations claires et visibles.* Je me confonds à mon message et, au cours de ce processus, je révèle spontanément mes motivations. Nous nous sentons personnels au sein d'une communication quand nous ne simulons pas, quand nous connaissons nos motivations et avons conscience de les connaître. Nous savons toutefois que d'importantes zones de motivations inconscientes ou latentes se dissimulent en nous et que ni vous ni moi ne pouvons les atteindre. Toutefois, lorsque nous sommes personnels, nous diminuons les différences entre nos perceptions de nos motifs réciproques. En fait, je suis impersonnel si je tente de cacher la totalité ou une partie de mes motivations.

Il y a quelque temps, j'entendais une femme dire : « Je n'aime pas les gens qui ont des motivations. Il semblent avoir toujours besoin de quelque chose et je les évite. » Je pense plutôt qu'elle n'aime pas les gens qui paraissent inconscients de leurs motivations, qui les cachent, qui manipulent les autres, ou encore dont les motivations ne lui plaisent pas. En fait, tout le monde a des motivations passablement complexes. Si on nous interroge à leur sujet, nous les modifions en éliminant les impuretés que nous y retrouvons et que nous voulons que les autres évitent de trouver. Tous ceux qui nourrissent des intentions de contrôle, d'enseignement, d'influence ou de manipulation ressentent intuitivement les possibles résistances ; consciemment ou inconsciemment, ils tentent alors de camoufler leurs motivations.

Moins nous avons confiance en l'autre, plus nous sentons le besoin de nous défendre, de prétendre, pour nous et pour les autres, que nos motivations sont acceptables, pures et simples et qu'aucun désir négatif ne les anime. Chaque personne retrouve presque constamment en elle la forme complète de l'ensemble des motivations humaines ; cette caractéristique est inhérente à notre nature. Une confiance affaiblie et des mécanismes de défense importants poussent les individus à cacher leurs motivations et à porter un masque, alors que la confiance vient précisément de la reconnaissance et de l'acceptation mutuelles de ces réalités.

Un climat de confiance favorise la communication. Celle-ci comble des désirs d'affection, d'amitié, de chaleur, d'écoute et d'émotion, motifs qui ne sont pas perçus comme manipulateurs et qui n'engendrent donc pas la peur. Lorsque nous sommes personnels, une partie de notre processus de découverte se fond dans nos deux recherches réunies, recherches visant à définir nos motivations et nos désirs face à la vie et face à autrui. La dissimulation de ces motifs conduit à une diminution de la confiance qui dépend elle-même de la franche présentation de nos multiples facettes.

7. *Je me libère de mes rôles.* Les devoirs, les attentes et les exigences venant de l'extérieur conduisent à l'adoption d'un comportement impersonnel. Je suis personnel quand je réponds à mes désirs, à mes sentiments, à mes impulsions et à mes intuitions. J'évite alors d'accorder de l'attention à ce que vous ou moi percevons comme des responsabilités ou des attentes. Mais je ne peux être personnel si je joue, consciemment ou inconsciemment, un rôle de mère, un rôle d'enseignant, de directeur, d'aide ou d'amant. Même lorsque les structures institutionnelles ou sociales m'attribuent un rôle, me paient pour le remplir et définissent à ce sujet sanctions et privilèges, je suis toujours libre d'agir de manière personnelle, individuelle. Avoir confiance et être personnel, c'est, effectivement, vivre cette liberté. Les personnes qui vivent ainsi peuvent même se montrer à la hauteur des demandes légitimes ou des responsabilités du rôle à remplir ; elles posent des gestes, sans penser aux exigences de leurs fonctions ou aux demandes stratégiques. Des supérieurs vraiment personnels obtiennent ainsi de leurs subordonnés des réactions à la fois responsables et sympathiques, et, paradoxalement, les demandes inhérentes à un rôle se réalisent ainsi beaucoup plus facilement. L'efficacité dans l'exécution de son rôle ne peut donc provenir de la manipulation.

La peur et les attitudes défensives constituent des terrains favorables à l'émergence des rôles. Je me rappelle avoir un jour pris soudainement conscience du caractère attrayant de ce processus. J'étais très en retard et je me hâtais vers l'université pour donner un cours. Je rageais contre les piétons du campus qui traversaient la voie et qui m'empêchaient de rouler rapidement. Après avoir stationné fébrilement ma voiture, j'en ai voulu encore davantage aux conducteurs qui mettaient ma vie en danger au moment où je tentais à mon tour de traverser la même voie. En quelques secondes, ma frustration et mon attitude défensive m'avaient poussé à renverser les rôles, à m'identifier profondément à l'un, puis à l'autre et à m'en servir comme boucs émissaires. En très peu de temps, moi, qui avais souvent écrit sur les conséquences néfastes d'attitudes semblables, j'avais emprunté des rôles conduisant à la dépersonnalisation, au stéréotype, à la colère irrationnelle, au chauvinisme et à la ségrégation !

8. *Je me libère de mes perceptions des rôles...* et des vôtres. Quand je me classe ou que je classe les autres dans une catégorie, j'entreprends de nous dépersonnaliser. Il s'agit d'ailleurs d'une attitude facile à adopter. Je construis des barrières quand je pose sur quelqu'un l'étiquette de malade, de névrosé, de personne à traiter, d'enfant, d'ouvrier ou d'homosexuel. Les personnes et les événements se fixent puis émergent de leurs caractères particuliers, et ce mouvement est la nature même du processus d'être. Pour fins d'analyses techniques ou lors de situations parfaitement objectives, on peut parfois codifier, « dichotomiser », mesurer ou miniaturiser. Toutefois, déjà, le mouvement de « libération de l'étiquette » remet en question ces prétendues « nécessités ». En fait, nous nous devons de refuser la classification à l'intérieur d'un processus de relations interpersonnelles. Les parents, les professeurs et les administrateurs feraient bien d'éviter cette pratique même si elle semble à court terme les aider à remplir leurs fonctions.

9. *Je m'attache avant tout à la relation.* La relation que nous vivons correspond à une nouvelle réalité qui nous dépasse. Être personnel consiste à s'ouvrir à cette relation, à en prendre conscience et à y accorder une attention soutenue. Il s'agit, en fait, d'un lien profond et d'un événement unique qui peut nous épanouir. Ce nouveau phénomène émerge, prend vie et peut devenir absolument enchanteur. Je suis personnel quand je communique intimement et profondément.

Se risquer à être personnel équivaut à accepter un aspect fondamental de la condition humaine, soit notre interdépendance. De bonnes raisons expliquent l'ambivalence des personnes face à cette nouvelle « familiarité » : « Je ne voudrais pas paraître trop familier, mais... » exprime à la fois l'attrait et le recul, la conscience latente du risque et de l'excitation, les magnifiques possibilités et le danger de la communication. On craint de s'éloigner d'une zone confortable, sécuritaire et sans risques. En fait, ce bavardage sur l'absence de risque et l'importance d'être impersonnel témoigne des conséquences contraignantes et ennuyantes de nos peurs. Il révèle aussi que nous ne connaissons pas de manières satisfaisantes d'être personnel et que nous n'avons pas vécu les joies profondes et vitales de la familiarité et de l'intimité. Je suis à chaque fois surpris de constater l'impatience qui anime les participants à un groupe CORI lorsqu'on leur propose de rechercher l'intimité. Il est vrai qu'il s'agit là d'établir un contact avec des gens authentiques et personnels et que l'environnement global encourage enfin la confiance et la communication profonde.

10. *Je préfère la découverte à la défense.* La crainte me pousse à me défendre. Avec l'émergence de la confiance,je découvre l'inefficacité des attitudes défensives qui, finalement, ne me rendront pas invulnérable. Ce comportement place plutôt les autres sur la défensive, nous vole du temps, nous éloigne l'un de l'autre et empêche notre découverte mutuelle.

Je peux toujours choisir entre deux comportements : continuer à me défendre... ou me joindre à vous dans le processus de découverte. Apprendre la confiance équivaut à constater la présence de cette alternative.

11. *Je suis spontané et naturel, je n'élabore aucun plan et aucune stratégie.* Je suis plus personnel lorsque je m'exprime clairement et avec spontanéité. Les gens en contact étroit avec la vie peuvent se libérer des obligations inhérentes aux rôles, se départir de leurs comportements stéréotypés et ignorer ceux des autres. Je crée la distance et la dépersonnalisation lorsque je cherche une méthode d'approche, que je tente de vous influencer et que je prévois les faits et gestes de notre prochaine rencontre. En fait, il ne doit pas exister de manipulation à l'intérieur de notre relation.

Lors de mes consultations, j'ai travaillé avec de nombreuses personnes confiantes et spontanées. L'une d'entre elles s'est toutefois révélée remarquablement personnelle. Il s'agit du directeur du développement organisationnel dans une société très reconnue pour la qualité de ses programmes de formation. Il avait entendu parler de mon travail et il m'engagea comme consultant à l'occasion d'une session de trois jours, organisée à l'intention de la haute direction et qui portait sur l'organisation des équipes. Nous travaillions ensemble pour la première fois mais, pendant les deux heures de route de l'aéroport à la salle de conférences, nous avons parlé d'une foule de sujets sans jamais mentionner l'objet de ma présence. Nous avons en vérité gardé intacte toute notre spontanéité.

Cet homme me faisait évidemment confiance. Il se fiait de plus à l'équipe de la haute direction, à sa propre spontanéité, à sa compétence, et sa confiance nous faisait tous réagir favorablement. Nous avons formé tous les deux une équipe de consultants très efficace parce que nous n'avons jamais élaboré un plan d'intervention ou une stratégie à l'intention de l'équipe de direction. Quatorze participants se sont engagés dans une nouvelle démarche, ont immédiatement repris contact avec eux-mêmes et se sont révélés très créateurs et très efficaces. Pour eux, ces rencontres comptent parmi les meilleures qu'ils aient vécues. Contrairement aux traditionnelles conceptions de l'administration, il est donc tout à fait possible d'allier travail efficace et comportement personnel même dans les circonstances les plus défavorables. Ce directeur oeuvrait dans le domaine des relations industrielles mais j'ai déjà été témoin d'attitudes aussi spontanées, naturelles, dégagées et créatrices dans le monde de l'industrie, de la recherche ou de l'administration. Être personnel et n'appliquer aucune stratégie, voilà une des façons de devenir à la fois un administrateur efficace et un être humain à part entière.

12. *Je montre mes sentiments.* Les relations personnelles sont faites de sentiments. La dépersonnalisation surgit lorsqu'on les évite ou qu'on refuse de les voir. Ces sentiments sont toutefois omniprésents, forment une grande partie de l'être humain, et en prendre conscience conduit à l'expression personnelle et à l'intimité. Au moment où j'écris, je suis profondément conscient de tous les sentiments que ce livre suscite en moi. Je pense à l'opinion du lecteur et je m'en inquiète. La dactylographie m'ennuie, la discipline que je m'impose m'impatiente et je crains qu'elle n'incommode aussi le lecteur. Parler d'être personnel sur un ton si impersonnel me gêne. Je pense aussi aux motivations à l'origine de ce livre. Bref, je me bats avec certains de ces sentiments, j'en aime certains autres et je choisis de poursuivre ma tâche.

13. *Je suis concret et précis.* Le discours abstrait et général va de pair avec la dépersonnalisation. Quand je suis personnel, je cite des exemples précis, je parle des idées et des sentiments concrets qui illustrent mon état d'esprit ou ma personne, je parle de ma façon de vous percevoir ou de percevoir notre relation. Le discours général est sécurisant, mais le risque augmente lorsque je cite des exemples

concrets, que je parle de gens précis ou que je relie mes sentiments à des événements. En réalité, les personnes se perdent dans les abstractions, les généralités et les principes.

14. *Je suis ici avec vous et je vis le moment présent.* Être impersonnel, c'est aussi être ailleurs, dans le passé ou dans le futur. Au contraire, pour être personnel, il nous faut vivre totalement nos sentiments actuels l'un face à l'autre, y réagir pleinement et unir nos identités et nos gestes.

On peut fuir la plénitude du moment de plusieurs façons : parler *de* ses sentiments mais ne pas les ressentir, analyser son comportement et les perceptions d'autrui, observer ses faits et gestes, bien jouer son rôle, raconter des faits « personnels », spéculer sur l'avenir, interroger, dissimuler grâce à l'humour, « se mettre au travail » et s'éloigner ainsi de ce qui se passe vraiment dans la relation. Être personnel, c'est donc être ici, maintenant et avec vous. Je suis toujours libre d'agir ainsi.

15. *Je suis entièrement là.* Lorsque je suis personnel, toute ma personne s'implique dans chacun de mes gestes. Je suis entier avec vous et j'intègre tout mon être à tous les instants de ma vie. Quand je suis impersonnel, je prétends m'adapter aux situations et aux gens et je ne distribue que des parcelles de moi-même. Il s'agit en fait d'une question de présence, de plénitude et d'intégration. Dans une relation, je peux choisir de me diviser ou d'être entièrement là.

Je songe ici à plusieurs gens qui, malgré les pressions fréquentes des organismes auxquels ils appartiennent, réussissent à vivre d'une manière pleine et entière ; leur vie professionnelle est marquée par la plénitude et l'intégrité. Une personne en particulier m'a appris beaucoup à ce sujet, une administratrice dans l'entreprise pour laquelle je travaille. Elle réussit remarquablement bien dans son domaine et elle est une des rares femmes à occuper un tel poste de direction. Elle se passionne pour son travail et est à la fois féminine, chaleureuse, gentille, personnelle et non défensive. De plus, elle est très compétente et très créatrice. Les hommes et les femmes de son entourage, qui sont à la fois ses amis et ses subordonnés, la respectent beaucoup. Mais, surtout, elle est toujours elle-même, même dans les situations où certaines administratrices sentent le besoin « d'être masculines » afin de réussir dans un « monde réservé aux hommes ». À chaque fois que je travaille ou que je parle avec elle, toute sa personne est entièrement disponible. En fait, c'est qu'elle est personnelle.

16. *Je mets toute ma nature humaine et ma vulnérabilité à votre disposition.* Je ne fais aucun effort pour dissimuler ma vulnérabilité, mes côtés obscurs, mes forces cachées, mes véritables préférences et mes prétentions. Je vous montre ma personne entière afin de vous la rendre entièrement disponible.

L'intimité et la confiance diminuent si je tente consciemment de paraître sous mon meilleur jour, de poser le geste le plus approprié, de chercher à vous protéger contre ce que je crois et d'atténuer la teneur de mes pensées afin de ne pas vous inquiéter. Je ne favorise pas la confiance et l'intimité lorsque je me sers stratégiquement de mon humanité pour gagner votre confiance en mon habileté professionnelle ou lorsque je tente de « programmer » notre intimité. Pour être personnel, je dois tout simplement être humain et le manifester.

17. *Mes peurs sont parfois présentes dans nos rencontres.* En tout être humain se retrouve l'antagonisme peur-confiance. La peur est toujours présente en moi sous l'une ou l'autre de ses multiples formes. Je crains de les regarder et je m'effraie encore davantage à l'idée de vous les exposer.

Je consacre parfois tellement d'énergie à nier mes propres peurs que j'oublie que les autres en éprouvent aussi. Les dévoiler aide à la création de liens solides et au partage de notre humanité. De plus, il en résulte une communication qui dépasse les barrières raciales, sexuelles et nationales ; la découverte de notre unicité nous permet de nous orienter vers les énergies gaspillées à simuler, de les rassembler, d'en être conscients et enfin d'en reprendre possession.

18. *Je vous admets dans mon monde et dans mon espace.* Pour être personnel, la plupart d'entre nous devons changer nos façons de percevoir ainsi que nos attitudes. Ce changement implique aussi la conscience réciproque de l'autre et de notre relation. Je vous invite de plus à pénétrer dans mon monde, chacun de nous reconnaissant que nous formons une partie de l'autre. La conscience profonde de ce tout et les sentiments que nous y éprouvons me conduisent à être personnel.

19. *Je prends plaisir à nos contacts physiques, psychologiques et spirituels.* Nous ne pouvons être *vraiment* personnels sans goûter pleinement ce processus. La véritable intimité consiste en

une relation *réciproque* où chaque participant se satisfait. Le processus parvient à l'épanouissement lorsque nos corps, nos intelligences et nos esprits se touchent.

Personne ne conteste que le nouveau-né aime toucher et être touché, mais la vie nous apprend rapidement la peur et la défensive. Nous perdons alors cette nécessité du contact, nos corps oublient la joie du toucher, nos caresses ne vont pas à nos amis et à nos enfants mais à nos chats et à nos chiens. Nous inhibons nos impulsions à toucher des inconnus, des amis et même ceux que nous aimons. La culpabilité, l'anxiété, l'instinct de propriété, l'attente, l'habitude, l'imitation et une foule d'autres inhibiteurs qui habitent notre intelligence, notre corps et notre esprit sont responsables de cette attitude. *Toucher et être personnel ne peuvent se dissocier.*

20. *Vous avez pour moi beaucoup d'importance.* Être personnel, c'est aussi une invitation authentique *à engager en ce moment une véritable relation.* Par conséquent, je ne peux être personnel si je ne vous reconnais aucune valeur, car les gens personnels estiment les autres. Ma vie est faite d'instants ; je les partage avec vous et il s'agit là du plus beau cadeau que je puisse vous faire. Être personnel est une aventure commune. Mon apport représente donc un cadeau pour moi et pour vous.

Être personnel est un geste qui contient ses propres satisfactions. Plus je deviens personnel, plus les gens prennent de l'importance pour moi, et seules mes peurs peuvent limiter ce processus. Être personnel est à la base de la famille authentique, des communautés préoccupées de leurs membres et d'un monde basé sur l'interdépendance.

Être personnel fait-il une différence ?

Notre définition d'« être personnel » dépasse de beaucoup le sens que lui attribue normalement la langue courante. Il s'agit en fait du premier des processus de découverte CORI et il déclenche le courant d'énergie de la vie entière. La confiance naît quand j'ai suffisamment confiance en moi pour impliquer toute ma personne dans chacun de mes gestes. C'est là un des thèmes importants de ce livre.

Ce processus marque aussi le début de la croissance personnelle. Ma façon d'intégrer ma peur et ma confiance dans mon être et dans mon devenir détermine ma capacité d'être personnel. Cette synergie délimite le mouvement de ma vie, mes peines, mes joies, mon rythme de croissance et l'efficacité de mes gestes.

Cet ouvrage présente ma conception de la vie et il est issu de l'équilibre entre ma confiance et ma peur. Créée à partir de mon vécu, ma version de l'approche CORI décrit en quelque sorte ma croissance personnelle. Un de mes amis psychanalystes a un jour interprété mon « intérêt marqué pour la confiance » comme une réaction massive à certains épisodes de ma vie qui m'avaient conduit à la méfiance et à la peur. Je suis d'accord avec lui et je présume que ce fait ne peut que confirmer la théorie dans son ensemble. Chaque personne qui lit, emploie ou expérimente cette approche se sert en effet de sa vie personnelle pour la vérifier.

Lorsque j'ai très peur, je suis désorienté et je paralyse. Les énormes difficultés que j'ai rencontrées dans ma recherche d'une vie intime et personnelle ont poussé ma première femme à me quitter. Je l'ai d'ailleurs tenue responsable pendant un certain temps de mes peurs et de mes difficultés. Des peurs profondes et nombreuses m'habitent. Je les ai projetées dans ce livre et tout lecteur intéressé peut, je l'espère, les déceler.

À certains moments de ma vie, je me suis infligé d'intenses souffrances et, à deux reprises, j'ai même vécu de longues périodes dépressives de deux ou trois mois. Je songeais alors à poser des gestes autodestructeurs, y compris le suicide. Il y a environ trois ans, et par ma faute, ma pression sanguine s'est élevée dangereusement ; pendant ces périodes de profonde souffrance, j'ai tenté de mobiliser des mécanismes de défense qui ne m'ont pas protégé. J'imputais mes malheurs aux gens et aux événements mais, le plus souvent, je punissais mon corps et mon esprit parce qu'ils me blessaient. Il me semblait alors que personne ne vivait un enfer semblable.

Ma « théorie » a créé mes maux, mais elle m'a aussi aidé à intégrer mon vécu. Au coeur de ma dépression la plus profonde, j'ai décidé dans mon corps et dans mon intelligence de ne pas m'abandonner au suicide. C'est alors que je me suis découvert et que j'ai créé d'une manière que je n'avais jamais imaginée auparavant. J'ai créé ma personne et ma force. J'avais cru ces dernières années être responsable de moi et de mes actes mais je me connais maintenant davantage et je découvre une façon nouvelle et encore plus authentique d'en être responsable. Ma pression sanguine élevée m'a beaucoup inquiété : j'ai à ce moment regardé au plus profond de moi et j'ai réfléchi sur mon image ; je me suis aussi interrogé sur mes véritables désirs. Avec l'aide des gens qui m'aimaient, j'ai développé une nouvelle façon de vivre et, en 18 mois, ma pression sanguine est redevenue normale. Cette expérience de confiance, ajoutée à d'autres, m'a procuré une sérénité nouvelle et profonde et m'a fait connaître une nouvelle vie.

Lorsque mon niveau de confiance est élevé, je vis de magnifiques expériences vitales. J'aime et je suis aimé de plusieurs façons. Ma vie familiale avec Lorraine, Blair et John dépasse mes plus grands espoirs. J'agis plus que jamais selon mes désirs. Je crée ma « théorie » et ce processus m'unifie.

Je crée consciemment cette théorie depuis longtemps, et sa création inconsciente a d'ailleurs débuté lorsque j'ai entrepris mes études à l'université. J'abordai alors la psychologie et je me passionnai pour William James et pour son humanité si magnifique. Bien que j'aie déjà publié quelques bribes de ma théorie ici et là, la peur demeurait jusqu'à maintenant de la réunir en un seul volume et de me placer sur la sellette. Cette timidité m'a étonné et embarrassé à l'époque, mais en ce moment je l'apprécie vivement car elle est partie intégrante de ma douceur.

Ma peur m'empêche d'être personnel. Je fournis, à moi-même et aux autres, de « bonnes raisons » pour éviter d'être plus personnel. Celles-ci représentent, en fait, ma peur déguisée. Toutefois, je peux m'en libérer lorsque je me rends compte que je crée moi-même ces peurs, qu'elles peuvent devenir mes ennemies ou mes amies et qu'être personnel ne comporte aucun danger.

Lorsque j'ai confiance en moi, en vous et en l'approche CORI, mon comportement devient personnel quelles que soient les circonstances. La confiance agit comme déclencheur et tout alors devient possible. Je peux être aussi personnel que je le désire. Je peux franchir de petites étapes à l'intérieur de mes niveaux de confiance et de peur. Être personnel me permet de créer des expériences profondément satisfaisantes. Quand *je suis personnel d'une manière authentique*, les résultats s'avèrent toujours positifs. Par contre, lorsque je joue un rôle et lorsque je ne corresponds pas vraiment à mon identité, je crée mes propres problèmes et mes propres insatisfactions.

J'effectue parfois, dans mes tentatives, de faux départs pour être personnel, car ces gestes se trouvent souvent dans les zones obscures de ma conscience et je ne les vois pas très clairement au moment où je les pose. Je me raconte des histoires à mon sujet et j'espère que mon auditoire me percevra comme je veux bien me montrer. Je parle parfois longuement avec quelqu'un et je me demande pourquoi mon interlocuteur est si impersonnel; son attitude me froisse et j'ai vaguement conscience de notre malaise commun, tout en ne sachant comment y remédier. En réalité, nous avons peur tous les deux de nous impliquer davantage. Parfois, les paroles de l'autre m'ennuient et je ne sais comment le lui dire sans l'offenser. Ici encore j'ai peur d'exprimer mon ennui et je cherche des façons d'interrompre la conversation. Ainsi vont les choses. Ou plutôt ainsi allaient-elles, car j'apprends maintenant à être plus direct, à être plus personnel et à exprimer tous mes désirs. Lorsque j'ai suffisamment confiance pour agir ainsi, les conséquences pour moi et mon entourage sont toujours positives. Quand je suis personnel, je vis donc d'une façon satisfaisante et même excitante.

La théorie CORI naît de l'attitude personnelle de celui qui l'applique. Chaque individu qui la met en pratique la transforme selon ses besoins. Seule une personne authentique, c'est-à-dire personnelle, peut la comprendre dans son corps et dans son esprit; elle seule peut aussi l'appliquer. Ce côté « personnel » de l'élaboration de la théorie en représente un aspect primordial. Un physicien m'a dit un jour qu'il pouvait prévoir les théories des plus grands de ses collègues à la seule analyse de leur personnalité et de leur comportement social. En fait, toute théorie prend sa source dans l'individu, mais la théorie CORI confirme particulièrement bien ce phénomène, et elle est en effet dirigée volontairement vers la personne et l'aspect particulier de *la substance et du processus* CORI.

Être personnel représente l'étape initiale dans la création de mon environnement. Contrairement aux idées reçues, l'environnement ne me crée pas, c'est plutôt moi qui le crée. Pour que cette affirmation se vérifie, j'adopte envers ma vie une attitude active, je choisis entre conserver mon rôle ou m'en départir. Je vois ce que je veux voir et j'entends ce que je veux entendre. Je choisis de changer mon environnement physique ou social. Je choisis ou non de vous présenter ma véritable identité. Je crée ma peur et je choisis de m'y enfermer ou de m'en libérer. Le chapitre suivant présente les impressionnantes conséquences d'un tel point de vue.

Parents, professeurs, thérapeutes, directeurs et animateurs, tous sont plus efficaces lorsqu'ils sont personnels. Nos peurs communes engendrent un mythe malheureux et persistant : beaucoup croient à tort que s'ils occupent un poste de responsabilité, ils se doivent de bien jouer leur rôle afin d'atteindre les objectifs de leurs fonctions. Ils s'obligent à être impersonnels au moment même où le besoin d'être personnel se fait le plus sentir. (D'ailleurs, il faudrait souligner que cette dernière attitude leur assurerait l'efficacité souhaitée.) En période de crise,une mère doit être Marie, une personne de chair et de sang, et non simplement une « mère ». Le thérapeute ne doit pas se contenter de rassurer son interlocuteur, il doit ressentir lui-même la souffrance d'autrui. Le professeur doit se joindre à la recherche personnelle de son étudiant en évitant simplement de la lui enseigner. L'administrateur, comme nous le verrons clairement au dixième chapitre, doit joindre sa personne à l'entreprise plutôt que de la diriger. Il faut, paradoxalement, se départir de son rôle si on veut en atteindre les objectifs.

L'efficacité organisationnelle et la productivité dépendent très étroitement des relations personnelles. Diverses formes d'études prouvent qu'une productivité élevée est reliée à la qualité des relations personnelles au travail. Pour un directeur, par exemple, être personnel ne signifie pas qu'il invite son employé à dîner à la maison, qu'il raconte des histoires au groupe d'ouvriers réunis au bar après le travail, qu'il pose des questions sur des sujets « personnels » et sans lien avec le travail ou qu'il laisse la porte de son bureau toujours ouverte. Il est plutôt une personne authentique, exprime honnêtement sa colère ou sa joie, considère les autres comme des êtres humains et non comme des esclaves, s'implique vraiment lors d'une réunion d'évaluation et, plutôt que de donner des conseils, se joint aux autres afin de découvrir comment accomplir une tâche.

Être personnel conduit à une relation profonde, à une intimité authentique, à des liens étroits et à des états de conscience plus aigus. Toute notre vie *devra* devenir plus personnelle si nous tenons à la survie de notre culture. Telles sont du moins les conclusions de notre théorie. Nous pouvons commencer par devenir plus personnels à certains moments de notre vie et pousser ensuite ce cheminement aussi loin que nous le désirons. Ce que l'intimité représente peut toutefois nous effrayer. L'automne dernier, une participante nous a dit lors de la première rencontre d'un groupe CORI : « J'ai peur de créer des liens trop étroits avec vous. Je ne me sentirai pas bien quand nous nous quitterons dimanche après-midi. Je vais donc le plus possible demeurer impersonnelle. » Elle a été incapable de réaliser son projet mais ses peurs l'ont longtemps empêchée de s'approcher vraiment de nous. Que nous exprimions ou non de telles opinions, la plupart d'entre nous, pour ne pas dire tous, agissons parfois de cette façon. Au moment où la confiance de cette femme lui a permis de surmonter sa peur, elle a changé radicalement son comportement et a agi selon ses véritables désirs : elle est même devenue membre à part entière de la communauté. Je crois que tous les gens souhaitent l'intimité et l'amour. Ce désir se manifeste très clairement chez plusieurs mais il est presque invisible chez d'autres, même pour eux-mêmes. Ces désirs communs favorisent l'émergence d'une communauté orientée vers les besoins de ses membres. Tout devient possible au moment où la confiance transcende la peur.

Toute vie humaine s'enrichit lorsqu'elle devient plus personnelle. En fait, ce chapitre constitue une introduction à tous ceux qui suivent. Dans le chapitre suivant, nous réfléchirons sur l'environnement créé par chacun d'entre nous.

La confiance ne connaît aucune limite. Elle se transcende elle-même éternellement.

Chapitre 3

Transcendance de l'environnement

Je crée mon environnement. Mon environnement ne me crée pas. Nous atteignons la confiance la plus grande lorsque nous croyons que l'environnement nous est favorable, que nous pouvons le modifier et qu'il est ouvert à notre créativité, nos projections et nos images. La confiance réside dans la croyance en mes pouvoirs illimités de création et de transcendance du monde. Nous retrouvons ici un éternel paradoxe : *je suis présent dans mon monde*, j'y vis pleinement mais je veux le transcender et évoluer vers un être et une conscience en perpétuel changement.

Ce processus de confiance profonde me conduit aussi à respecter *la présence des autres dans leur monde* et à me joindre à eux dans leur tentative pour le comprendre et le transformer. Le projet commun de créer un environnement de grande qualité représente une manière très confiante d'entreprendre une thérapie, d'enseigner à l'école, d'animer une communauté, de gouverner un pays, de vivre en famille ou de diriger une entreprise.

Description de l'environnement de grande qualité

Voici six façons de décrire un environnement de qualité. Chaque description provient du même processus et peut aider à atteindre différents buts. Chacune souligne aussi une caractéristique importante de l'environnement de grande qualité.

1. *Climat de confiance élevé.* Un environnement de grande qualité ne peut exister sans une confiance profonde. Plus la confiance domine la peur, plus l'environnement réussit à favoriser les buts habituels d'une organisation, c'est-à-dire la productivité, la créativité, la vitalité organisationnelle et la croissance personnelle. La grille d'évaluation d'un environnement de qualité décrite plus loin est aussi conçue pour évaluer le degré de confiance.

2. *Peu de contraintes.* Un environnement de grande qualité permet la liberté, la créativité, l'impulsivité et la croissance. Il présente donc le moins de contraintes possible. Nous présumons que la peur est à l'origine de toutes les barrières importantes qui nuisent à l'efficacité personnelle et organisationnelle. Par conséquent, un environnement présentant peu de contraintes correspond à un environnement où la peur et la menace tendent à disparaître. L'énergie consacrée à détruire la peur et les contraintes s'avère toujours plus efficace que l'énergie employée à exercer des pressions pour augmenter la productivité, la créativité et l'apprentissage.

3. *Réalisation maximale des quatre processus de découverte CORI.* Nos efforts tendus vers l'amélioration de la qualité de l'environnement conduisent aussi à la réalisation des processus d'être, d'ouverture, de désir et de relation profonde. Les quatre processus unissent les forces qui favorisent la créativité, la productivité et l'enrichissement de la vie.

4. *Estime de soi.* Dans un bon environnement, les personnes s'estiment elles-mêmes. Une attitude positive face à soi permet de libérer l'énergie et de l'orienter vers la productivité, vers la créativité et vers d'autres buts personnels et organisationnels.

5. *Possibilités multiples d'épanouissement.* Un environnement de grande qualité offre le plus de choix possible. Une nouvelle source d'épanouissement se présente à chaque nouveau degré de qualité. De plus, une énergie nouvelle se dégage, de nouvelles expériences s'offrent et de nouvelles ressources s'ajoutent. La présence de nombreuses possibilités d'épanouissement constitue un critère

d'évaluation valable pour les communautés, les écoles, les quartiers ou les familles.

6. *Défensive réduite*. Dans un environnement de faible qualité, les gens emploient leurs énergies à se défendre ou à défendre le système contre des attaques imaginaires ou réelles. De cette façon, l'énergie ne peut plus s'orienter vers une vie plus enrichie, plus productive et plus créatrice. Mais, par contre, la défensive diminue dans un environnement de grande qualité.

Grille d'évaluation de l'environnement

Les praticiens de l'approche CORI ont mis au point une grille d'évaluation de l'environnement. Elle se compose de dix points et elle sert à établir le diagnostic d'un système, à proposer des plans d'action et à améliorer la qualité de la vie en famille, au travail, à l'école ou ailleurs.

Je décrirai brièvement ces dix étapes et j'en analyserai ensuite les utilisations et les caractéristiques.

I — *Punitif*. L'environnement se caractérise par un processus de punition prédominant et visible. La peur et la méfiance à l'état primaire poussent les gens à punir les autres ; ils pensent ainsi réduire un danger présent ou futur. Or, cette attitude ne mène nulle part et ses conséquences sont désastreuses. Malgré cette évidence flagrante, notre monde moderne persiste à punir. Ce processus représente une forme régressive de défense et on l'applique délibérément et rationnellement dans des buts d'éducation, de contrôle social, de réhabilitation, de thérapie, de formation et de supervision.

La punition puise ses sources dans la culpabilité et l'hostilité. Elle peut s'abattre indistinctement sur l'enfant qui n'agit pas selon nos attentes ou qui n'atteint pas nos objectifs, sur un employé menaçant et même, pour employer un exemple animiste, sur une chaise récalcitrante.

Ceux qui punissent justifient leurs gestes de plusieurs façons : « Je t'aime suffisamment pour te punir » ; « Si je te punis, c'est pour ton bien » ; « La discipline est une nécessité morale et psychologique » ; « Qui aime bien châtie bien ».

Nous pouvons comparer la personne à un système social. Nous pouvons appliquer notre grille d'évaluation au développement de l'environnement interne de la personne, c'est-à-dire au système intrapersonnel. Quand la peur domine, la dynamique du blâme et de la culpabilité prédispose la personne à se punir ou à punir les autres. De plus, celle-ci perçoit le monde selon une forme primitive de moralité où les gestes sont alors vus sous un aspect moral et non descriptif. En fait, les attitudes de blâme et de culpabilité se rattachent à un fort climat d'hostilité.

II — *Autocratique*. L'environnement II se base sur le pouvoir, l'ordre et la structure. Sa persistance s'explique par une peur primitive de l'ambiguïté, du désordre et de l'impuissance. Cet environnement va de pair avec une morale d'obéissance à l'autorité et une conception étouffante de la responsabilité.

Les environnements autocratiques encouragent les relations linéaires, la hiérarchie basée sur le pouvoir et la responsabilité, le dirigisme quasi absolu et les relations rationnelles.

Ces environnements entraînent de plus d'autres effets secondaires coûteux qui, eux aussi, relèvent de la peur. Ainsi, la passivité, la dépendance, l'hostilité et le conformisme sont acceptés et passés sous silence à cause du caractère apparemment si rationnel de l'autocratie. Celle-ci semble en effet apporter une réponse satisfaisante à la peur puisqu'elle prône la supériorité morale d'un monde ordonné.

Au niveau personnel, l'autocratie se décèle par le contrôle intérieur étroit, la suppression des sentiments et de l'impulsivité, l'emploi de la rationalisation en guise de mécanisme de défense, le refus quasi absolu de toute ambiguïté et l'autoritarisme.

III — *Bienveillant*. Éducation et protection, voilà les principales caractéristiques de l'environnement III. On peut aussi le qualifier de parental et on le retrouve souvent à l'église, à l'école et dans les programmes de réhabilitation. On met l'autocratie en sourdine mais on conserve toujours des préoccupations d'ordre et de structure. Une attitude maternelle apporte sécurité et affection et semble correspondre, du moins en grande partie, aux besoins émotifs d'autrui. Par conséquent, la dépendance et la résistance qui en découlent sont tolérées et passent presque inaperçues. La bienveillance convient particulièrement bien au contrôle par la récompense et la punition. On sous-estime les effets négatifs de l'éloge et de la récompense employés dans des buts de manipulation et de contrôle.

La personne soumise à la dynamique de la bienveillance conçoit le monde en termes de punition-récompense, gagnant-perdant, approbation-réprobation et acceptation-rejet. Un événement favorable est alors perçu comme une victoire et non comme une situation naturellement gratifiante. L'apathie et la dépendance affective sont les conséquences malheureuses de cette attitude parentale.

IV — *Consultatif.* Nous retrouvons ici la consultation, la cueillette des informations, l'élargissement de la base d'information et une communication raffinée à tous les niveaux. Comme la peur et la méfiance diminuent, la motivation, la sagesse et la prise de décision ne sont plus du seul ressort du leader. Aussi l'administration scientifique emploie-t-elle l'enquête, les moyens de communication rationnels, la formation à la prise de décision et les consultants externes. Administrer devient ainsi un processus rationnel et scientifique.

Plus la confiance augmente, plus la dépendance et la résistance disparaissent. Un dialogue intérieur commence alors à s'établir. La personne développe un système de communication interne et elle peut traiter les informations qui viennent de l'extérieur. Ce mécanisme s'intègre ensuite dans l'action et la prise de décision.

V — *Participant.* Alors que la confiance s'accroît, l'attention se dirige vers la participation, la prise de décision par consensus et le choix. Les personnes s'impliquent dans la direction et dans la vie de leur groupe et de leur communauté. Dans le monde administratif moderne, presque tous considèrent la participation comme la forme idéale d'administration et d'environnement social.

Du point de vue de cette analyse de la qualité de l'environnement et des niveaux de confiance, la vie basée sur la participation sert de transition vers une nouvelle forme de vie. À l'intérieur des limites du leadership pris comme dimension critique de la vie sociale, la participation représente la forme la plus avancée de leadership et la forme d'environnement la plus efficace. Toutefois, et c'est là la limite cruciale, l'action et la prise de décision ne sont pas plus efficaces que le leader lui-même. Même si elles diminuent, les conséquences néfastes de la vie orientée vers le leadership sont toujours présentes.

Au niveau du développement personnel, nous assistons à l'intégration des divers composants de la personne. Tout se déroule comme si les parties internes de l'individu se rencontraient, prenaient les décisions et faisaient les choix à la base de l'action.

VI — *Émergent.* Comparativement à la participation, l'émergence marque un progrès tangible. Le groupe et la communauté atteignent un niveau de réalité et d'interaction marqué par l'absence de leader. Malgré que certains vestiges de la dynamique du pouvoir, du contrôle et de l'influence demeurent, les préoccupations à ce sujet sont toutefois remplacées par l'intérêt pour les relations interpersonnelles, l'être, la conscience, l'expérimentation et la sympathie.

Au niveau gouvernemental, des mouvements socialistes, communistes et anarchiques, reconnaissant les limites de la centralisation et des environnements orientés vers le leader, ont tenté de multiples expériences d'égalitarisme, de primauté du groupe ou de pouvoir étendu.

Les théoriciens CORI ont ouvert la voie au développement de groupes sans leader, de formation au travail en équipe sans consultant, de communautés sans chef, de salles de classe sans professeur, de groupes de travail sans surveillant et de thérapies de groupe sans thérapeute. Les résultats se sont avérés généralement très positifs aux niveaux de l'apprentissage, de la productivité, du profit, de la croissance personnelle, etc. Des groupes semblables présentent des avantages évidents. Toutefois, pour qu'ils atteignent la perfection, le changement radical de nos valeurs et de nos croyances, l'acquisition de nouveaux mécanismes par l'ensemble de la société et une expérimentation plus poussée se révèlent nécessaires.

Au niveau personnel, nous assistons à la croissance de la personne, de l'individu libéré des devoirs et des structures et dirigeant sa vie de l'intérieur. Il se bat alors pour se débarrasser de l'autorité, de la responsabilité, de l'attitude parentale des environnements précédents et de l'emprise de ses peurs. Il recherche aussi une sécurité intérieure pour remplacer la sécurité apportée naguère par les structures et les contrôles.

VII — *Organique.* La confiance, la liberté et la créativité augmentent. Non seulement l'individu se sent-il attiré par des modes d'être et de communiquer basés sur l'intuition et la sympathie, mais de plus, il se libère de sa dépendance envers les mots ; il met l'accent sur la conscience sensorielle, le contact physique et la communication non verbale.

L'individu se rend compte que la vie défensive se concrétise dans la communication verbale et dans les conflits reliés aux mots, propres aux tumultueux environnements V et VI. Il préfère donc l'apprentissage de la communication non verbale, les satisfactions du silence, la réalité profondément sensorielle du toucher et la conscience nouvelle de la confiance et de son importance.

J'ai constaté la présence de ces environnements dans les jeux spontanés des enfants, dans de petits groupes de travail formés depuis longtemps, dans des thérapies de groupe, dans des communautés CORI de cinq et de sept jours, dans des groupes d'évaluation des hypothèses de travail d'une administration, dans des communautés présentant de nouvelles façons de vivre et dans plusieurs autres organisations. J'en ai assez souvent été témoin pour croire que de tels groupes sont possibles, qu'ils peuvent changer profondément la vie et qu'une telle intégration de la vie nous promet un futur renouvelé.

Au niveau personnel, cette forme d'environnement se caractérise par une conscience nouvelle orientée vers l'intuition et la sympathie, une nouvelle intégration, dans le choix et l'action, des processus préalables au langage, une plus grande disponibilité des forces créatives et une confiance moindre face aux mécanismes d'intégration des mots et des concepts.

VIII — *Holistique*. Nous assistons ici à l'intégration, dans toute action personnelle et organisationnelle, des éléments de la vie qui se situent à des niveaux inconscients et qui correspondent à des archétypes. De plus, une créativité nouvelle se manifeste, de même qu'une synergie et une intégration accrues.

Divers moyens peuvent aider à pousser plus loin un premier contact avec cet environnement: expériences de croissance personnelle vécues par l'intermédiaire de la psychosynthèse, de l'hypnose, de l'analyse des rêves, de la guérison holistique, de la prière, d'hallucinations dirigées, de thérapie en profondeur et de diverses formes d'intégration de l'inconscient et du préconscient dans la vie quotidienne.

Au niveau organisationnel, l'inconscient se manifeste à travers de multiples exemples : les ralentissements de travail concertés, un emploi du temps tenu secret, la foi aveugle en des personnes au charisme puissant, des moments soudains d'intense créativité, la punition collective des déviants, le principe de Peter, le déplacement de la culpabilité, la coordination des membres d'une équipe, les tourments du leadership, la rivalité familiale et de nombreux processus quasi conscients et récurrents qui reflètent l'influence d'états autres que strictement conscients.

Au niveau personnel, une confiance nouvelle conduit à la récupération de la vie inconsciente, à une conscience accrue, à l'intégration des impulsions internes à des projets de vie conscients, aux conséquences thérapeutiques d'une sérénité intérieure et à une synergie plus totale des forces vitales.

IX — *Transcendant.* Il s'agit ici d'une transition importante vers de nouvelles régions de l'être. Les états extra-sensoriels et modifiés s'intègrent dans l'être et dans la conscience. Cet environnement va puiser dans de nouvelles sources d'énergie.

Lorsque je parle de cette sorte d'environnement, je délaisse les conceptions familières de la réalité organisationnelle et administrative. Je m'engage en effet dans le monde très controversé du mysticisme, des voyages astraux, de la voyance, de la prière, des visions, des expériences extra-corporelles, de la réincarnation, de la perception extra-sensorielle, de la guérison fondée sur la prière et la suggestion, de l'acupuncture, de l'astrologie et de multiples événements et phénomènes qui transcendent la vie quotidienne. Il est important de se demander quelles seront les conséquences de ce nouveau mode d'expérimentation et de découverte sur les réalités organisationnelles de la prise de décision, de la productivité, du choix et de l'administration. Je crois pour ma part que la prochaine décade connaîtra de surprenants changements et verra les débuts d'une nouvelle révolution dont les conséquences universelles dépasseront celles de la révolution industrielle.

Au niveau personnel, il est évident que plusieurs personnes maîtrisent de nouveaux états de confiance, transcendent le monde familier des environnements V à VIII et explorent de nouvelles formes d'épanouissement.

X — *Cosmique.* Mes considérations à ce sujet proviennent de mes lectures, de mes études sur le concept de la confiance, de mon expérience personnelle des états cosmiques et extra-corporels et de mes conversations avec des gens que j'estime.

Jusqu'à maintenant mes extrapolations sur la peur et sur la confiance semblent réussir à intégrer les nouveaux développements de la physique théorique, de la médecine holistique, des spéculations sur le cosmos et de multiples ouvrages marginaux aux propos « scientifiques ». La confiance correspond à un concept unitaire qui différencie les niveaux d'environnement. La peur peut être un processus dépendant d'états physiques et sensoriels et elle peut disparaître dans des environnements post-cosmiques.

TABLEAU V
ÉVOLUTION DE LA QUALITÉ DE L'ENVIRONNEMENT

Caractéristique de l'étape	Nature de l'étape	Fonction principale
I Punitif	La punition correspond à une forme de contrôle et de socialisation	L'environnement diminue la terreur du chaos et le danger apparent
II Autocratique	Le pouvoir et l'autorité maintiennent le contrôle et l'ordre	Il apporte ordre et structure
III Bienveillant	La protection et l'éducation de type parental le caractérisent	Il fournit sécurité et affection
IV Consultatif	On s'oriente vers la consultation et la cueillette d'informations	Il augmente les informations et enrichit la communication
V Participant	On s'attache à la participation, à la prise de décision par choix et par consensus	Il accroît l'implication, la loyauté et la force du groupe
VI Émergent	Le groupe et la communauté atteignent un niveau de réalité et d'interaction marqué par l'absence de leader	Il diminue la dépendance et ajoute de la vitalité et des ressources fonctionnelles
VII Organique	Les modes d'être et de communiquer orientés vers l'intuition et la sympathie jouent un rôle fondamental	Il laisse s'épanouir des sources de créativité et d'être basées sur l'intuition et sur des éléments préalables au langage
VIII Holistique	Les processus inconscients, latents et relevant d'archétypes s'intègrent à la vie enrichie	Il libère les sources de l'énergie et de la créativité
IX Transcendant	Les états modifiés et extrasensoriels s'intègrent à l'être et à la conscience	Il dégage les sources non sensorielles de l'être et de l'énergie
X Cosmique	La communauté et l'être s'orientent vers des états cosmiques, universels et nirvaniques	Il débouche sur une énergie et un être universels encore peu connus

TABLEAU VI
DYNAMIQUE DES ÉTAPES DE LA QUALITÉ DE L'ENVIRONNEMENT

Caractéristique de l'étape	Limite principale	Peur fondamentale nuisant au processus d'évolution	Orientation de l'énergie
I Punitif	Produit la culpabilité et l'hostilité résiduelle	Peur de la rébellion et de la perte du contrôle	Survie, rétribution
II Autocratique	Crée la passivité et la dépendance	Peur de l'ambiguïté, du désordre, de l'anarchie	Pouvoir, contrôle, obéissance
III Bienveillant	Encourage l'apathie et de multiples problèmes émotifs	Peur du sevrage émotif	Récompense et punition
IV Consultatif	Échoue à monopoliser l'énergie et l'action et à répartir les responsabilités	Peur du conflit, de la diversité et de l'action	Communication, traitement valable de l'information
V Participant	Ambiguïté du rôle du leader	Peur de l'absence de leader et de la responsabilité	Influence, choix, résolution des conflits
VI Émergent	Confiance trop grande envers les processus rationnels et verbaux	Peur des états non rationnels et non verbaux	Être, liberté, recherche
VII Organique	Confiance trop grande envers les processus conscients	Peur du mystère de l'inconscient et de l'état originel	Expression, intégration, sensibilité
VIII Holistique	Confiance trop grande envers l'information sensorielle et le vécu	Peur de perdre le contrôle conscient et volontaire	Créativité, spontanéité
IX Transcendant	Confiance trop grande envers l'intelligence et le corps	Peur d'abandonner la sécurité corporelle et sensorielle	Transcendance des états physiques et sensoriels
X Cosmique	Peu ou pas d'informations disponibles	Possibilité de transcender les peurs	Être cosmique

Emploi de la grille d'évaluation de l'environnement

L'environnement correspond à un processus continu, et la classification proposée plus haut va donc à l'encontre de l'expérience de la vie qui s'assimile plutôt à un mouvement unitaire de flux et de reflux.

L'environnement se confond avec le vécu. Celui-ci est unitaire, global, total et ininterrompu. Les étapes aux niveaux sont une façon un peu cinématographique d'étudier l'environnement, image par image, mais sans arrêt brusque et sans coupures.

1. *La grille décrit un processus en évolution*, soit le développement ontogénique de la personne, l'évolution d'une institution, les changements survenus dans l'histoire de la race humaine, l'évolution de nos mythes et de nos croyances et le développement de nos tentatives pour tout « diriger ».

À chaque étape correspond une forme d'intégration. À chaque niveau de confiance se manifeste un ensemble de besoins dominants, de nouvelles hypothèses sur les gens, de nouvelles fonctions réalisées dans le système, de nouvelles capacités ascendantes, de nouvelles sources d'énergie, de nouveaux problèmes et de nouvelles tensions. Un nouveau thème intègre ces changements, unifie le système et aide à maintenir ordre et rationalité entre les processus émergents.

Les valeurs propres à une étape particulière semblent inappropriées aux autres. Par exemple, l'obéissance et la recherche de l'approbation qui caractérisent les environnements II et III semblent dysfonctionnels et même scandaleux dans les environnements VI, VII et VIII. La dynamique du pouvoir et de la persuasion revêt une importance cruciale dans les environnements II à IV mais n'a aucune signification dans les environnements VII à IX. Notre culture change rapidement, plusieurs environnements se retrouvent les uns à côté des autres dans la même ville ou dans le même quartier, et il en résulte une incongruence et une disparité difficiles à surmonter. La perspective présentée par cette grille d'évaluation est donc très utile lorsqu'il s'agit de travailler avec divers groupes raciaux, culturels et organisationnels.

2. *Le niveau de confiance représente la force variable de cette évolution.* La grille sert essentiellement à mesurer le niveau de confiance. Quand celui-ci change d'une manière importante, le déséquilibre et la tension du système évoluent vers une nouvelle

croissance, de nouveaux degrés d'intégration et de nouvelles étapes de l'environnement.

3. *De nouveaux besoins s'affirment à chaque niveau.* Le tableau VII décrit une hiérarchie des besoins et des désirs. Nous apercevons à chaque niveau un nouvel ensemble de besoins dominants. Le groupe, l'organisation et la culture créent parfois des activités qui répondent à ces besoins et à ces désirs. Les besoins semblent persister longtemps et atteindre une sorte d'autonomie fonctionnelle. Ainsi, les gens qui souhaitent et atteignent le pouvoir développent des besoins de pouvoir encore plus forts. La punition accroît le besoin de punir. La satisfaction des gens augmente le désir d'une plus grande sensualité.

Toutefois, au fur et à mesure que les désirs sont assouvis, transcendés ou moins pertinents, l'environnement évolue vers une nouvelle étape. De nouveaux besoins et de nouveaux désirs remplacent alors les précédents.

Chaque niveau d'environnement s'intègre autour d'un tissu de besoins. Un climat punitif est ainsi maintenu par ceux qui ressentent le besoin de punir ou d'être punis. Les besoins favorisent la mise en place de lois et de règles, et celles-ci, à leur tour, amènent de nouveaux contrevenants qui « ont besoin » d'être punis et de nouvelles personnes lésées qui « ont besoin » de punir. Les valeurs et les normes surgissent, elles sanctionnent et consacrent la séquence règle-violation-punition qui caractérise ce climat. Un environnement autocratique se nourrit de la soif du pouvoir, de la recherche de la structure et de la dépendance. Les personnes qui ont besoin d'obéir et celles qui ont besoin de commander créent une tension dynamique qui soutient l'autocratie, apporte un besoin visible de pouvoir et, donc, sanctionne le pouvoir.

Le système bienveillant naît de la rencontre de ceux qui sentent le besoin de protéger et de conseiller et de ceux qui préfèrent plutôt recevoir cette protection et ces conseils. La culture consultative s'appuie sur l'information et sur l'échange de données. D'un côté se trouvent ceux qui désirent conseiller, propager une rumeur, raconter des histoires et donner leurs opinions ; de l'autre, ceux qui aiment recueillir des informations, entendre une rumeur et simplement écouter. Les climats de participation pour leur part se basent sur les besoins des individus de participer à l'action, d'influencer les autres, de prendre part aux décisions et de créer le processus en cours.

Les environnements émergents et sans leader se fondent sur un certain nombre de forces : le besoin de contre-dépendance et le ressentiment longtemps contenu contre les personnes au pouvoir, le désir d'un nouvel enthousiasme pour une communauté ou un groupe en devenir, de multiples sensibilités depuis longtemps latentes mais éveillées et entretenues par ce nouveau climat de liberté et de création. Les climats organiques se nourrissent de besoins récemment reconnus, soit la satisfaction sensorielle, les joies entremêlées d'impulsivité et de spontanéité et le nouveau besoin d'être « réel ».

Les environnements holistiques proviennent de l'éveil des besoins d'intégralité, de contrôle volontaire des fonctions physiques et inconscientes, de découverte du corps et de processus de guérison. L'intérêt pour les états transcendants, la conscience modifiée et les processus d'éloignement de l'ego éveillent une suite de besoins et de désirs depuis longtemps en veilleuse. Enfin, selon mon intuition, l'environnement cosmique transcendera les besoins et les désirs et s'orientera vers des processus inconnus.

4. *Chaque niveau d'intégration alimente une nouvelle fonction centrale émergente.* La troisième colonne du tableau V énumère les fonctions clés entretenues dans chaque climat. Le climat semble se stabiliser autour des activités propres à ces fonctions.

5. *Chaque niveau met en place de nouvelles forces qui le régénèrent. Il fournit aussi l'énergie nécessaire à sa transcendance et son évolution vers de nouveaux degrés d'intégration.* Il existe plusieurs exemples de régression vers des niveaux d'intégration plus bas. Des vagues récurrentes de conservatisme touchent parfois les croyances, les attitudes, les pratiques et les théories. Ces reculs semblent toutefois temporaires car la croissance correspond plutôt à un processus unidirectionnel.

À chaque niveau, la personne ou le système apporte des ressources qui permettent de s'engager dans un processus d'évolution. Chaque étape a ses limites et certaines sont énumérées dans la deuxième colonne du tableau VI. Chaque besoin fondamental semble avoir son heure et se situer pendant un certain temps au centre de la vie.

Chaque niveau d'intégration, chaque environnement apporte des forces qui dominent l'être et le poussent vers de nouveaux horizons. Chaque étape transcende la dépendance antérieure. L'environnement I, par exemple, nourrit une culpabilité et une hostilité qui le détruisent ; le climat autocratique conduit à une passivité et à une résistance qu'il ne peut supporter ; le niveau de la bienveillance amène une dépendance affective de type parent-enfant si forte que l'énergie se trouve mal dirigée et bientôt diminuée.

L'importance trop grande de l'information et de la raison mène à la stérilité et à l'insatisfaction le système consultatif, qui échoue ainsi à canaliser l'énergie et à promouvoir l'action. Les climats de participation misent tellement sur ce processus, sur les procédures et sur la structuration de la vie que le mouvement et l'action s'y perdent. Les environnements émergents disparaissent à la suite d'une confiance trop grande face aux processus rationnels et verbaux. Leur stérilité apparaît en effet clairement avec la croissance.

Les environnements organiques s'appuient beaucoup trop sur les processus conscients et, lorsque l'inconscient réapparaît, les expériences précédentes semblent incomplètes et insatisfaisantes. Le climat holistique s'attache essentiellement à l'information sensorielle et à l'expérience. Cette attitude conduit à la transcendance anticipée, laquelle crée des tensions.

Je n'ai pas connu beaucoup de communautés et de groupes transcendants ; aussi leur point de saturation et leur mouvement de croissance ne me sont pas familiers. Je suppose, toutefois, que les états extra-sensoriels et de conscience modifiée conduiraient vers des états extra-corporels et d'intégralité cosmique. Je crois de plus que les états cosmiques constituent des transitions qui mènent au-delà du cosmique, mais nos niveaux limités de conscience nous empêchent de nous exprimer clairement sur les états post-cosmiques.

6. *Les peurs limitent notre progression.* Nos peurs sont parfois non intégrées, mal orientées, méconnues et réprimées. La troisième colonne du tableau VI énumère les peurs fondamentales de chaque niveau. Celles-ci ralentissent tout mouvement de progression et d'évolution. La théorie CORI suppose que les freins à toute croissance résident dans *les moyens choisis par la personne ou par le système social pour affronter ses peurs.* Au onzième chapitre, le tableau XVII résume le rôle des peurs dans les quatre processus de défense, lesquels empêchent l'évolution vers un meilleur environnement.

7. *Une impasse composée de peurs surgit à la frontière entre les différents niveaux.* Un état de tension et de transition constitue le point limite des divers environnements, et le point de déséquilibre

peut correspondre à un état de frayeur ou de douleur, mais peut aussi représenter un seuil d'apprentissage pour la personne ou le système. Des incongruités au sujet des attitudes, du niveau d'énergie, des désirs, des hypothèses et des comportements peuvent à ce moment-là se manifester davantage, et c'est durant cette période critique que toute personne sympathique, ami, consultant, thérapeute, conseiller ou directeur, peut être le plus utile.

8. *Une persistance dysfonctionnelle se manifeste* quand les concepts et les façons d'affronter une situation propres à une étape se perpétuent inutilement à des niveaux plus avancés. Ainsi, si les stratégies de pouvoir et d'influence sont efficaces dans les environnements I et II, elles se révèlent moins fonctionnelles dans les environnements IV et V et elles sont tout à fait déplacées à partir de l'environnement VI. En dehors de l'environnement I, la stratégie punitive est probablement inefficace. Les concepts et les stratégies du leadership se révèlent utiles dans les environnements I à V mais perdent toute valeur et constituent probablement un obstacle dès l'environnement VI. Très efficace dans les environnements IV et V, l'assurance devient moins pertinente et même nuisible à d'autres niveaux. Une conscience sensorielle profonde est très salutaire dans les environnements V, VI et VII mais elle peut être nocive ailleurs. Les expériences qui donnent plus de force à l'ego sont propres aux environnements I à VIII, mais les environnements IX et X se caractérisent par la disparition de cet ego.

Ce décalage est probablement responsable de la confusion des résultats de la recherche sur le pouvoir, le leadership, la conscience sensorielle, la persuasion et une foule d'autres concepts des sciences du comportement dont la pertinence et l'aspect prophétique sont d'ailleurs clairement reliés aux diverses étapes de l'environnement de qualité. Les recherches et l'élaboration d'une théorie ont besoin d'analyses étendues et *de théories.* Consultants et praticiens doivent donc adopter un cadre d'analyse basé sur l'évolution s'ils veulent comprendre la dynamique de la qualité de l'environnement.

9. *Les personnes et les systèmes humains évoluent d'une manière plus efficace si leur action porte sur l'environnement et ne se fonde pas sur des interventions extérieures.* Le tableau VIII résume les caractéristiques de ce choix entre ces deux façons de diriger sa vie ou son mouvement d'évolution.

Il y a intervention extérieure quand une personne étrangère au système tente d'y intervenir. Elle exerce alors son action sur le système ou sur l'individu et essaie d'influencer, d'améliorer, de changer, de guider, d'enseigner ou de corriger. Une personne ressource commente un conflit dans un groupe de formation ; un parent récompense l'enfant poli envers un visiteur ; un prêtre exprime silencieusement ou oralement sa sympathie à un paroissien en deuil ; lors d'une inspection importante, un directeur intervient pour démontrer la qualité du produit ; un enseignant souligne une erreur commise au cours d'un exercice en classe. Dans chaque cas, un intervenant « qualifié » a posé un geste important afin d'améliorer le rendement ou la qualité de vie d'une personne ou d'un système.

L'intervention extérieure paraît plus efficace lorsqu'elle vise un comportement précis, s'applique d'une manière adroite et appropriée, fait partie d'un programme d'intervention aux bases théoriques solides conçu pour une action à long terme, se base sur un diagnostic en profondeur et non sur des symptômes superficiels, se trace une orientation micrograduée, s'applique d'une manière habile, compréhensive et responsable et correspond aux règles de l'éthique.

Peu de confiance et beaucoup de peurs se trouvent à l'origine de ce mode d'action qui se relie surtout à plusieurs attitudes et hypothèses de méfiance. En voici quelques-unes :

a) on ne peut avoir confiance en l'environnement naturel, incontrôlé, autodéterminé et libre ;

b) le système ou la personne ne peuvent trouver les solutions les plus adéquates à leurs problèmes ;

c) seuls quelques professionnels à la compétence reconnue sont habilités à résoudre un problème.

Le mode d'action basé sur un projet d'environnement tente plutôt de comprendre ce dernier et de le transformer. En fait, le système social analyse son environnement et voit si la qualité de la vie peut être améliorée par le biais de la collaboration.

Ce point de vue suppose que les personnes, les groupes et les institutions peuvent déterminer leur vie, améliorer leur environnement, faire des choix critiques, prendre en main leurs propres apprentissages, résoudre leurs problèmes et vivre d'une manière étonnamment efficace.

Les personnes et les institutions réussissent davantage quand

a) on leur fait confiance ;

b) ils ont confiance en leurs capacités de choisir, de résoudre des problèmes, d'accomplir des tâches ;

c) ils sont libres de réussir ou d'échouer ;

d) ils sont profondément *avec* les autres ;

e) ils se perçoivent mutuellement comme des amis et des alliés et non comme des ennemis, des concurrents et des menaces.

10. *Chaque niveau apporte un nouvel environnement qui sert à orienter et à libérer l'énergie.* Le tableau IX indique pour chaque environnement quelques-unes des sources d'énergie nouvelle. Le concept de base suppose que l'énergie est toujours assez forte pour accomplir toutes les tâches désirées ou pour réaliser tout mode de vie jugé important. Les processus de peur stoppent l'énergie, la limitent et la tiennent en veilleuse. Chaque nouveau degré d'intégration conduit à une nouvelle *libération de l'énergie.*

11. *Cette analyse de l'environnement peut servir à cerner des perspectives et à poser un diagnostic. Il s'agit alors d'utiliser l'une ou l'autre partie de la séquence* qui semble s'appliquer au système analysé. En voici quelques exemples.

La plupart des systèmes de direction évoluent entre les environnements II à V, qui correspondent généralement aux styles de direction I à IV de Likert. Le directeur qui s'ouvre aux nouveaux styles de direction proposés par les environnements VI et VII peut créer des sous-systèmes d'expérimentation basés sur des modes émergents et organiques. De cette façon, de multiples choix s'offrent quant aux options de vie possibles.

La plupart des environnements organisationnels ou individuels chevauchent trois étapes. Leurs valeurs, hypothèses, peurs, impasses et désirs ascendants proviennent de trois niveaux. Le système peut tolérer une telle diversité, mais, dépassé ces limites, de nombreux problèmes de communication surgissent et trop d'oppositions s'établissent.

Depuis les années 70, il existe sur le continent nord-américain des exemples clairs d'application des environnements I à IX. Je connais quelques *personnes* qui affirment vivre dans l'environnement X mais aucun *groupe* ou *organisation* ne s'en réclament. Notre culture connaît des tensions considérables causées par les différences qui existent entre ces environnements. Toute organisation importante éprouve d'ailleurs de nombreuses difficultés à évoluer d'un niveau à l'autre.

Un consultant s'avère probablement plus efficace si son environnement interne se situe à un ou deux niveaux de celui de son client.

TABLEAU VII
HIÉRARCHIE DES DÉSIRS ET DES ÉTAPES DE LA QUALITÉ DE L'ENVIRONNEMENT

Caractéristique de l'étape	**Désir ascendant et motivation**	**Désirs secondaires qui s'ajoutent au désir fondamental ascendant**
I Punitif	Survivre	Être en sécurité, punir et être puni, avoir des principes moraux et les imposer, combattre, se replier
II Autocratique	Attribuer et gagner le pouvoir	Contrôler, être contrôlé, maintenir l'ordre, formuler des règles, obéir, se révolter, avoir de l'autorité, évaluer
III Bienveillant	Protéger et être protégé	Aider, enseigner, adopter une attitude parentale, s'inquiéter, secourir, être dépendant, donner et recevoir de la chaleur
IV Consultatif	Comprendre et être compris	Consulter, donner et recevoir des conseils, être rationnel, être conscient de l'ordre, devenir sage
V Participant	Créer des liens	Collaborer, encourager l'implication, persuader, influencer, être un membre, être englobé, englober les autres
VI Émergent	Être en communauté	Faire partie d'un tout, toucher, être conscient, s'orienter soi-même, être près
VII Organique	Ressentir des sentiments et les exprimer	Connaître la satisfaction sensorielle, créer son identité, connaître de nouvelles expériences, être impulsif et spontané
VIII Holistique	Être un tout	Trouver ses sources, créer une volonté libre, maîtriser volontairement toutes ses fonctions corporelles, s'épanouir
IX Transcendant	Transcender	Être sans ego, se libérer de ses besoins, renaître, s'engager dans de nouvelles régions de l'être et de la conscience
X Cosmique	Se joindre à l'univers	Se transcender, se libérer de ses désirs, transcender le besoin d'être distinct

TABLEAU VIII

DEUX CHOIX D'ORGANISATION DE LA VIE

(pour les professeurs, parents, directeurs, animateurs, thérapeutes)

Caractéristique fondamentale	Intervention extérieure	Projet d'environnement
1. Orientation vers une initiation au changement	Extérieure à la personne ou à tout autre système humain	Intérieure à la personne ou à tout autre système humain
2. Direction de l'orientation	Habituellement micro-graduée	Habituellement macro-graduée
3. Encadrement	Requiert l'aide professionnelle ou technique d'un consultant ou d'un administrateur	Inutilité quasi totale de recourir à l'aide d'un professionnel
4. Niveau de résistance	Provoque une résistance élevée	Provoque peu ou pas de résistance
5. Modèle de diagnostic	Modèle médical avec une intervention et un traitement appropriés à un diagnostic précis	Modèle émergent, avec une action habituellement sans lien avec le diagnostic précis
6. Précision de l'orientation et des objectifs visés	Orientation très précise et axée sur des objectifs clairement choisis	Orientation générale, objectifs non choisis et émergents
7. Compétence exigée	Diagnostic, traitement, intervention et évaluation	Sympathie, protection, création ou tout autre aspect spontané du comportement
8. Possibilité de prévoir	Très prévisible si l'action est accomplie par un professionnel compétent	Hautement imprévisible, résultats émergents
9. Niveau de confiance	Peu de confiance en l'environnement naturel, non contrôlé et autodéterminé	Confiance élevée en un développement personnel ou organisationnel issu de facteurs intrinsèques
10. Niveau de complexité de la théorie	Nécessité ou utilité d'une théorie sophistiquée et complexe	Inutilité d'une théorie complexe
11. Orientation de la responsabilité	Responsabilité basée sur l'intervenant qui est extérieur au système	Responsabilité basée non sur un agent extérieur mais sur la personne ou le système

Il peut cependant proposer de nouvelles perspectives à un individu ou à un système lorsque de multiples environnements lui sont familiers.

Les praticiens CORI peuvent utiliser la grille d'analyse de l'environnement lors de rencontres entre divers groupes et organisations. Les uns prouvent alors aux autres qu'il est possible de changer leur environnement, d'améliorer radicalement la qualité de la vie et d'appliquer à notre contexte culturel les environnements VI, VII et VIII. Selon moi, la culture occidentale se situe essentiellement à l'intérieur des niveaux III, IV et V. J'ai toutefois décrit les

TABLEAU IX

LIBÉRATION DE L'ÉNERGIE NOUVELLE DANS LE MOUVEMENT DE LA VIE

Étape de l'environnement	Énergie fondamentale libérée	Énergies secondaires libérées avec une force et une intensité particulières
0 Chaotique	Peur	Colère, terreur, émotions primitives, fuite
I Punitif	Hostilité	Revanche, jalousie, culpabilité, besoin de punir et d'être puni, moralisation, révolte
II Autocratique	Pouvoir	Obéissance, sens des responsabilités, règles, sens de l'autorité, besoin de l'ordre
III Bienveillant	Protection	Amour, chaleur, attention, sentiments parentaux, obligation
IV Consultatif	Perspective	Vision, sens de la relation, orientation cognitive, vues scientifiques
V Participant	Consensus	Loyauté, collaboration, persuasion, besoin d'influencer, appartenance, importance du groupe
VI Émergent	Implication dans communauté	Sentiment de liberté, coopération, partage, perception et émotivité plus grandes
VII Organique	Intuition	Sympathie, conscience aiguë, impulsivité, spontanéité, sens de l'ego
VIII Holistique	Inconscient et pré-conscient	Créativité, peurs primitives, enracinement, importance plus grande de l'ego
IX Transcendant	États modifiés	Absence de l'ego, unité du moi, absence de besoins, sources non sensorielles
X Cosmique	Universelle et nirvanique	Extase, perspective extra-corporelle, absence de désirs, transcendance de l'ego, entrée dans l'infini.

dix étapes de l'évolution à plusieurs auditoires. Tous ont réagi très positivement et ont manifesté beaucoup de compréhension et d'intérêt envers mes illustrations de la vie propre à chaque étape. Il est vrai qu'une littérature abondante circule sur les environnements VII à X et que ma tâche s'en est trouvée ainsi facilitée. Depuis vingt ans, des organismes importants et conservateurs m'ont engagé comme consultant. J'ai acquis la réputation d'une personne qui travaille avec les systèmes *comme ils sont* et qui ne tente pas de changements indus. Je suis donc reconnu pour l'exactitude de mes descriptions et la communication avec mon auditoire s'établit ainsi plus facilement. Je crois que l'analyse CORI propose un même schéma d'analyse et une même théorie à tous les types d'expériences, si différentes soient-elles, et que ces points communs engendrent une recherche et des projets qui susciteront un changement culturel fondamental.

Les expériences vécues auprès de nombreux organismes me donnent l'assurance que la vie nord-américaine se transforme profondément. Nous connaîtrons bientôt un changement radical au niveau des styles de direction et de la culture et nous nous déplacerons vers des environnements plus avancés.

Comment puis-je créer mon environnement ?

Je peux le créer d'au moins cinq façons différentes.

1. *Je crée mon environnement interne, mon ensemble corps et pensée.* La médecine holistique dépasse de beaucoup les promesses des recherches antérieures sur les maladies psychosomatiques. Ses impressionnantes découvertes ouvrent de nouveaux horizons et prouvent que nos attitudes autodéterminées (pour ma part : le niveau de confiance) déclenchent et entretiennent les maux destructeurs d'un quotidien chargé de tensions : les maux de tête, l'hypertension, les maladies cardiaques, le cancer et toutes les autres formes de déséquilibre. Dans le sens fonctionnel et « réel » du terme, je cause mon hypertension. Je me tue moi-même.

Le biofeedback et des recherches cliniques prouvent clairement la possibilité de maîtriser volontairement et consciemment des processus soi-disant « involontaires » et « inconscients ». Je m'apporte joie et confiance. Je crée ma vie. Je crée l'ensemble formé par mon intelligence, mon corps et mon esprit. J'emploie pour cela des moyens mentionnés uniquement dans la science-fiction la plus insensée.

2. *Je crée ma réalité par mes projections.* Pour les psychanalystes, le terme projection se réfère à une tendance défensive qui rend le monde extérieur responsable des processus mentaux refoulés et auxquels on n'attribue pas une origine personnelle. Une personne, par exemple, peut se croire persécutée mais en fait cette illusion provient de peurs internes et non de dangers externes réels. Si nous supposons que la « réalité » se trouve à l'extérieur de nous, notre santé dépend alors de notre façon de la voir et de vivre avec elle. Nous devons, dans ces conditions, nous orienter vers cette réalité. La projection est alors perçue comme une erreur du corps et de l'intelligence, une défense, une distorsion autistique, un processus à changer.

Pour ma part, j'accorde de plus en plus d'importance à ma réalité intérieure et à celle des autres. Je crois qu'elle est valable et autocréatrice. De plus, je peux la choisir et la créer. Quand je vois le monde *comme je suis* et non *comme il est*, je le colore de mon identité, je crée mon monde. Vue de cette façon, la projection devient un processus positif, grandiose et créateur ; les objets de nos désirs, de nos croyances et de notre confiance sont alors vrais.

Lorsque nous nous sentons bien, le monde semble accueillant ; lorsque nous nous sentons mal, il devient un ennemi. Au cours d'un processus moins connu, la personne « en confiance » voit avec une extraordinaire clarté toutes les nuances jusqu'alors cachées du monde environnant. Cette clarté peut naître des exercices physiques, des drogues, d'une expérience religieuse, de la méditation, d'une expérience CORI très intense, de la proximité de la mort ou de plusieurs autres expériences de transformation. Un apprentissage adéquat peut permettre aux gens de connaître cette clarté dans leur vie quotidienne.

Un processus encore moins connu de transformation de l'« environnement extérieur » consiste à regarder le monde avec une confiance nouvelle. La marche du Christ sur l'eau, la chirurgie psychique, la marche sur des charbons brûlants, les merveilles accomplies par les Amérindiens à la suite de séjours rituels ou thérapeutiques dans des huttes pleines de vapeur, les festins du Don Juan de Castaneda, tous ces faits représentent des exemples de confiance. Ils illustrent aussi le processus de création de l'environnement et d'une réalité nouvelle, de projection de soi, de changement du monde dans lequel nous vivons.

J'ai vécu plusieurs expériences d'abandon du corps, d'extase, de vision de l'intégrité cosmique avec une clarté transcendante et de création d'une nouvelle tranquillité personnelle. Elles ont changé complètement ma conception du processus de création de la réalité et son application concrète dans ma vie quotidienne.

3. *Je crée mon environnement extérieur par « contagion ».* Je suis porteur de germes. Mon état est, dans le plein sens du terme, contagieux. Mon euphorie, ma dépression, ma joie, ma haine, mon pessimisme, mon exubérance infectent les autres.

Je suis une partie de l'environnement dans lequel je vis, et peut-être suis-je même la partie qui l'influence le plus. Mon environnement utile et fonctionnel correspond à ma perception de ce qui se déroule autour de moi.

Cette contagion est habituellement un processus très subtil. Ce qui se communique et qui se répand, ce que les gens autour de moi « attrapent » d'une manière ou d'une autre, c'est une façon d'être, une gestalt, une manière, un champ d'énergie, une façon de voir la vie.

4. *Je crée mon environnement en faisant des choix.* Nous tous sous-estimons l'étendue des choix qui s'offrent à nous. Les idées issues de mes peurs en limitent le nombre. En réalité, la peur de l'échec, du rejet, de l'embarras, de la désapprobation, des représailles, m'empêchent de les voir tous.

Je peux opter pour l'environnement de mon choix : je peux changer de sujet de conversation, cesser de regarder un film,fermer le téléviseur, quitter un mauvais emploi, devenir membre d'une nouvelle église, divorcer, avorter, congédier un employé, refuser une invitation, ne pas tenir compte d'un message téléphonique, déménager, changer de pays... la liste est infinie. Je peux choisir mes sentiments, changer les processus de mon corps, changer mon sexe grâce à une opération ou à un traitement glandulaire, m'enlever la vie, choisir ma maladie, vivre sur une île déserte. De moins en moins de possibilités demeurent fermées et sacro-saintes. Les vaches sacrées, intouchables, sont en voie de disparition.

La puissance se trouve dans la foi, c'est-à-dire dans la confiance. Si je *crois* que mes choix sont limités, *ils seront limités*. Mais si je *crois* qu'ils sont illimités, *ils seront illimités.*

5. *Je crée mon environnement à l'aide de projets délibérés.* Dans le but d'améliorer la qualité de notre vie, nous pouvons tous prévoir consciemment des changements à notre environnement, et ce à la maison, à l'école ou à l'usine. La théorie CORI peut guider ces projets et c'est là le sujet de presque tout ce livre.

Application de la théorie de l'évolution de la qualité de l'environnement à divers domaines

Cette théorie de l'évolution de l'environnement est conçue pour s'appliquer à toutes les professions qui doivent oeuvrer auprès d'individus ou de systèmes sociaux. Les théoriciens et les praticiens CORI en étudient les implications précises dans les domaines suivants :

1. *Conception de l'environnement.* Des environnements conçus pour favoriser au maximum le déploiement de l'énergie, la diminution des mécanismes de défense, la transcendance, l'enrichissement des sens et les états de conscience modifiée changent les priorités des architectes, des urbanistes, des sociologues de l'environnement et des autres spécialistes de ce domaine.

2. *Environnement familial.* La conception de la maison permet l'enrichissement du vécu, la libération des pulsions et une conscience accrue. Il ne s'agit donc plus d'un endroit pensé en fonction de la discipline, de l'apprentissage de valeurs et de l'obéissance.

3. *Communauté.* Une nouvelle façon de voir la communauté est présentée tout au long de ce volume. Les « communautés » CORI de fins de semaine nous ont permis de découvrir d'étonnantes possibilités applicables à tous les types de communautés.

4. *Thérapies et consultations.* Le processus d'évolution de l'environnement correspond précisément au processus de la thérapie. Les thérapies et consultations traditionnelles deviendront inutiles dans un environnement plus fertile.

5. *Récréation.* Les nouvelles conceptions de l'environnement changent radicalement les processus de l'éducation physique, du sport, de la récréation et du loisir. Dans un environnement fertile, la vie elle-même devient une perpétuelle récréation. Ses aspects les plus importants s'accomplissent et les éléments de re-naissance soi-disant contenus dans les loisirs s'y retrouvent.

6. *Direction et administration.* Les dix étapes de l'environnement se basent sur les concepts révolutionnaires de McGregor,

Argyris, Likert et autres. Les directeurs peuvent se départir de leur statut professionnel, de leur rôle, tout comme les autres spécialistes mentionnés ici. Chaque personne devient spécialiste de son environnement : ma vie est trop importante pour que je la confie à quelqu'un d'autre.

7. *Éducation et apprentissage.* L'apprentissage devient un processus fondamental et il ne devrait pas se dérouler dans des institutions spécialisées. L'apprentissage, qui s'étend toute la durée de la vie, correspond au processus de passage d'un environnement à l'autre dans un mouvement de transcendance continue.

8. *Formation.* La formation traditionnelle connaîtrait au moins une nouvelle orientation. Actuellement, la plupart des types de formation se consacrent à aider les gens à s'adapter aux divers environnements dont, en fait, la vie est absente. La formation devrait plutôt correspondre à une conception de l'environnement. On doit en analyser le besoin quantitatif d'un oeil critique.

9. *Développement organisationnel.* Les niveaux d'environnements se veulent une conceptualisation d'un climat organisationnel. Ils ont une implication directe sur la façon dont les consultants et les directeurs voient les types d'organisation. Nous en discuterons d'ailleurs au chapitre VIII.

10. *Morale.* L'éthique traditionnelle se définit par l'étude de « ce qui importe ». Selon la conception CORI, les personnes acquièrent la morale au fur et à mesure qu'elles découvrent et créent l'amour d'elles-mêmes, qu'elles commencent à avoir l'énergie nécessaire à la célébration de la vie et qu'elles transcendent leurs défenses et leurs peurs. En ce sens, la croissance morale se confond avec la croissance psychologique et le mouvement d'évolution de l'environnement. La conception CORI propose une façon d'aborder les problèmes causés par une croissance déficiente de la morale. Ainsi, les problèmes des drogues, de la délinquance juvénile, de la violence, du crime et du viol proviennent de réflexes et d'actes défensifs et ils correspondent donc à des gestes contre la croissance. La solution globale à tous ces problèmes réside dans le changement total de la qualité de notre environnement culturel. Conçus en partie pour maintenir la loi et l'ordre, les environnements I, II et III causent en réalité les comportements immoraux et déréglés qu'ils souhaitent abolir. Malheureusement, les environnements I, II et III dominent dans certaines institutions holistiques, comme des centres de santé, des centres de croissance, des écoles,

des églises et des projets d'organisation communautaire. De cette façon, on y aggrave les problèmes, on ne les résout pas. C'est là une des anomalies les plus tristes, pour ne pas dire les plus immorales, de notre époque.

11. *Communauté religieuse.* Plusieurs communautés religieuses sont conçues pour favoriser l'intégrité, la plénitude, la guérison et la transcendance chez leurs membres. Lorsqu'on agit comme consultant auprès de telles communautés, il est utile de porter un regard apaisant sur les incongruités de l'environnement religieux. Ce champ reste très prometteur. Des changements très encourageants se produisent actuellement dans les églises et les institutions religieuses.

12. *Gouvernement.* À cause de l'importance fondamentale du macro-environnement, les spécialistes de la conception de l'environnement s'intéressent beaucoup aux nouvelles façons de gouverner. Ainsi, les jeunes nations africaines constituent une source précieuse de renseignements à cause de leur déséquilibre, de leur instabilité, de leurs multiples niveaux d'environnement et de leur recherche d'une vie nouvelle.

13. *Santé et médecine.* Sous l'influence du mouvement orienté vers la santé holistique, certaines professions médicales s'intéressent aux environnements VI à X. Les processus de l'intelligence, du corps et de l'esprit sont unitaires. La santé correspond à un concept holistique. La fragmentation et l'isolation conduisent aux maladies du corps, de l'intelligence et de l'esprit. Nous redécouvrons certaines vérités si bien connues des anciens et de certaines sociétés primitives actuelles.

14. *Croissance personnelle.* La conception CORI de l'environnement se veut un instrument d'intégration de l'efficacité personnelle et organisationnelle. Cette relation intéresse donc particulièrement le praticien CORI.

15. *Croissance du groupe.* Le chapitre VII traite de cette question et de l'application de la théorie de l'environnement à la vie des petits groupes.

16. *Bénévolat.* Au pire, les bénévoles accomplissent, et peut-être moins bien, le même travail que les professionnels. Au mieux, le bénévolat émergent peut aider notre culture à évoluer vers d'autres environnements. Trop souvent perçu comme une des conséquences naturelles du style de direction propre à l'environnement III, les bénévoles n'accordent pas d'importance à l'aspect pécu-

niaire qui est en fait une récompense extrinsèque. Par conséquent, ils se montrent plus ouverts aux environnements postérieurs à la cinquième étape et caractérisés plutôt par la récompense intrinsèque. Il s'agit donc là d'une transition prometteuse.

17. *Gérontologie et retraite.* On peut percevoir la retraite et la vieillesse comme une libération des contraintes, comme une période propice à une vision et à une liberté nouvelles et comme une évolution vers la transcendance. Ces années, postérieures à la servitude du travail, peuvent libérer de nouvelles énergies et représenter une « renaissance ». La vieillesse et la mort n'effraient pas les personnes qui vivent dans les environnements VIII, IX et X. Elles correspondent plutôt à un début et à l'entrée dans une vie épanouie. C'est là un des messages transmis par le nouvel évangile de la transcendance à ceux qui s'approchent de la mort. Encore faut-il que notre culture le comprenne !

18. *Nouvelle culture.* La vigueur des écoles parallèles, des communautés et des familles issues de la nouvelle culture indique une ouverture d'esprit sur l'idée de la conception de l'environnement. Les environnements I à V sont en effet insatisfaisants, sclérosés et de moins en moins en accord avec la vie moderne. Les environnements VI à X annoncent un futur renouvelé et ils représentent un nouvel espoir, une nouvelle frontière.

19. *Art, science, industrie et domaines divers reliés à la création.* Dans le domaine des arts, de la science et de l'industrie, la qualité de l'oeuvre se rattache à la motivation intrinsèque (soit le courage et la « transpiration ») et à la créativité (soit la vision et « l'inspiration »). Chacun de ces éléments relève directement de la confiance telle que nous l'avons déjà définie et les environnements VI à X leur sont particulièrement propices. Dans les environnements I à V, la présence étouffante de la discipline, de l'ordre et de la structure crée un climat qui nuit à la croissance des motivations intrinsèques, de la créativité, du courage et de la vision.

La grille d'évaluation de l'environnement peut s'appliquer à chacune de ces sphères d'activité. L'environnement qui favorise une croissance personnelle élevée favorise également la créativité, la productivité et la vitalité.

Le chapitre suivant étudiera la nature de la théorie CORI et son application par les praticiens de chacun de ces champs d'activités.

Une théorie élargit ma vision et guide mes démarches de découverte.

Chapitre 4
Théorie et vision

Une théorie pratique est très puissante. La création de ma propre théorie m'apporte vision et perspective. La théorie du niveau de confiance favorise particulièrement ce processus d'élargissement de l'univers puisque la vision relève directement de la confiance.

Quand j'enseignais à des étudiants au doctorat, mon cours préféré portait sur l'élaboration et l'histoire de la théorie psychologique. D'accord avec les opinions de l'époque, j'étais fermement convaincu de la justesse de plusieurs hypothèses qui semblaient alors des certitudes. Je croyais, entre autres :

1. que nous devions indéniablement suivre la méthode et les modèles de la physique ;

2. que les théories et principes « scientifiques » (la physique et le génie, par exemple) se situaient à des niveaux différents et qu'il n'était pas question d'en discuter l'ordre ;

3. que le premier critère de qualité d'une théorie résidait dans sa validité ontologique.

La plupart d'entre nous faisions aussi plusieurs autres hypothèses, mais en guise d'introduction à ce chapitre, j'aimerais surtout m'attarder sur ces trois premières.

Pendant environ vingt ans d'enseignement à l'université, j'ai tenté à maintes reprises d'élaborer mes propres théories. Ces essais m'ont d'ailleurs conduit à abandonner plusieurs de mes idées initiales, y compris les trois hypothèses déjà énumérées. Présentement, je pense que :

1. L'élaboration d'une théorie du comportement et son expérimentation s'éloignent définitivement de la méthode suivie par la physique. Les événements psychologiques se distinguent des faits physiques par au moins trois caractéristiques importantes : ils ne sont pas dichotomiques ; de par leur nature, ils ont une intention, une fin ou à tout le moins ils manifestent une autonomie fonctionnelle ; ils possèdent une caractéristique intrinsèque non déterminée par l'environnement et qu'on ne peut déduire de ce même environnement. Selon certains de mes amis physiciens, la dernière décennie a vu naître une physique nouvelle qui s'interroge elle aussi sur ces problèmes.

2. En psychologie et pour les sciences du comportement en général, la théorie de « base » se confond avec l'expérimentation. Toute théorie efficace comporte trois éléments : a) la formulation d'une hypothèse, b) la cueillette des données, c) la vérification. Ces trois processus agissent constamment les uns sur les autres tout au long de l'élaboration de la théorie.

3. La théorie la plus efficace sert d'instrument et de guide. Cette caractéristique, et non la validité ontologique, correspond au premier critère d'évaluation d'une théorie.

1. La théorie CORI est conçue en fonction de l'application

Il s'agit essentiellement d'une théorie applicable à tous les systèmes humains et son analyse se situe au niveau du comportement et de l'expérience vécue. La personne qui travaille avec des individus et des systèmes humains peut donc en tirer le meilleur profit possible. De plus, son langage correspond à celui de l'usager et sa souplesse la rend accessible à tous. La simplicité des quatre principes de base CORI permet au praticien de les utiliser sans une aide technique considérable.

La théorie ne nécessite aucune formation particulière de la part de l'usager. Celui-ci peut l'employer unilatéralement même si son entourage ne la connaît pas ou ne l'approuve pas. Ses principes de base se retrouvent dans toute vie, elle englobe la vie entière et elle peut s'appliquer à toutes les situations.

La théorie touche également la sensibilité, le coeur et l'intelligence de la personne. Sa compréhension et son application lui confèrent donc des propriétés d'intégration et de plénitude.

Les critères d'évaluation de la théorie s'imbriquent les uns dans les autres et chacun reproduit ou répète, ou répond en partie aux autres. La présence dans une théorie d'un seul des douze points suivants implique sa validité.

2. La théorie CORI est un instrument d'enquête

La théorie du niveau de confiance est un **instrument d'enquête** et de découverte.

Elle guide la perception et le diagnostic. Elle permet à l'usager de choisir les faits les plus significatifs parmi les facteurs qui interviennent dans toute situation. La perception correspond toujours à un processus de sélection et, ainsi, la théorie permet de faire un premier choix. Bien sûr, ce processus comporte certaines limites puisqu'il nous faut alors délaisser une partie des éléments perçus.

La théorie *guide* aussi *la réflexion*. Elle *aide à résoudre un problème* et à analyser la réalité perçue par le théoricien-praticien.

Elle *guide l'action* et elle permet d'en *fixer les étapes*. Elle aide à faire des choix et à prévoir les étapes, à préparer un programme complet dans le cas d'une vaste action sociale.

Une théorie valable n'est évidemment pas un processus statique. Elle ne paralyse pas l'observateur, l'acteur ou celui qui tente de résoudre un problème. La personne qui utilise la théorie du niveau de confiance expérimente, enquête et cherche toujours. La théorie aide la recherche.

L'enquête authentique représente en elle-même un acte de confiance et de foi. Il s'agit en effet de croire que l'univers comporte des éléments stables que nous pouvons déterminer et que l'enquête personnelle sera efficace. Il faut aussi avoir confiance en la nature et en la validité de l'expérience vécue, croire que la confiance maintient l'énergie à un niveau élevé et que la recherche correspond à une aventure et non à un fardeau.

L'enquête représente aussi un processus de doute, de circonspection, de protection, de rigueur méthodologique et de scepticisme. C'est le mouvement de va-et-vient, de flux et de reflux de la prudence et du courage qui rend l'enquête complexe et passionnante.

3. La théorie du niveau de confiance correspond à une façon de voir et de vivre

Elle propose un choix de comportement plutôt que de conception. Elle concerne donc le comportement de l'individu et non sa perception de la nature de la réalité.

Elle correspond à une façon d'aborder un problème plutôt qu'à une recette pour le résoudre. Elle est *un point de vue, non une règle*. Elle propose à la mère une façon de regarder l'enfant mais elle ne lui fournit aucune règle applicable au comportement de l'enfant. Plutôt qu'une formule d'interaction, elle suggère au travailleur et à son patron une relation qui peut s'avérer efficace. Elle présente à l'enseignant une façon de résoudre les problèmes de concert avec les élèves plutôt que de lui tracer une ligne de conduite appropriée à chaque situation.

Certains avantages se rattachent à une théorie pratique qui comporte des règles précises, qui permet de superviser, d'éduquer, de discipliner, de définir des valeurs, de motiver les gens et de se faire des amis. Ces règles indiquent ce que le professeur doit faire dans sa classe le lundi matin et elles donnent une recette précise pour résoudre chaque problème. Le superviseur, le parent et l'enseignant inexpérimentés sont ainsi rassurés. Ces règles se révèlent particulièrement utiles dans les environnements I, II et III mais elles le deviennent de moins en moins au fur et à mesure que la qualité de l'environnement s'accroît. De telles théories et leurs techniques ne sont utiles qu'en présence d'un climat de peur élevé et d'un environnement primitif, et, avec l'augmentation de la confiance, de l'ouverture, de l'autonomie, de la spontanéité et de niveaux de conscience plus élevés, les règles deviennent de plus en plus inutiles. Le mouvement de la vie s'écoule alors plus librement et nous cherchons à nous dégager des prescriptions de toutes sortes.

Dans les environnements de plus bas niveaux, les personnes trouvent la sécurité dans les règles, la fermeté, la loi et l'ordre, un leadership fort et le contrôle. Ces personnes ont aussi la certitude qu'à tout acte correspond une récompense ou une punition rationnelle et juste. Mais, dans les environnements où règne la confiance, on trouve plutôt la sécurité dans un état intérieur d'acceptation de soi, dans le rapprochement avec les autres, dans l'excitation du défi et dans les états transcendants. On sait pertinemment que les règles, les guides, les normes et la « programmation » des relations interpersonnelles ne créent ni une interdépendance soudaine, émergente et créatrice, ni aucun autre processus spontané.

4. La théorie CORI est en perpétuelle élaboration et en continuel changement

La théorie expose et décrit les processus de la vie. Elle est expérimentale et empirique et ses principes sont toujours à être revérifiés. Le *changement* constitue la caractéristique fondamentale de la vie, de l'interaction, du processus et de l'être. La confiance représente une force catalytique qui croît avec les processus de la vie. On ne peut enfermer ce processus dans le cadre d'une définition « opérationnelle » adéquate.

La théorie se transforme avec la personne qui la crée, en fonction de ses besoins; elle se rattache à l'évolution du théoricien et de son environnement et elle se relie constamment aux situations concrètes auxquelles celui-ci l'applique.

L'usager de l'approche CORI expérimente toujours. Il améliore sa compréhension de la théorie et son habileté à la vérifier. Il tente toujours de cerner le comportement quotidien du théoricien-père, du théoricien-individu et du théoricien-administrateur. Ainsi, tout en découvrant et en créant ma théorie, je découvre et je crée ma vie. Ma théorie décrit ainsi ma perception de moi-même, de ma vie et de ma relation avec toutes ses manifestations.

5. La théorie CORI est personnelle

En un sens, toute théorie surgit du vécu de chaque personne. La théorie CORI confirme particulièrement bien cette affirmation. Chaque personne qui crée, et qui donc emploie la théorie CORI, en crée une formulation particulière qui provient de l'intégration la plus élevée de son expérience de la vie. Naturellement, une théorie conçue pour l'utilisation change au fur et à mesure de son application. D'autre part, puisqu'elle demeure toujours la propriété de l'usager, celui-ci la forme toujours comme il l'entend. Il crée donc constamment la *réalité elle-même*. De plus, comme la théorie s'applique au processus de la réalité créé par l'interaction, elle est aussi vivante et frémissante que la vie elle-même : la théorie change au même rythme que la vie.

Commençons d'abord par l'unique hypothèse que la confiance représente le processus central et catalytique qui inspire, colore, détermine, modifie et guide tous les autres processus de la vie. Mon processus vital devient alors une quête constante afin de découvrir la signification de la confiance pour moi, son influence sur ma personne, sur mon environnement et sur mes relations avec autrui et avec la nature. Bref, je tente de voir comment la confiance guide ma vie. Je suis dans ce domaine la seule personne compétente et personne d'autre ne peut m'éclairer.

Ma théorie se confond avec ma façon de réaliser ma vie. Je peux choisir les mots nécessaires pour en communiquer la signification. En fait, ma théorie se situe surtout dans mon corps et dans mon intelligence réunis. Elle correspond à la synergie de mon être entier, c'est-à-dire à ma façon de voir les choses, à mes sentiments face à la vie, à mon vécu, à mes choix et à l'intégration de tous mes processus.

L'application de la théorie peut être aussi articulée, cognitive, délibérée, exprimée, planifiée et rationnelle que je le désire. Mon expérimentation peut être consciente : je peux essayer délibérément de me dévoiler aux autres, d'exprimer ma colère s'il y a lieu, de choisir et de réaliser mes choix, de finalement tenter plusieurs expériences avec ma vie. De tels efforts conscients pour devenir de plus en plus confiant se confondent habituellement à des tentatives pour être plus personnel, plus ouvert, plus autonome et davantage *avec* les autres. Je peux prévoir mes gestes, découvrir comment les autres me perçoivent, analyser mes réactions, évaluer mes sentiments face au processus, persister dans mes efforts pour déterminer mon degré d'ouverture et choisir ma façon de clarifier mes aspirations.

Selon mes désirs, l'application de la théorie peut toutefois être spontanée, non planifiée, impulsive, libre, inconsciente, non verbalisée et irrationnelle. Je peux laisser la direction des opérations à mon corps, être simplement moi-même, suivre le courant, découvrir mes impulsions et laisser aller les choses. Il s'agit de croire que je trouverai la vie la meilleure, la confiance la plus élevée et la joie la plus profonde. En fait, je fais ici confiance au processus de ma vie.

Mais je peux aussi me situer à un point quelconque entre ces deux extrêmes. Je peux inventer ou créer mon propre mode de recherche, de quête et d'expérimentation puisque j'en suis responsable : je suis à la fois le théoricien et l'usager.

Personne n'a encore inventé « *la* théorie CORI ». Personne ne peut donc nous expliquer la *véritable nature de la confiance. Chacun de nous est compétent en cette matière. Je suis à la fois l'instrument d'enquête, l'expérimentateur, le cobaye et la somme des informations. J'interprète et je tire les conclusions mais, au fond, elles ne peuvent jamais être définitives.*

Pour moi, Jack, rédacteur de ce chapitre et porte-parole momentané des théoriciens-usagers CORI, cette réalisation de ma solitude et de la position centrale de mon processus et de mon être est en ce moment effrayante. Mais, par contre, elle m'apporte assurance, force et courage et elle me rend conscient de mes possibilités.

De par son essence, cette recherche s'effectue dans la solitude, mais selon les désirs de chacun, elle peut toutefois se réaliser dans l'interdépendance. La confiance signifie en effet que tous les individus me sont disponibles si j'apprends à les aborder, que toute la sagesse se présente à moi si j'apprends à la voir, que tous les appuis sont là si j'apprends à les accepter et que tout amour s'offre à moi si je peux le saisir. Je suis libre de vivre sur une base communautaire, et cette façon d'élaborer une théorie correspond dans le vrai sens du terme à un processus commun.

La plupart d'entre nous créons notre théorie à notre rythme. Toute façon de vivre est bonne. Parfois nous sentons le besoin de réfléchir, de parler ou de raisonner. Puis, à d'autres moments, nous délaissons la logique et nous vivons pleinement notre confiance et notre peur. Nous pouvons aussi sortir de nous-mêmes et nous observer dans nos réflexions et nos gestes. Toutes les variantes ont leur place : contrôler ou non la situation, être sain d'esprit ou fou, vivre dans l'appréhension ou dans l'extase. Transcender la peur et vivre la confiance apporte clarté et vision et nous rend aptes à *voir* la théorie. Le processus fondamental de la confiance nous donne : a) la vision, la clarté, l'illumination, et b) le courage de voir la vision dans son ensemble. La vision et le courage représentent les deux éléments fondamentaux de la confiance.

Il est possible et utile d'alterner notre perception de la théorie et de la voir sous un angle actif ou passif. Je crée en effet la théorie mais, au même moment, elle me crée. Elle me protège et me nourrit. Elle me soutient dans le doute quand la peur me gagne. Si je sais la créer, elle réside en moi, me crée et prend soin de moi. En un sens, je *suis* ma théorie et ma théorie *est* moi. Lorsque je suis divisé, lorsque la peur domine, ma théorie devient un ami concret qui vient à mon secours.

Ceci est particulièrement vrai lorsque je crois qu'on a trahi ma confiance. J'ai confiance en quelqu'un mais il me laisse tomber ; je me suis ouvert, quelqu'un a vu ma vulnérabilité et il l'utilise contre moi ; je donne de l'amour mais je reçois une haine injustifiée. Lorsque la vie me semble défavorable, ma théorie m'aide si elle est suffisamment intériorisée, solide et durable. Elle me permet, par exemple, de constater que ce que j'ai présumé être une trahison n'est en réalité qu'une réponse directe à mon état d'âme défensif et je n'ai donc nul besoin de conclure que la confiance n'a pas « fonctionné ». En fait, mon action n'a pas produit, cette fois-ci, le résultat espéré.

La structure et la force de ma théorie personnelle sont reliées à ma façon d'affronter les moments de confiance et de peur de ma vie.

6. La théorie du niveau de confiance est unique et personnelle

Chaque personne est unique. Chaque relation est unique. Chaque communauté est unique. Au fur et à mesure que la confiance grandit, cette unicité devient plus distincte et plus significative. En présence de la confiance, la personne et l'événement se revêtent de leurs qualités spécifiques. La personne et la relation deviennent uniques.

Il en est de même pour la théorie CORI, puisqu'elle correspond à la création de l'usager. Cette affirmation n'est pas une banalité. Je vois les personnes célébrer leur unicité et en même temps je les vois croître et devenir plus fortes, plus conscientes de leur devenir distinct, moins défensives et moins portées à se battre contre le monde. Un jeu de société fréquent chez les théoriciens, particulièrement chez les nouveaux venus, consiste à détruire la théorie de l'autre en l'enfermant dans une catégorie. « N'est-ce pas ce qu'on peut appeler un idéalisme platonique ? un nouveau Reich ? le christianisme ? le zen ? la phénoménologie ? » Étiqueter une théorie ou une personne équivaut à les diminuer.

Chaque usager de la théorie CORI perçoit celle-ci plutôt comme une création personnelle. Ma théorie m'est particulière. Elle provient de ma vision du monde. Elle correspond à l'articulation de *mon* vécu. On ne peut la classifier, et toute tentative d'en arriver à cette fin doit être combattue.

Bien sûr, les personnes qui partagent les mêmes idées sur la confiance se recoupent et les expériences des théoriciens CORI comportent certains éléments communs. Il existe, par conséquent, un ensemble de plus en plus grand de formulations communes, de postulats et d'hypothèses partagés par plusieurs sur l'augmentation ou la diminution de la confiance, en quelque sorte de pressentiments semblables sur ce qui fonctionne ou ne fonctionne pas. Toutefois, nous ne retrouvons là aucune catégorie, seulement des points de rencontre.

Il est utile de considérer comme unique cet ensemble commun de connaissances, d'hypothèses, de fantaisies et de croyances. Il s'agit en fait d'une façon spécifique d'aborder le monde, de poser un diagnostic, de résoudre un problème, d'agir d'après un point de vue particulier, d'utiliser un ensemble unique d'attitudes, de variables importantes et d'hypothèses. Selon moi, chaque théorie du processus de la vie est « véridique », c'est-à-dire qu'elle représente une façon valable de voir le monde. Chacune se révèle utile lorsqu'il faut choisir un objectif et apporter une contribution spéciale à ce domaine. Chacune fait avancer notre compréhension du comportement, du vécu et des systèmes sociaux. Du point de vue du praticien et du théoricien, le problème n'est pas de savoir si la théorie est valable ou non ; il s'agit plutôt de déterminer l'utilité de la théorie en regard de ses propres objectifs.

La formulation de chaque théorie est l'oeuvre de personnes dont les expériences sont uniques. La théorie paraît plus utile si elle s'applique à un vécu semblable à celui du théoricien, à des phénomènes identiques à ceux que celui-ci étudie et à un contexte culturel ressemblant à celui dont elle est issue. Chaque théoricien-praticien est libre de l'expérimenter dans sa propre vie, de choisir le point de vue le plus utile et d'employer ses propres critères.

Lors de ce choix, le facteur le plus important se trouve dans la compatibilité entre la dynamique fondamentale de la théorie et celle de l'usager. Il n'est pas nécessaire que cette compatibilité se confonde à une simple relation. Dans le cas de la théorie CORI, par exemple, les usagers les plus efficaces sont ceux qui sont particulièrement sensibles à l'importance de la peur et de la confiance. L'usager peut connaître des moments de peur et de confiance, il peut avoir vécu des expériences particulières en clinique, en famille ou dans son champ d'activité, il peut supporter les effets traumatisants d'une peur aiguë ou soutenue ou apprécier l'effet bienfaisant de la confiance. Dans tous les cas, une dynamique interne crée une correspondance entre la théorie et l'usager.

Personnel et subjectif à l'égard de sa théorie, le théoricien-usager est aussi éclectique : au moment de la décision, de l'intervention et de l'action, chaque directeur, thérapeute ou parent s'inspire de tout principe sage qui se présente. La théorie CORI ne se veut pas exclusive. Elle peut s'adjoindre toute autre théorie, et toute autre théorie peut se servir d'elle.

Certains éléments se retrouvent dans toutes les théories. Ces liens deviendront sans doute de plus en plus nombreux au fur et à mesure que nous les étudierons. Ainsi, la peur représente la dynamique fondamentale de l'analyse freudienne, de la thérapie primale et de la théorie CORI. Les différences résident au niveau : a) des hypothèses sur les manifestations de la peur et sur son influence sur les autres processus du corps et de l'intelligence ; b) des moyens pour réduire la peur le plus efficacement possible. De plus, ces autres approches accordent plus ou moins d'importance à la diminution de la peur et à l'augmentation de la confiance, éléments essentiels d'efficacité chez un individu ou chez un groupe. Pour la théorie CORI, les quatre processus suivants entraînent, soutiennent la peur et ont une importance cruciale : a) la dépersonnalisation et le rôle ; b) le masque, la stratégie et surtout la stratégie voilée ; c) le devoir, la persuasion et la manipulation ; d) le contrôle et la hiérarchie. La théorie CORI s'éloigne donc considérablement des théories qui, directement ou indirectement, renforcent ces « processus de défense ». Ce point de vue se retrouve par exemple dans : a) le psychodrame et l'analyse transactionnelle qui affermissent un rôle ; b) toutes les théories qui utilisent beaucoup l'intervention extérieure et la stratégie ; c) de nombreuses théories socio-économiques et psychodynamiques dont l'action se base sur la persuasion, l'attitude parentale et l'influence ; d) les théories thérapeutiques et politiques dont le processus fondamental réside dans le contrôle.

Plusieurs facteurs déterminent le degré d'éclectisme du théoricien-usager CORI. Il arrive en effet que celui-ci *joue un rôle* ou emprunte par exemple le comportement d'un directeur. Il peut aussi employer une *stratégie* et tenter de donner de l'assurance au patient. Il peut choisir la *persuasion* et essayer, comme consultant, de rendre le travailleur plus loyal et plus productif. Il peut utiliser le *contrôle* et limiter les faits et gestes de l'enfant ou du patient. Dans la vie courante, toute personne connaît la peur à un niveau plus ou moins grand et réagit par la défensive. Aussi retrouvons-nous tous dans nos motivations et notre comportement certains éléments intentionnels ou inconscients des quatre processus précédents. Voici, par conséquent, les grandes questions auxquelles le théoricien-usager CORI doit répondre : Lorsque je suis directeur, parent ou enseignant, comment puis-je apprendre à être plus confiant et à me débarrasser des processus de défense à l'origine de la peur ? Lorsque je dois exercer certaines responsabilités formelles, jusqu'à quel point mon action s'oriente-t-elle volontairement vers l'emprunt d'un rôle, vers la stratégie, la persuasion ou le contrôle ? Comparativement aux autres facteurs, jusqu'à quel point suis-je conscient de la présence des pôles peur-confiance dans ma vie personnelle et professionnelle ? Je peux ainsi *donner raison* à la théorie CORI basée essentiellement sur la confiance mais, inconsciemment ou quasi consciemment, je *crois* toujours que le pouvoir, par exemple, est le facteur primordial.

7. La théorie CORI est unitaire et générale

La conception de la théorie CORI la rend pertinente et applicable à tous les systèmes humains et à toute situation dans laquelle se retrouve un individu. La personne qui l'a intériorisée peut être la même dans toutes les situations. La même théorie s'applique donc au loisir, à l'administration, à la thérapie, à l'enseignement, à la publicité, à la réhabilitation, au gouvernement, aux relations internationales, à la croissance personnelle, à l'éducation familiale, à la vie religieuse, à l'amitié et à la personne.

Si la théorie s'avère efficace, l'individu n'a alors nullement besoin de choisir une stratégie appropriée à son rôle ou de modifier son comportement pour répondre aux attentes d'autrui. Il n'a pas non plus à apprendre les techniques de l'administration afin d'atteindre ses buts professionnels, ni à se diviser afin de s'adapter aux circonstances professionnelles ou culturelles. L'apprentissage d'une telle théorie essentiellement basée sur la vie n'est certes pas facile, mais, une fois acquise cependant, cette façon de vivre se révèle tout à fait pratique, efficace et épanouissante à tous les points de vue. De plus, il est possible d'en entreprendre l'application *ici, maintenant*, dans cette culture et quel que soit notre travail.

Il m'est alors possible : a) de *correspondre à mon identité*, aisément, d'une manière unique et congruente ; b) *de montrer mon identité*, toutes les facettes importantes de mon être ; c) *d'agir selon mes désirs profonds*, de faire mes propres choix et de suivre mes véritables impulsions ; d) *d'être avec les autres* d'une manière significative pour eux comme pour moi.

Bien sûr, dans la pratique, ces éléments s'appliquent à des degrés différents. Toutefois, et c'est là l'important, les personnes habituées à vivre en profondeur cette théorie remarquent une grande efficacité quand ils l'appliquent à une multitude d'environnements et d'activités professionnelles. Sa compréhension et son application conduisent certaines personnes à changer radicalement leur façon de vivre. D'autres modifient relativement peu leur comportement ou leurs attitudes mais elles remarquent une efficacité et une satisfaction personnelle considérablement accrues.

À l'automne 1977 a débuté un programme d'une durée de trois ans. Son but était de déterminer l'efficacité immédiate et pratique de la théorie, et on peut comprendre qu'un tel projet revêtait une grande importance pour l'avenir des conceptions CORI. Il s'agissait de deux groupes de trente-deux personnes aux professions variées et vivant dans diverses régions des États-Unis et du Canada. Les membres du premier groupe se sont rencontrés sur la côte ouest, ceux du deuxième au centre des États-Unis et, pendant trois ans, ils devaient vérifier le champ d'application de la théorie CORI. Chacun de ces soixante-quatre professionnels prévoyait appliquer la théorie ou certains de ses aspects importants dans son organisation ou dans celle d'un client. Pendant ces trois ans, chaque groupe se réunissait d'une manière intermittente pour un total de trente et un jours. Lors de ces rencontres, les membres planifiaient, évaluaient et comparaient leur action. Dans la plupart des cas les recherches sur l'efficacité s'intégreraient aux programmes. Certains d'entre eux seraient effectués afin de compléter en partie des thèses de doctorat. Deux autres groupes semblables ont été mis sur pied à l'été 1978.

Toutes ces expériences nous apprendront beaucoup sur les possibilités d'application de la théorie. Lorraine et moi avons travaillé avec ces quatre groupes et avec un autre groupe de professionnels qui collaborait avec les expérimentateurs afin d'apporter des modifications, des changements ou des ajouts à l'ensemble de la théorie CORI.

Cette théorie, de par sa nature, est très personnelle. Par conséquent, nous avons accordé une grande importance aux événements reliés à la croissance personnelle ou à la compétence professionnelle de *chaque* participant. L'évolution de chacune des quatre communautés à l'intérieur des divers environnements énumérés au chapitre III était aussi d'une importance cruciale. Nous projetons de décrire dans des documents les changements qui sont survenus chez les individus et dans les communautés. Certains seront publiés sous forme de livre.

8. La théorie CORI est congruente dans sa structure, ses mécanismes et son contenu

La *structure* ou la forme de certaines théories est strictement ordonnée, formelle, systématique et logique. De plus, *les relations entre les diverses affirmations* qui constituent l'ensemble de la théorie se caractérisent par la plus grande rigueur. Les postulats et les théorèmes de la géométrie classique relèvent ainsi d'une logique serrée. La théorie de Hull sur l'apprentissage par la routine s'inspire de la logique mathématique et elle est donc tout aussi rationnelle et formelle.

De la même façon, on peut qualifier de formel et de logique le *contenu* ou la substance de certaines théories. Les concepts contenus dans une proposition, une loi ou une hypothèse sont définis par des opérations rigoureuses, on peut les mesurer avec précision et on peut les codifier afin de les soumettre relativement aisément, par exemple, à un ordinateur. De plus, on les affine afin d'en éliminer les zones obscures et incertaines.

Les mécanismes de certaines théories sont conçus de telle sorte que leurs changements progressifs peuvent s'unifier d'une manière semblable au calcul, ou du moins semblable aux « différences à peine visibles » de Fechner, dont les unités ont été conçues comme un calcul phénoménologique. Lewin et certains autres ont fait d'admirables analyses des processus du comportement et de l'expérimentation. Ils se sont basés sur l'espace topologique et sur un traitement mathématique afin d'obtenir une idée plus juste des événements mentaux en apparence imprécis.

Pourtant, les expériences vécues à travers les années m'ont convaincu du caractère illusoire de ces démarches. Selon moi, il est impossible d'élaborer une théorie du comportement dont la structure, le contenu et le processus soient rationnels, mathématiques, rigoureux et parfaitement logiques. On ne doit donc plus encourager les recherches basées sur de tels modèles car on aura compris qu'ils comportent des désavantages au niveau du contrôle et de la prévision. Soulignons encore que la nature fondamentale du vécu et du comportement correspond à un processus mouvant, spontané, émergent, flou, non logique et sans forme. Malgré le caractère sophistiqué du modèle rationnel, je perçois l'expérience et le vécu comme un nuage ou une goutte d'eau, non comme un ordinateur ou un centre téléphonique.

La structure, le contenu et le processus de la théorie CORI sont intentionnellement libres, flous, émergents, non rationnels et vagues. Son hypothèse principale réside dans la *confiance*. De par sa nature, la théorie est générale, tout comme les systèmes individuels et sociaux ; de plus, elle se relie à toute expérience, à tout vécu et à tout comportement. Toute définition opérationnelle tentée jusqu'à maintenant ne peut atteindre que des buts limités.

Il est possible, bien sûr, d'énoncer un certain nombre de principes sur les relations qui existent entre les principales hypothèses d'un système général. On peut aussi les formuler afin de permettre des vérifications assez rigoureuses. De plus, on peut regrouper les multiples données fournies par les recherches en sciences humaines. À la suite de ces opérations, on peut affirmer que la persuasion amène la résistance, que la stratégie camouflée engendre la ruse, qu'un comportement perçu comme méfiant conduit à une peur et une méfiance accrues, etc. Chacun de ces principes équivaut toutefois à une surgénéralisation, chacun manque de précision et est trop global pour pouvoir être vérifié rigoureusement. Ceux qui souhaitent trouver une théorie structurée sur le modèle « postulat-théorème » ne pourront évidemment s'en satisfaire.

La plupart des « connaissances » acquises dans le domaine des sciences du comportement empruntent ce caractère vague. Les praticiens, rompus à l'application de ces théories, peuvent les utiliser afin d'améliorer un style de direction, de thérapie ou d'enseignement. Beaucoup se demandent cependant si elles apportent au praticien une base de travail vraiment plus efficace que la sagesse acquise par la fréquentation de grands auteurs ou par diverses expériences. Cette question, pour moi, demeure purement abstraite et je crois profondément qu'elles sont au contraire utiles et qu'elles peuvent le devenir de plus en plus. Ma foi est d'ailleurs telle que je consacre ma vie à l'élaboration d'une théorie semblable.

Le contenu de la théorie CORI se trouve dans son processus. Les gestes posés sont moins importants que la façon de les poser. Le processus *représente* le message. Une personne confiante communique son état d'esprit par le langage de son corps, par son style de relation, par les vibrations qu'elle émet, par l'ombre et par la pénombre. Ces moyens sont aussi efficaces, peut-être même plus, que toute substance ou « appareil » concrets. Aussi, la théorie CORI s'apprend-elle difficilement par l'intermédiaire d'un livre ou même d'une démonstration. Apprendre l'influence de ma peur et de ma confiance sur ma personne, apprendre à communiquer mon identité plutôt qu'un rôle emprunté, apprendre à me montrer tel que je suis, avec toutes mes facettes, tout cela surgit de la chaleur de l'expérience, de l'amour et de l'interaction. On peut évidemment compléter ces apprentissages par la lecture, par l'articulation d'une théorie et par l'expression, mais ils émergent d'abord et avant tout de notre sensibilité, de nos «tripes ».

Pour la théorie CORI, les distinctions entre structure, contenu et mécanisme sont donc floues : le coeur du problème se situe au niveau de la congruence.

Nous connaissons tous les incongruités, les contradictions, entre la théorie et la pratique. J'ai assisté récemment à un congrès sur la santé holistique ; le message verbal, c'est-à-dire le contenu, appartenait aux principes et au langage des environnements VII, VIII, IX et même X mais le processus et la structure relevaient des environnements II, III et IV. On utilisait la conférence comme moyen de communication et toute « l'administration » du congrès était formelle, structurée, autoritaire, hiérarchique et paternaliste. D'ailleurs, un des conférenciers présentait même en détail les techniques à utiliser pour enseigner aux gens à devenir holistiques !

D'une part, nous pouvons manifester beaucoup de congruence dans la formulation, la forme et même le processus de la théorie. Mais, d'autre part, il nous est beaucoup plus difficile de créer cette même unité à l'intérieur de nos propres environnements.

Nous ne créerons pas un monde nouveau, humain et basé sur la théorie CORI en utilisant des méthodes et des processus inhumains et non CORI. La vérification amène la tromperie. La punition encourage la délinquance et donne naissance à un système qui entretient le besoin d'une atmosphère punitive de plus en plus présente. Les structures empêchent la vie de s'écouler librement. L'état policier engendre le crime. La thérapie crée parfois le besoin de donner ou de suivre une thérapie. Les attitudes défensives et les directives basées sur la peur nourrissent la peur et la défensive chez les individus.

La signification de la vie se trouve dans le processus, non dans le résultat. Une culture orientée essentiellement vers l'obtention d'un résultat ne produira pas des gens orientés vers les mécanismes de vie. Apprendre, croître, être, ressentir, être avec quelqu'un, agir, se révéler, voici des mécanismes de vie. Chacun d'eux se suffit à lui-même, et aucun n'exige un résultat, une récompense ou une justification. Dans chaque cas, la récompense, la signification et la valeur sont intrinsèques. Elles se situent dans l'accomplissement du processus et *dans le processus lui-même.* Le processus, le mécanisme, *est* le contenu. La structure contient le processus et *est* le message.

9. La théorie du niveau de confiance est simple

La théorie du niveau de confiance vise la simplicité. La nature est simple, et au contraire, les mots, les interprétations, les théories, les formulations tendent à être complexes. La complexité détruit le naturel ainsi que la vie intégrale et ses processus.

L'élaboration d'une théorie solide se caractérise par l'économie. Le théoricien-praticien CORI s'efforce d'éliminer toute complexité inutile, simplifie le plus possible les hypothèses et la structure de base de la théorie. Il réduit le nombre de concepts, le nombre de variables dans l'ensemble du système ainsi que le nombre de variables employées pour le diagnostic et la résolution d'un problème. En fait, seules mes tentatives pour définir ici la simplicité sont complexes !

Les descriptions complexes du comportement et du vécu proviennent en réalité de processus de défense, et attribuer un caractère complexe aux événements correspond à un acte défensif. Les érudits et les philosophes ne compliquent leurs descriptions du comportement et du vécu en partie qu'afin de prouver leur compétence, de cacher leur ignorance, de démontrer leur capacité d'articulation et de sortir vainqueurs des interminables compétitions qui ont cours dans le monde des mots et des concepts.

Pour ma part, je crois que cette complexité vient en très grande partie d'une inutile différenciation des concepts. Tout ensemble de concepts ou d'hypothèses peut se prêter à des précisions et à des différenciations de plus en plus grandes. Par exemple, on peut classer dans un nombre aberrant de catégories les mécanismes de défense et les comportements défensifs. On peut faire de même pour les interventions et les traitements employés afin de réduire la défensive. Il devient alors possible de jumeler traitements et défenses et d'obtenir ainsi un nombre de combinaisons déroutantes. Un ouvrage récent sur la thérapie propose une façon de progresser en ce domaine. Pour battre en brèche les maladies mentales, nous n'aurions qu'à établir des correspondances entre les traitements et les maladies ou les mécanismes de défense ! Une autre solution extrême propose l'existence d'une seule « sorte » de défense importante et tous les mécanismes de défense deviennent alors des réponses à une peur intérieure. Dans ce cas, un seul traitement de base serait utilisé, soit la méthodologie du cri primal et la création d'un environnement de grande confiance. Quelques autres traitements pourraient toutefois se révéler efficaces et diminuer les peurs dissimulées sous les mécanismes de défense. En fait, la différenciation représente un processus facile et séduisant. De plus, nous connaissons peu de choses sur les relations entre traitements et défenses particuliers, et il est donc tentant d'échafauder un vaste ensemble de minithéories qui semblent toutes évidentes, logiques et attrayantes.

Je préfère toutefois choisir la simplicité qui, au risque d'exagération, oriente la recherche vers une structure simple et vers les processus fondamentaux qui se cachent derrière une trop grande différenciation.

Comme je l'ai déjà mentionné, une autre raison explique ce choix : je cherche une théorie accessible à tous dans toute situation, pouvant guider le choix de l'usager. De plus, le corps et l'intelligence réunis doivent pouvoir l'intérioriser, la comprendre et la créer. Cette théorie devra aussi me permettre d'agir sans recourir aux mécanismes de l'informatique, à des efforts de mémoire, aux services de consultants ou à des guides, à diverses références écrites, à de complexes techniques professionnelles ou paraprofessionnelles, à un langage ésotérique et hermétique, à des variables compliquées difficilement utilisables, à des règles souvent mécaniques ou mal appliquées et, enfin, à une structure complexe.

Tout ceci ne veut pas dire que la simplicité est valable de par sa nature, mais, en fait, j'aimerais éviter toute complexité *inutile*. Ainsi, devrais-je choisir entre deux façons également bonnes d'élaborer une théorie, j'opterais pour la plus simple.

De plus, nous nous acharnons à dénicher les redondances qui n'ajoutent rien à la description simple du comportement ou du vécu, qui créent de faux problèmes et qui conduisent à l'abstraction. Nous tentons d'éviter ces redondances et celles qui proviennent de fausses conceptions sur le comportement et le vécu. Nous croyons pouvoir bientôt démontrer que le leadership, la récompense, la discipline, les valeurs, la supervision, le rôle, les responsabilités et l'autorité sont superflus et nuisent à la productivité.

10. La théorie CORI s'appuie sur une base expérimentale solide

Le coeur de la théorie CORI se trouve dans le processus de confiance envers le vécu de la personne. En réalité, le comportement peut faire l'objet d'une vérification digne de confiance, plus que le vécu; aussi la psychologie moderne et « scientifique » s'est-elle davantage attachée à l'analyse du comportement et le behaviorisme est plus respecté que la phénoménologie, la conscience et le vécu.

D'autre part, le vécu est certainement *plus près de moi* que le comportement. Il est aussi davantage relié à la confiance, aux événements que je tente de comprendre et de prévoir. De plus, il facilite mes relations avec autrui. Il est possible bien sûr d'étudier la confiance, le moi et le système social par le biais de l'observation du comportement. Cette méthode est toutefois moins satisfaisante et, en fait, c'est la confiance en tant qu'*expérience vécue* qui m'intéresse.

Dans le chapitre trois, j'ai choisi de définir l'environnement de qualité de six façons différentes. Même si plusieurs de ces définitions peuvent se relier à des comportements observables, cinq d'entre elles relèvent clairement de concepts basés sur l'expérience vécue. Il est possible toutefois de décrire tous ces critères en termes de comportement. La théorie s'applique à la fois au comportement et au vécu.

La psychologie moderne, et c'est là une de ses contributions, nous a rendus conscients des limites de l'expérience vécue. Plusieurs générations se sont de plus en plus méfiées des perceptions, des connaissances, des motivations, des sensations et des états d'âme d'autrui. Une observation systématique semble nécessaire afin d'éliminer les inconsistances de nos mouvements internes. Le doute, le scepticisme et la méfiance sont de bon aloi lorsqu'il s'agit de cerner la réalité, les idées valables et fiables. Tout ceci nous conduit à douter des états d'âme de chacun, de ses valeurs, de ses motivations, de ses capacités, de ses sentiments, de ses points de vue et de ses sensations. Évidemment, cette atmosphère de doute nécessaire place les mécanismes CORI sur une base de sables mouvants. Comment puis-je savoir qui je suis ? Si l'aspect le plus important de moi, et peut-être le plus *réel*, appartient au monde de l'inconscient, si je ne peux me fier à mes perceptions et à mes introspections, comment puis-je alors réussir à découvrir mon identité ? Si celle-ci n'est pas pour moi une certitude, comment puis-je me dévoiler aux autres ? Les désirs qui me semblent *réels* ou mes désirs superficiels correspondent-ils à une déformation de mes *véritables* désirs intérieurs ? Les analystes semblent nous dire que l'intensité même de nos désirs conscients prouve qu'ils sont aux antipodes de nos besoins intérieurs réels. Dans ce cas, où puis-je trouver une permanence ? Où puis-je me situer ?

Dans un monde qui se méfie, avec raison, du monde intérieur de l'expérience vécue, comment puis-je croire en ma valeur intérieure ? Comment puis-je croire en mes valeurs, mes croyances et mes perceptions ? Comment puis-je trouver la force de baser ma vie sur mes convictions intérieures ? Comment puis-je croire que mes sentiments sont vrais et valables ? Comment puis-je avoir la volonté de dévoiler ma vie intérieure d'une manière impulsive et de me débarrasser des masques issus de mes peurs ? Comment puis-je me sentir bien si je me méfie ?

Un des aspects les plus prometteurs de la nouvelle révolution se trouve dans l'importance fondamentale accordée aux états d'âme. Nous revenons à la conscience et aux sensations. Même la « vieille garde » des sciences du comportement regarde d'un oeil nouveau le monde de l'expérience vécue et des *états d'âme*. Nommons à ce sujet les états de conscience modifiés, les rêves, l'hypnose, les expériences vécues sous l'influence de la drogue, le contrôle par la volonté des fonctions et des états corporels, les hallucinations, les expériences religieuses, les états psychiques, les états cosmiques et mystiques et toutes les formes d'expériences qui ne relèvent pas directement du comportement.

De cette nouvelle attitude surgira un sens plus aigu de la confiance et de plus larges perspectives fondées davantage sur l'expérience. Plus profond, ce nouveau climat de confiance aura une base plus solide que la naïveté enfantine qui précède l'expérience et qui est sujette à d'inévitables déceptions. Une confiance nouvelle et entière, ajoutée toutefois à la conscience des possibilités d'erreurs, se trouve ainsi à l'origine d'une vie épanouie. Elle permet de plus à l'individu de concentrer ses énergies sur les mécanismes de vie plutôt que sur les mécanismes de défense.

Une théorie complète de la vie humaine doit se baser fermement à la fois sur l'expérience vécue et sur le comportement.

11. La théorie du niveau de confiance se relie au mouvement de la vie

L'essence de la vie, à la fois formée du vécu et du comportement, semble se rattacher au mouvement. Le corps et l'intelligence unifiés fonctionnent à leur meilleur quand ils se confondent au mouvement constant de l'énergie, aux systèmes bioénergétiques, à la symphonie interne de tous les processus en mouvement. Le corps et l'intelligence unifiés représentent un magnifique processus, soit l'unicité de l'intelligence, du corps et de l'esprit. De plus, ce processus s'intègre aux autres organismes vivants de l'environnement dans un mouvement synchronique et harmonieux.

Certains types de mouvements semblent convenir davantage aux systèmes humains: la rivière de la vie, le courant de la conscience, le flux et le reflux des sentiments, les rythmes du corps. Dans une sorte de polyphonie, la navigation à voile, le patinage, la danse, le vol se rattachent aux rythmes intérieurs de l'esprit et du corps. Les processus primitifs de la perception semblent combler les vides, arrondir les angles de l'expérience et nous fournir un monde qui est empiriquement une gestalt et qui est unifié par les interactions entre la personne et le monde extérieur. Plus notre connaissance du système nerveux avance, plus nous nous apercevons qu'il ressemble non pas à un ordinateur mais au mouvement et à un champ d'énergie.

Les processus de découverte CORI surgissent, émergent, courent et sont plus sains et fonctionnels quand ils sont libres, quand ils viennent de l'interaction entre la personne et le monde et quand l'énergie entre en mouvement. L'être, la manifestation de son identité, le devenir et l'interdépendance sont des *processus*.

La défense empêche tout mouvement. Elle lève des barrières et elle nuit au libre mouvement de la rivière.

La socialisation et l'institutionnalisation contiennent aussi des éléments qui paralysent le mouvement. Lorsqu'on leur attribue un rôle, les gens veulent *faire* quelque chose : administrer, contrôler, justifier leur salaire et ce rôle. Je me rappelle clairement une réunion des membres de l'administration d'une université où j'enseignais dans les années quarante. On avait érigé la nouvelle partie du campus sur une colline magnifique et on y avait tracé des trottoirs. Toutefois, l'administration remarqua bientôt que les étudiants traçaient leurs propres sentiers afin de se rendre là où ils voulaient aller. J'étais alors membre d'un comité qui devait se pencher entre autres sur ce problème. Nous discutâmes donc des mesures à prendre envers les étudiants qui refusaient d'obéir aux directives leur enjoignant de ne pas circuler sur le gazon. Plusieurs propositions furent émises afin d'empêcher un tel comportement, ou encore afin de se défendre contre les gestes spontanés des étudiants. Le président, un homme sage et non défensif, proposa alors de construire des trottoirs sur les sentiers tracés à travers le gazon. On ne nota aucune infraction à la suite de l'application de cette mesure (plusieurs années plus tard, j'ai parlé du principe selon lequel les lois produisent les criminels) et les étudiants se déplacèrent plus rapidement d'une salle de cours à une autre. De plus, et il ne s'agissait certainement pas d'un hasard, le nouveau tracé fut beaucoup plus agréable à l'oeil. Cet homme confiant qui dirigeait alors l'université m'a beaucoup appris. Il savait peu de choses sur la psychologie mais il connaissait vraiment les gens et les institutions. Il a d'ailleurs été un des premiers à prôner la souplesse au niveau de la direction, de l'organisation, des normes et des autres caractéristiques de la vie institutionnelle qui sont, en fait, sources de peur.

Suivre le mouvement de la vie est un processus aux multiples facettes. Certains de mes amis qui connaissent particulièrement la mer m'assurent que la meilleure façon de se noyer est de combattre les mouvements des marées et les courants tumultueux. Il faut donc plutôt suivre le courant, aussi bien dans la vie que dans l'eau. Selon

Lao Tzu, le mou l'emporte sur le dur. En fait, les deux principes du mouvement sont les suivants : l'abandon détruit la résistance et les processus de la vie priment sur les processus de défense.

Je travaille depuis plusieurs années avec des groupes composés de quelques centaines à plusieurs milliers de personnes. Je me rappelle avoir travaillé il y a longtemps avec un groupe d'environ onze cents adolescents lors d'une rencontre de huit jours. À la première séance de travail et de jeu, j'ai remarqué qu'ils étaient très turbulents. Je percevais en eux une énergie animale contenue et j'étais effrayé. Pétrifié serait d'ailleurs un mot plus juste. Suivant le principe de Harris, j'ai tenté de déceler leurs désirs et je leur ai proposé de les réaliser. Ils ont alors exprimé toute cette nervosité et cette énergie en plusieurs mouvements rapides, y compris des sauts et des cris.

Je savais déjà, et je l'ai depuis maintes fois constaté, que je peux obtenir à peu près tout d'un groupe, à la seule condition que je ne tente pas de l'impliquer dans une action contraire à ses désirs. Tout membre d'un groupe voulant « diriger » d'une manière efficace, ou proposer une action, doit être sensible à ce qui s'y passe au niveau organique. Il doit ensuite proposer une activité qui corresponde à ce « désir ». Il s'agit là d'ailleurs du seul service important que le « leadership » puisse rendre à un groupe, une communauté ou une nation. Au niveau individuel ou collectif, toute personne *véritablement attentive au mouvement de la vie* peut très efficacement canaliser l'énergie et l'action.

Suivre le mouvement de la vie n'est pas synonyme de faiblesse ou d'impuissance. Je ne suis pas un bout de bois ballotté par les flots et à la merci de dangers fortuits. Profondément conscient de notre mouvement intérieur, y compris le mien, je peux me joindre au mouvement organique fondamental qui surgit. *Je suis une partie de la communauté et du mouvement.* Si je peux percevoir nos désirs, je peux proposer des façons créatrices de définir, de créer et d'orienter le mouvement. Je n'ai pas besoin de créer de conflits inutiles. Je suis toujours puissant si je définis mon « pouvoir » comme mon habileté à être moi, à me dévoiler, à agir selon mes désirs et à me joindre aux autres dans le mouvement de la vie. Je suis aussi puissant que mon être. L'expression du pouvoir se confond à mon expression des quatre processus de découverte CORI. Le « pouvoir » devient alors un concept inutile et n'ajoute rien à ce que nous avons déjà dit. En fait, je ne redeviens impuissant que lorsque je définis le

« pouvoir » comme mon habileté à me *battre contre le mouvement de la vie*, à appliquer efficacement les processus de défense, à m'éloigner de moi-même, à mettre en oeuvre une stratégie cachée, à persuader, à manipuler, à contrôler et à aller contre la vie elle-même. En ce sens, tout le monde est impuissant, et à juste titre. On ne peut amener quelqu'un à agir contre ses désirs que pendant très peu de temps et sur une base déréglée. En ce sens, quelqu'un qui tient à exercer le pouvoir ne peut vivre que de mauvaises expériences. Personne ne désire vraiment le pouvoir, sinon à un niveau défensif et lorsque les gens recherchent en eux-mêmes leurs véritables désirs, ils découvrent tout autre chose que le pouvoir. La soif du pouvoir, tout comme plusieurs autres désirs défensifs, est sûrement une illusion. Si nous regardons les choses sous un autre angle, chaque personne a toujours le pouvoir qui correspond à ses désirs ou à ses besoins. Évidemment, le pouvoir se définit ici comme l'habileté à se joindre au mouvement vital des processus CORI. En fait, il s'agit là de la véritable signification de ce concept.

Le mot mouvement suggère « souplesse ». Il s'applique davantage aux choses floues. Il laisse peu de place aux boîtes, aux compartiments et aux divisions logiques. Il n'aime pas les règles rigides, les angles droits, les limites arbitraires, les murs, les façades, mais leur préfère plutôt la croissance naturelle et se rattache à tout ce qui est organique, doux, facile à conduire. Il ressemble à la poésie sans ponctuation, aux projections courbes, au cerf-volant, à l'improvisation musicale, à la *commedia dell'arte*, aux cheveux ébouriffés par le vent, à l'architecture organique, à la vie holistique, au jeu de l'enfant, à la forme libre, à la liberté, à l'être, à la danse moderne, à un livre fascinant.

En fait, le mot mouvement a le sens d'un verbe et non celui d'un substantif. Je suis en mouvement. J'entends chanter. Je trouve mon propre rythme intérieur.

La meilleure théorie est constamment en mouvement.

12. La théorie CORI ne se rattache ni à une technique, ni à une méthode, ni à une technologie

Les principes généraux de certaines théories comportent à juste titre une technique mais, pour sa part, la théorie CORI est au contraire dégagée de toute méthode et de toute technique.

Elle ne propose, n'exige ou ne fabrique aucune technique. Elle est toutefois ouverte à celles qui peuvent se révéler utiles. Aussi toutes les techniques, toutes les méthodes, les expériences, les technologies, les opérations, les procédures, les interventions ou les actions qui augmentent la confiance et diminuent la peur y sont-elles les bienvenues.

Mais je dois avouer que ce principe n'est toutefois pas entièrement vrai. Les théoriciens CORI croient, en effet, que les techniques tendent en elles-mêmes à abaisser le niveau de confiance. Une technique correspond à une opération de dépersonnalisation ; elle empêche l'individu de s'impliquer, attribue un rôle important au technicien et éloigne les participants les uns des autres, et Moreno et ses collègues ont mis au point le jeu de rôle et le psychodrame précisément pour cette raison. Ces méthodes permettent en effet à l'individu de se détacher de la situation « réelle », afin d'atteindre une présumée sécurité dans l'« irréel ». Toujours selon ces théoriciens, cette irréalité de bon aloi diminue l'atmosphère menaçante reliée aux situations et facilite les relations et la solution des problèmes.

Les recherches et les expériences démontrent que plus les individus sont personnels dans leurs relations, plus le niveau de confiance augmente. La formation professionnelle dans les domaines de la direction et de l'aide à autrui comporte une faille : les professionnels ont en effet tendance à se dépersonnaliser lors de l'acquisition de leurs outils de travail, c'est-à-dire lors de l'apprentissage des méthodes, des techniques, des stratégies et des procédures. Ils jouent un rôle et ceux qu'ils dirigent ou aident les perçoivent comme impersonnels, habiles, plus ou moins superficiels, désintéressés et par conséquent distants ou même « absents ». Dans les domaines de la psychiatrie, de la psychologie clinique, de l'enseignement, de la consultation et de la direction, on s'intéresse de plus en plus à ce phénomène de distanciation et de dépersonnalisation.

Mes consultations me permettent de voir se dessiner la tendance suivante : les professionnels expérimentés et sûrs d'eux commencent à se libérer des techniques et à établir des relations en tant que personnes alors que, par contre, les moins expérimentés, les moins compétents et les moins sûrs d'eux continuent à s'appuyer sur des techniques pour accomplir leurs tâches professionnelles.

Il y a plusieurs façons pour les professionnels de se détacher des techniques :

a) trouver des techniques plus personnelles, qui permettent aux individus de communiquer entre eux ;

b) acquérir une parfaite connaissance de la technique ou de la méthode ; la personne pourra ensuite s'en libérer. Elle en intériorise les principes et la relation devient plus naturelle et plus authentique ;

c) devenir membre d'un groupe d'apprentissage avec les clients, patients, étudiants ou travailleurs et créer ensemble un environnement qui permet aux directeurs, parents, enseignants et thérapeutes de devenir parties intégrantes de la communauté.

13. La théorie du niveau de confiance est valide

Tous ceux venant en contact avec la théorie CORI en reconnaissent aussitôt la validité, car toute personne vit des expériences de confiance et de peur et se rend compte un jour de la puissance de ces sentiments et de ces forces.

Cette perception immédiate de la validité de la théorie comporte un grand avantage car celle-ci a été conçue essentiellement dans un but d'utilisation pratique. Toutefois, ce phénomène soulève certains problèmes :

a) La plupart des personnes ont déjà une définition toute faite du vocabulaire fondamental de la théorie. Le mot « confiance » est chargé de valeurs de toutes sortes et il comporte un solide aspect moral. Nous avons utilisé les termes confiance et méfiance afin de décrire et d'identifier un processus catalytique fondamental. En théorie, chaque personne est toujours plus ou moins habitée par la méfiance qui obéit à certaines situations et correspond à un état chronique. De la même façon, on retrouve toujours un certain degré de peur en chaque personne. Toutefois, ces concepts font appel à tant de notions et sont tellement négatifs que la plupart des gens nient la peur et la méfiance. Il est donc très difficile d'abandonner à ce sujet une attitude défensive.

b) On relie souvent la théorie à plusieurs hypothèses, issues de son vécu, concernant la peur et la confiance. Ces concepts sont d'ailleurs chargés de sentiments et de préjugés. Je me rappelle une présentation-discussion de trois heures donnée à un groupe d'importants fonctionnaires. J'avais alors parlé de mes expériences avec les organismes gouvernementaux. Plusieurs des exemples qui illustraient la théorie du niveau de confiance étaient dramatiques, controversés et chargés d'émotivité. J'avais remarqué plusieurs réactions intenses, positives ou négatives, de la part des membres du groupe. Tout au long de la rencontre, ces derniers avaient beaucoup échangé sur les problèmes soulevés. Deux réactions ont illustré particulièrement le processus que nous décrivons présentement : 1. Un des membres était frustré et en colère. Ses dernières paroles ont été les suivantes : « Votre théorie est tout simplement communiste et elle me déplaît » ; 2. Un autre était plutôt ennuyé,passif, modérément négatif. Il a déclaré à la fin de la discussion : « Je ne vois rien de neuf dans ce que vous dites. Tout cela relève du christianisme. » À la suite de la séance, chaque personne projetait ses sentiments et ses hypothèses sur la théorie. Bien sûr, toutes réagissaient aussi à mes paroles et à mes propres sentiments.

c) Les concepts et les illustrations de la théorie CORI se rattachent à des préoccupations et à des conflits profondément ancrés chez la plupart des individus. Ces derniers se sentent donc animés de culpabilités et de doutes envers leurs sentiments, leurs comportements et leurs idées. La confiance et la peur sont tellement importants dans toute vie que les personnes qui s'interrogent vraiment sur elles-mêmes se montrent nécessairement préoccupées de leur identité et de leur valeur personnelle.

La théorie accroche les gens. Les expériences de groupe sont conçues pour permettre aux participants de disposer de plusieurs jours afin de mieux connaître leur niveau de confiance et de peur et de faire face aux sentiments intenses et aux doutes déjà mentionnés. De cette manière, les gens vivent cette situation dans un climat de chaleur et d'acceptation et ils découvrent qu'ils ne sont pas les seuls à éprouver de tels doutes et de tels sentiments. Vivre avec eux, partager ces émotions avec les autres, les comprendre, explorer de nouvelles voies, participer aux activités du groupe, tout cela fournit l'occasion de faire les apprentissages autodéterminés essentiels à la résolution de tout problème humain.

Dans un état de confiance, j'entre dans mon rythme et dans le mouvement de la vie.

Chapitre 5
Rythme et mouvement : un ensemble de conseils

Grâce à la confiance et parce que je crois en moi, je peux vivre selon mes rythmes et être *dans* mon corps, mon esprit et mon intelligence unifiés. Ma théorie *est* mon rythme et mon mouvement puisqu'elle correspond à l'intégration de tout mon être. La vie entière, particulièrement la vie basée sur la confiance, se confond au flux et au reflux de la découverte et de la création. Je crée et je développe ma théorie par l'intermédiaire de ces mécanismes.

Chaque personne découvre sa propre façon de créer et d'appliquer une théorie ; chaque individu élabore sa théorie d'une manière unique.

Certaines personnes en font d'abord une découverte intellectuelle. Une femme m'a un jour écrit pour me dire que mes paroles l'avait touchée intellectuellement. Elle avait, par la suite, modifié sa relation avec ses enfants. D'autres connaissent la théorie par le coeur et les entrailles : ils doivent la sentir émotivement avant de la « voir ». Parfois, certains saisissent ce qui leur arrive et veulent comprendre tous les niveaux du processus. D'autres, au contraire, préfèrent se laisser porter par des processus latents et ils ne sont que peu intéressés à les raisonner ou même les comprendre. Chez certains, la connaissance de la théorie et les changements qui en résultent viennent très rapidement. Je me souviens d'un professeur qui, un après-midi, lors d'une rencontre CORI, a soudainement vu et profondément senti un changement. C'était il y a six ans, et pour lui, cet instant de clarté marque encore les débuts de son changement radical sur le plan personnel et professionnel. Par contre, d'autres personnes doivent se débattre pendant des années avant de saisir les implications de la théorie.

Certains individus apprennent par introspection et par analyse de soi. D'autres *agissent* ou laissent simplement aller les choses. L'apprentissage se concrétise souvent dans un ou plusieurs comportements précis qui, pour certains, revêtent une grande signification. Un directeur d'une école disait que cet apprentissage s'était exprimé chez lui par le simple geste de quitter son bureau pour parler *avec* ses visiteurs normalement assis autour d'une petite table au centre de la pièce. Cette attitude faisait pour lui toute la différence du monde. D'autres acquièrent une nouvelle façon de voir les choses qui modifient leurs perceptions, mais qui ne se concrétisent dans aucun comportement particulier. Alors que pour certains, la théorie CORI vient simplement enrichir une autre théorie sur laquelle ils basent leur vie, pour d'autres, au contraire, la théorie du niveau de confiance remplace les précédentes et leur apporte une vie totalement renouvelée. Enfin, certains sont à la recherche d'un principe de base, d'une réponse, d'une ligne de conduite qui leur indiquera avec précision l'attitude à adopter dans le quotidien, mais d'autres se sentent prisonniers en présence de règles strictes et souhaitent plutôt résoudre librement leurs problèmes au fur et à mesure qu'ils se présentent et ne se servir de la théorie que comme guide.

Quels que soient la façon d'être et le mode d'apprentissage des individus, la confiance est la seule voie qui conduit à la compréhension et à l'utilisation de la théorie CORI. D'une certaine façon, il s'agit simplement *d'apprendre* la confiance. Quand le niveau de confiance change chez une personne, toute sa vie s'en trouve modifiée.

Éducation de l'être entier

Le niveau de confiance de l'ensemble formé par le corps et par l'intelligence détermine jusqu'à quel point une personne sera personnelle, ouverte, disponible et interdépendante. Ces processus de découverte CORI délimitent en toute circonstance la santé, la productivité et l'efficacité de chacun. L'apprentissage et l'application de la théorie signifient l'éducation de l'être entier et la croissance de son niveau de confiance. Je ne peux changer mon niveau de confiance par un simple choix, par un accord volontaire ou par la maîtrise rationnelle de mon corps et de mon intelligence. Toutefois, je *peux* créer mes propres expériences et modifier ainsi mon niveau de confiance d'une manière importante.

1. *Le corps.* L'influence énorme de mon état physique sur mes attitudes, mes sentiments, ma créativité, mon travail et mon état d'esprit m'étonne constamment. À cet égard, je pense parfois que la course à pied a été la découverte la plus importante de ma vie : l'exercice physique soutenu a beaucoup contribué à changer mon apparence, mon attitude envers mon corps, mon estime envers moi-même, ma productivité et mon niveau de confiance. Pendant longtemps j'ai éprouvé beaucoup de difficulté à rassembler mes énergies physiques et à courir, mais j'ai découvert un jour à quel point je me sentais euphorique après la course. De plus, pouvoir franchir cette barrière de lassitude me changeait d'une manière permanente. Les anciens semblent avoir très bien compris ce phénomène et nous en redécouvrons présentement l'importance. Reich nous a beaucoup appris sur le corps, sur l'énergie physique, sur les barrières qui l'empêchent de s'écouler, et les néo-reichiens nous enseignent à nouveau l'importance du corps et sa magie. Faisons confiance au corps.

2. *Les sensations et les perceptions.* Nous redécouvrons nos sens grâce aux centres de croissance personnelle et aux diverses formes de renaissance de l'ancienne sagesse. Notre vision et nos sensations s'élargissent et s'enrichissent. Les dogmes et la peur avaient jusqu'à récemment atrophié notre vue, notre toucher, notre goût et notre odorat. À l'église, à l'école et au théâtre, une nouvelle atmosphère, un nouvel *esprit* encouragent maintenant l'exploration des sens. Un environnement où règne une grande confiance nous aide à nous fier à nos propres perceptions. Après des expériences de croissance vécues dans des groupes CORI ou autres, il est courant d'entendre des individus décrire comment ils goûtent maintenant de façon de plus en plus aiguë tout ce que la vie leur apporte de nouvelles sensations. Trop longtemps ils avaient tenu en veilleuse leur sensibilité. Un nouveau respect pour les sens et pour leur validité

change notre vie moderne, et on apprend à se fier à eux en raffinant ses expériences et en adoptant une façon de vivre basée sur la confiance en ses expériences sensorielles. J'apprends à me fier à ce que je vois et à ce que je touche.

3. *L'intelligence*. Dans certains milieux, la mode veut que l'on dédaigne l'intelligence et la raison au profit du coeur et des tripes. En ce qui me concerne, j'ai plutôt tendance à me fier à mon esprit et non à le dénigrer. Je peux apprendre à *avoir confiance en moi*, à m'en remettre à mes sentiments, mes pensées, mes sens, mes désirs et mon imagination. Je peux avoir confiance en mes mouvements intérieurs. Mes connaissances peuvent s'intégrer, se joindre, s'unifier à mes émotions. Elles peuvent à la fois être personnelles et correspondre néanmoins à la réalité. La méfiance envers mon esprit, mon intelligence et mes paroles est aussi déréglée et déshumanisante que la méfiance envers mon coeur et mes tripes : mes sentiments peuvent se révéler aussi faux que mes pensées. La redécouverte de l'esprit peut être le thème de la nouvelle contre-révolution qui suivra notre ère marquée par l'importance des sentiments et des sens. Selon la conception populaire, la théorie ne vient que de la tête, et ainsi, le mot théorie se trouve autant dans le corps, dans l'être, dans les sens, que dans la pensée. *Je peux donc respecter ma théorie autant que moi-même*. Une partie importante de l'apprentissage de la théorie se trouve dans l'acquisition de la confiance en nos capacités de réflexion et de pensée.

4. *Le coeur et les tripes*. Lors des premières expériences tentées avec des groupes de formation, « l'apprentissage par les tripes » était l'expression à la mode lorsqu'on parlait d'acquérir la sagesse du corps. Toujours en s'appuyant sur la confiance, diverses traditions ont parlé en termes très différents des éléments formant le corps et l'intelligence. Parfois, sentir ou toucher les blessures du Christ était une source de plus grande confiance qu'entendre sa voix. Les chakras proposent un ordre de priorités très clair qui se confond en un sens à des niveaux de confiance. Faites confiance à vos tripes, à votre coeur, à votre toucher, à vos intuitions : les exhortations ne manquent pas. « Ressentir les choses » est une manifestation de ma confiance et une manière importante de la vérifier. L'éducation des sentiments et des émotions est un point crucial dans le processus d'acquisition de la confiance. En fait, il s'agit de devenir conscient de ses sentiments, d'en connaître les

manifestations et les conséquences, d'apprendre ce qu'ils signifient et comment les maîtriser.

5. *La main.* La peur m'empêche de vivre d'une manière spontanée, impulsive et libre. Nous devons avoir confiance en nous-mêmes, afin d'être à l'aise lorsque nous agissons avec spontanéité. La peur de ce que nous sommes et de ce que seront les réactions des autres nous conduit à attribuer un caractère menaçant à l'impulsivité. Dans un climat de confiance élevée je peux agir avec impulsivité et sans contrainte, je peux me laisser aller à être moi-même. Il n'existe toutefois aucune recette pour y arriver : j'apprends à agir avec spontanéité par le biais de l'expérimentation. Quand je me sens en sécurité, je tente de mettre mes réactions à l'épreuve, de déterminer ma tolérance au stress et à l'ambiguïté, de découvrir mon niveau de liberté et d'accroître ma spontanéité. J'apprends à mon être entier à agir spontanément.

6. *Les techniques d'expression.* On attribue parfois au mot « technique » une connotation péjorative. Une personne qui peut appliquer une technique est perçue habile, mielleuse et, jusqu'à un certain point, artificielle. L'application de techniques correspond en effet souvent à un processus artificiel, particulièrement lorsqu'il s'agit de « relations humaines ». On les relie non pas à la spontanéité, mais à la manipulation, à la persuasion et à l'intention. Quelqu'un, par exemple, peut apprendre la flatterie. On se méfiera davantage de lui que de l'individu qui exprime simplement ses véritables sentiments. Les groupes de formation et les communautés CORI fournissent à cet égard un milieu non structuré où l'interaction se manifeste librement. En ce qui concerne les relations humaines, j'ai constaté que, dans ce milieu de confiance, plusieurs personnes deviennent plus rapidement efficaces que dans un environnement structuré et orienté vers l'acquisition de techniques qui de plus, lorsqu'on les applique de manière exagérée, empêchent l'expression naturelle. Il est toutefois utile d'apprendre à communiquer d'une façon valable ses pensées, ses sentiments, ses impressions et ses attitudes. Une personne appelée de par sa profession à aider autrui doit savoir communiquer la « théorie », ses sentiments et tous les aspects de son être. Ainsi, le besoin d'apprendre des « techniques » s'avère positif. Il peut alors s'agir de techniques de résolution de problèmes, de prise de décision, d'écoute, d'expression des désirs ou tout autre moyen efficace à l'intérieur d'un groupe ou d'une communauté.

7. *Au-delà du corps*. Il est clair pour moi que la confiance peut nous apprendre à transcender les sens, le corps, les sentiments et toutes les autres expressions de l'être dans son ensemble. Les expériences extra-corporelles, la conscience non sensorielle, les états de conscience modifiée et les nombreux états transcendants issus de nouveaux climats de confiance rendent maintenant possible l'auto-apprentissage, devenu d'ailleurs une pratique courante et tout à fait digne de respect. L'auto-apprentissage des états de confiance transcendants et cosmiques constitue pour moi la voie la plus prometteuse de l'acquisition de la confiance. De telles expériences me procurent une vision et une *perspective* particulières. Le niveau de confiance est alors à nouveau perçu en relation avec des états que je ne savais pas possibles. Les perspectives offertes par les niveaux de qualité de l'environnement permettent une nouvelle croissance à l'intérieur des niveaux de confiance quotidiens. Ma nouvelle croissance s'appuie alors sur une base expérimentale et je *connais* des niveaux de confiance totalement nouveaux jamais encore imaginés.

Selon notre théorie, le comportement le plus profondément organique et efficace se caractérise par l'absence de rôles, par l'ouverture et l'absence de stratégies, par l'autodétermination et l'action et enfin par l'interdépendance. Orientés vers la peur et la défensive, nos systèmes favorisent des réactions pratiquement opposées à notre moi profond qui, lui, se caractérise par la confiance. Inutile de dire que ces comportements nuisent à la croissance et qu'ils sont fort probablement autodestructeurs. L'éducation de mon être entier signifie que j'entre vraiment en contact avec moi-même. De cette façon, il m'est facile et naturel d'agir selon mes désirs, d'établir des relations profondes avec autrui, d'être personnel et ouvert. De plus, ce comportement surgit de mon moi le plus profond sans que j'aie à y songer ou à le prévoir.

Expérimentation de mon niveau de confiance
Apprentissage de la théorie

Une personne peut créer au moins six différents modes d'expérimentation qui lui permettront de comprendre la théorie et de l'appliquer efficacement dans sa vie personnelle et professionnelle.

1. *Vivre selon la dynamique d'un système sans contrainte*. À l'intérieur d'une communauté CORI, le participant peut expéri-

menter profondément ce qu'est la vie dans un système humain sans contrainte et sans structure. Toutefois, la personne habituée à vivre dans un climat défensif devra peut-être connaître plusieurs expériences CORI avant d'en percevoir toute la dynamique. De plus, cette personne vit peut-être une première expérience importante à l'intérieur des environnements VI et VII, et cet abandon des dynamiques visibles des environnements I à V marque un changement crucial. Je crois que notre société évolue vers une plus grande qualité d'environnement, vers un climat de confiance plus élevée et aussi vers une dynamique dégagée de toute structure, plus rapidement encore que les développements récents de la théorie et de la pratique ne l'avaient laissé supposer.

Toute personne qui veut vraiment comprendre et utiliser la théorie CORI trouvera très utile de vivre en profondeur une expérience dans une communauté sans leader et presque sans structure. Il est important de saisir le lien étroit qui existe entre les théories actuelles des sciences du comportement et les dynamiques des environnements I à V. Cette affirmation s'applique particulièrement bien à la théorie de la modification du comportement, à l'analyse transactionnelle et aux autres théories néo-freudiennes, à la théorie de la prise de décision, à la théorie du renforcement, à la théorie et à la pratique du développement organisationnel, à la théorie de l'affirmation de soi, à la théorie du rôle et à celle du pouvoir. En fait, il n'est pas surprenant de constater que la plupart des théories organisationnelles surgissent d'expériences vécues dans les environnements I à V. Ces théories basent d'ailleurs leurs recherches sur des hypothèses et des concepts qui appartiennent à ces environnements et qui, d'une certaine façon, les limitent. La théorie du niveau de confiance peut toutefois constituer un lien utile entre ces divers concepts et recherches.

2. *Expérience intense vécue lors de la création d'un climat de confiance élevé dans un milieu naturel.* La théorie CORI est une théorie pratique, issue d'expériences vécues dans un monde concret et applicable aux institutions *telles qu'elles sont présentement.* Elle apporte une réponse à cette question du praticien : « Que deviendrait mon organisation si elle était davantage basée sur la confiance ? » Plusieurs innovateurs expriment d'ailleurs cette même interrogation et, selon leur champ d'activité, ils proposent des écoles nouvelles, une église renouvelée, un monde des affaires basé sur la participation, un mode de vie communautaire, des garderies

coopératives, des centres de réhabilitation. Ils tentent, en réalité, de multiples expériences afin de créer des institutions basées sur un climat de confiance élevée, et ce au milieu d'une culture essentiellement marquée par la méfiance et par les environnements II à IV.

Aucune théorie ne peut remplacer l'expérience cruciale vécue sous de multiples pressions, lorsqu'un groupe tente de faire avancer le processus de l'évolution et de précéder, un tant soit peu, les tendances de notre société. Les principes directeurs décrits dans ce chapitre « fonctionneront » dans les institutions traditionnelles, mais ils ne pourront toutefois empêcher l'apprentissage douloureux qui est le propre des expériences vécues dans le feu de l'action.

3. *Expérience directe dans les professions ou vocations de contact avec les gens.* On donne presque toujours les meilleurs emplois à ceux qui ont la formation traditionnelle requise. Il existe toutefois de nombreux avantages à engager une personne imaginative qui maîtrise une bonne théorie des relations humaines. Elle apportera un nouveau point de vue et accomplira ses tâches d'une manière renouvelée. Cette affirmation s'applique particulièrement bien à l'usager de la théorie de la confiance. Heureusement, de plus en plus de personnes imaginatives occupent des fonctions de responsabilité et recherchent à leur tour des gens non conventionnels. La théorie du niveau de confiance est un outil puissant qui peut s'employer dans toute profession, entreprise, industrie ou organisation composée de plusieurs membres ou employés. De plus, elle s'avère très efficace car elle permet à l'usager de progresser constamment.

Pour la plupart des personnes qui désirent travailler avec les gens, il est sage d'acquérir une formation spécialisée traditionnelle et une expérience du domaine. Ceci s'applique, par exemple, au psychologue clinicien, au spécialiste de la thérapie d'occupation, à l'enseignant, au directeur, au psychiatre, au spécialiste du travail en groupe, au psychologue oeuvrant dans l'industrie, à l'administrateur, etc. La personne remplit alors les exigences de sa tâche, connaît les techniques et les méthodes employées par les gens compétents dans le domaine, voit les problèmes rencontrés par les travailleurs et connaît le langage et les grandes tendances du métier. L'innovateur CORI ne travaille pas sur Mars, ou dans un monde utopique ou encore dans un laboratoire parfaitement aseptisé. Il oeuvre dans le monde complexe de la réalité, dans un univers où il doit affronter quotidiennement des attitudes défensives et des pressions de toutes sortes. C'est dans ce monde concret que la théorie CORI est précisément conçue pour s'appliquer à la perfection.

4. *Expérience de se dégager du « rôle de leader »*. Seul le feu de l'action représente une source d'apprentissage valable lorsqu'il s'agit de se dégager d'un rôle et d'établir des relations personnelles dans un milieu où règne une grande confiance. Les attentes et les perceptions inhérentes à un rôle préoccupent à la fois membres et leaders lorsque quelqu'un prend position au sommet, quel que soit le titre qu'on lui attribue. Ces attentes sont d'autant plus difficiles à manier si le pouvoir et l'autorité sont niés, adoucis ou cachés. Le théoricien CORI travaille dans le but de se dégager de son rôle, de se joindre au groupe et d'en devenir *un membre à part entière*.

Toutefois, de nombreux obstacles se dressent : les peurs, la conviction de l'impossibilité d'adopter une telle attitude, l'exigence que le leader « gagne son argent », les dépendances, les besoins de trouver un bouc émissaire, les besoins du leader de se sentir différent, ainsi qu'une très longue liste d'autres facteurs reliés à la peur. Plusieurs n'ont jamais vu un leader se départir efficacement de son rôle et ils ne croient tout simplement pas en cette possibilité. Toutefois, les leaders et les groupes pourront atteindre plus facilement cette étape au fur et à mesure qu'un nombre grandissant de gens verront se réaliser ces nouvelles communautés et en constateront émotivement la puissance. Travailler à atteindre cet objectif représente un apprentissage important et probablement nécessaire pour la personne qui tente d'appliquer la théorie CORI dans cette culture de transition.

5. *Atteinte d'états transcendants et cosmiques ainsi que leur intégration dans notre façon d'être*. La connaissance de la théorie CORI favorise le passage vers des états transcendants et cosmiques. La maîtrise des rêves, les voyages astraux, les états d'extase, la clairvoyance, la modification de la conscience par la drogue, la méditation, la guérison par la confiance et une multitude d'autres états modifiés ou mystiques ont connu récemment une croissance rapide. Leur connaissance et leur expérimentation permettent à beaucoup de gens de transformer leur vie quotidienne, d'avancer vers des états nouveaux de conscience et d'atteindre d'autres niveaux de confiance dans notre société.

Ces expériences peuvent se créer par un large éventail de techniques et de méthodes déjà employées abondamment par divers groupes de croissance. Toutefois, les expériences personnelles et spontanées sont intégrales et plus efficaces. De plus, elles transforment davantage la vie. Elles se produisent « naturellement » et spontanément dans les communautés CORI, où les gens appliquent pleinement la théorie à leur vie et deviennent disponibles à de nouvelles expériences lorsqu'elles se présentent. Grâce à la compréhension de ce vécu, nous pouvons vivre d'une manière plus profonde, plus diversifiée, plus confiante, plus extatique, et nous vivons ainsi plus souvent dans les environnements VI à X.

6. *Expérience de la théorie, particulièrement de la théorie CORI*. Il est très utile de connaître la théorie, ses hypothèses, les institutions sur lesquelles elle s'appuie, les gens qui l'appliquent et la comprennent, son champ de recherche, son langage, ses problèmes non résolus, ses projections dans le futur, ses choix possibles, ses conceptions erronées, ses erreurs,ses charlatans et ses poseurs, ses rêves, ses espoirs et ses peurs. Je crois en l'utilité d'une théorie articulée. Elle peut guider l'action et l'expérimentation sociale, elle peut aider à l'intégration de le vie personnelle et elle peut nous éviter de répéter continuellement les mêmes erreurs.

Je ne prétends pas que la théorie CORI soit insurpassable. Elle représente cependant une alternative viable et un effort certain afin d'appliquer une théorie générale aux problèmes de la vie quotidienne. Pour l'individu, elle offre un point de départ à l'élaboration de sa propre théorie, ou elle lui permet de renouveler la ou les théories qu'il utilise déjà. Il est parfaitement juste d'affirmer que toute personne élabore constamment une théorie. Même, et surtout, l'enfant tout jeune ! Les lecteurs de Piaget ne peuvent oublier l'importance de ce phénomène lorsqu'il s'agit pour l'enfant d'essayer de comprendre les mystères de la vie quotidienne.

La théorie CORI est à la fois plus simple et plus complexe qu'elle ne le paraît. Délibérément conçue dans la langue de tous les jours, elle peut sembler plus simpliste qu'elle ne l'est en réalité. La théorie CORI, tout comme la vie, est toutefois très simple : sa profondeur se trouve justement là.

Guides pour l'application de la théorie

Dans le tableau X, j'énumère dix points qui peuvent aider le lecteur à saisir et à appliquer la théorie. Ces guides peuvent s'utiliser de plusieurs manières différentes :

TABLEAU X
GUIDE POUR L'APPLICATION DE LA THÉORIE CORI

Application de la théorie CORI au théoricien-usager	Application de la théorie CORI au système du client
1. *Union de mon être et de mon rythme.* Je suis mon mouvement et mon rythme. Importance du processus, non du produit. Découvrir et être sont synonymes.	*Union entre le système, son mouvement et son rythme.* Où est le mouvement ? Diagnostic du mouvement fondamental. Suivre la rivière.
2. *Confiance en mon processus.* Je me fie à mes impulsions, mon corps, mes désirs, mon rythme. Mon corps est un guide précieux.	*Confiance aux fonctions du système.* Que se passe-t-il ? Libre évolution du système. Progression vers les environnements VI à X.
3. *Création de ma vision.* Je me crée ; je crée ma réalité. Je suis unique ; mes sentiments *sont.* Je crée ma théorie, ma vision.	*Création de la vision et des objectifs.* Quelle est la mission ? Création et simplification de la mission. Synergie des objectifs.
4. *Sollicitude envers ma personne.* Me soutenir et me nourrir vraiment. Être dans mon essence. Apprécier ma divinité.	*Sollicitude envers le caractère unique du système.* Découverte de *l'identité* du système. Lui apporter un soutien. Célébrer les différences.
5. *Ouverture.* Je dévoile mes perceptions et mes sentiments. Je vous admets dans mon espace intérieur. Nous créons des cercles qui se recoupent.	*Création d'un système ouvert.* Espace ouvert : portes, dossiers, Entrepôts, communication. Libre circulation de l'information. Absence de restrictions et de canaux rigides.
6. *Orientation de mon énergie.* Je réalise toujours mes désirs. Je peux actualiser tous les objets de mon imagination. Tout est possible.	*Orientation de l'énergie et du mouvement du système.* Quel est le but fondamental de notre mission ? Simplification et centralisation du mouvement. Orientation et choix.

7. *Diminution de mes contraintes.* Mes peurs sont illusions. Je suis à la source de mes contraintes. Je me libère.	*Diminution des contraintes et des peurs.* Qu'est-ce qui nous arrête ? Découverte des principaux leviers. Diagnostic des systèmes de blocage.
8. *Création de mon environnement.* Je crée le monde qui m'entoure. J'ai toujours le choix. Je vous crée à mon intention.	*Création de l'environnement du système.* Qu'est-ce qui nous aide à nous réaliser ? Conception d'un environnement qui suscite la création, qui n'encourage pas la compétition.
9. *Création de ma communauté.* Nous partageons la création de notre expérience. Je construis une équipe. J'émerge dans un tout.	*Création de la communauté à l'intérieur du système.* Pouvons-nous devenir une communauté ? Les unités sont perçues comme des communautés. Progression vers les environnements VI à X.
10. *Perception de mon tout.* Je contiens tout ce dont j'ai besoin. Tous les sentiments sont en moi. Toute ma vie est une récapitulation.	*Perception du tout.* Tout est simple. Tout est complexe. Tout est intégral. Les possibilités de l'organisation sont infinies.

---

a) Le praticien peut s'en servir lors de l'évaluation d'un projet organisationnel. Il s'agit alors d'analyser l'organisation du client (communauté, salle de cours, service des ventes, clinique de santé mentale) à la lumière de chacun de ces points, d'établir un diagnostic et de tracer les étapes du « traitement ». La deuxième colonne du tableau établit des corrélations avec le niveau de confiance.

b) Une personne peut se servir de cette liste afin d'analyser sa croissance personnelle. La première colonne énumère dix caractéristiques de la personne confiante. Ces points changent au fur et à mesure que le niveau de confiance s'accroît.

c) Cette liste peut aussi aider à voir les choses plus clairement. Elle ne propose aucun ordre. Chaque principe représente une autre façon de concevoir le niveau de confiance, une nouvelle formulation de la théorie, une nouvelle définition du niveau de confiance, une autre caractéristique importante de la santé organique, une illustration des conséquences de la confiance et de la peur et une minithéorie de la croissance personnelle et organisationnelle.

TABLEAU XI

GUIDE D'APPLICATION DES THÉORIES CORI AU CHANGEMENT PERSONNEL ET ORGANISATIONNEL

Principe fondamental	Minithéorie
1. Liberté du mouvement	L'organisation saine suit son mouvement et son rythme. Elle évolue selon une harmonie profonde.
2. Confiance au processus	L'organisation efficace suit le mouvement de son processus. Elle n'emploie pas la motivation extrinsèque, la direction et le contrôle exagérés.
3. Clarté cognitive-perceptuelle	Les membres du système efficace partagent sa vision et sa mission. Ils les voient et les conçoivent clairement. Ils en sentent l'importance.
4. Sollicitude pour soi	Le système sain s'occupe de son propre bien-être. Il nourrit son être fondamental, comprend son importance, a un fort sentiment de son identité.
5. Ouverture du système	L'organisation efficace est ouverte et transparente. On y partage perceptions et sentiments.
6. Orientation de l'énergie	Le système sain oriente ses énergies vers l'important, vers ce qui est essentiel à son mouvement.
7. Diminution des contraintes	L'organisation efficace se libère des contraintes inutiles et des peurs étouffantes. Elle a le sens de la liberté.
8. Environnement nourricier	L'environnement intérieur et extérieur se caractérise par son aspect nourricier, par son sens de la mutualité et de la coopération.
9. Communauté profonde	Le système sain *se sent comme* une communauté. Ses membres se préoccupent les uns des autres.
10. Le tout cosmique	Le système très confiant perçoit son tout, son coeur mystique, son éternité du moment.

d) Dans le tableau XI, chaque point propose une orientation nouvelle à l'organisation sociale et au changement d'un système.

En ce sens, chaque point de ces listes contient tous les autres. Il ne s'agit en aucun cas d'un ensemble de règles strictes. Chaque grande idée définit une quête, une recherche, un choix.

Dans chaque cas, je présenterai d'abord comment l'idée directrice s'applique à la personne, et je décrirai quelle devient l'attitude *des gens* qui vivent dans un état de grande confiance. Je tracerai un principe général et je donnerai ensuite des exemples de l'orientation qu'empruntent certains usagers de la théorie. J'utiliserai la première personne quand je parlerai d'eux. Deuxièmement, je décrirai l'application possible de chaque idée directrice à un *système social*. J'emploierai d'abord des termes généraux et je préciserai ensuite à l'aide de faits déjà observés. En fait, chaque personne et chaque organisation appliquent le principe d'une manière individuelle et unique.

1. *Union étroite entre l'être, son mouvement et son rythme*. Je me découvre à nouveau à chaque instant lors de la découverte et de la création de mon mouvement et de mon rythme. Ce mouvement et ce rythme me sont propres et ils se confondent à mon processus. Je change constamment, je suis toujours en mouvement, je me confonds toujours au processus.

Une vie riche et confiante est une vie en mouvement. Danser, patiner, naviguer, voler, nager, flotter, bref toutes les formes de vie fluides, en mouvement et en changement ont pour nous une résonance profonde. La réaction populaire à la saga de Jonathan Livingston, le goéland, est due à un élément primitif et latent qui veut la transcendance. Pour moi, il est significatif que la forme soit fluide et en mouvement.

Sucer, lécher, allaiter, goûter, pleurer, uriner, transpirer, respirer, tous ces gestes sont attirants, particulièrement pour la personne qui ne connaît pas d'inhibitions, de défenses, de prohibitions, de tabous et de contraintes. Il s'agit en fait de se dégager de tous les aspects d'une vie contraignante, de ses formes discontinues, compartimentées, mesurées, pesées, moralisantes, limitées, défensives, évaluatrices, constipées, rigides, enfermées, étouffantes et solides. Dans sa plénitude, la vie ressemble davantage à une rivière qu'à une route de béton, à un nuage qu'à un ordinateur.

Une femme, qui crée des poteries magnifiques, m'a un jour décrit avec enthousiasme les moments où elle se confondait au tour, à l'argile et au mouvement. Lorsqu'elle sentait profondément le centre du tour et le mouvement, l'argile semblait se former d'elle-même, *se sentir* bien et croître en une forme fluide et gracieuse. Ce même phénomène se produit lorsqu'une personne découvre son rythme, ses tendances, son mouvement diurne et la danse de la vie. Tous ces mécanismes se rattachent à la confiance. Si je n'ai pas un niveau élevé de confiance, je ne *vois* même pas le mouvement dans le tour et l'argile, je ne découvre pas mon rythme.

Il est important pour le parent, l'enseignant et l'infirmière de *voir* le mouvement. Il s'agit en partie d'une question de perspective. Un jour, je regardais par le hublot d'un avion qui se préparait à atterrir et je vis des milliers de gens qui sortaient d'un immense stade. De plus en plus fasciné, j'observai le *mouvement* des gens, abstrait, indifférencié, désincarné. Je n'avais pas conscience des individus, mais ce que je voyais ressemblait plutôt à une rivière, avec des vagues, des mares et des engorgements. Voir quelque chose correspond à un processus de *perspective*, tout comme la compréhension du concept d'Einstein sur le temps et l'espace. Vue avec « d'autres yeux », la chaise peut devenir une tempête d'atomes mouvants et tourbillonnants et ainsi perdre sa forme première.

Selon mon expérience auprès d'individus et d'organisations, il se révèle utile et très valable, lorsqu'il s'agit d'atteindre un but particulier, de *voir* les formes fluides des processus des gens. Il est parfois nécessaire de classer, de mesurer et de compter les personnes et leurs attributs afin de faire certaines prévisions concernant des groupes. C'est le cas, par exemple, de la circulation automobile, du traitement des matériaux, de la maladie mentale et du taux d'absentéisme en milieu scolaire. Toutefois, il est parfaitement inutile pour les administrateurs, les thérapeutes, les enseignants ou les autres personnes qui travaillent directement auprès des gens de se laisser accaparer par ces attitudes et ces comportements tout à fait objectifs, classificateurs et orientés à l'encontre du mouvement vital. Quelqu'un peut *choisir* de voir le mouvement.

Les processus de découverte CORI, soit l'être, l'ouverture, le mouvement et l'interdépendance, s'écoulent librement. Les comportements défensifs, au contraire, ne coulent pas ; ils empêchent le mouvement, ils sont rigides, rudes et encombrants.

Chaque système social est unique et a sa propre identité. Il a son propre mouvement et son propre rythme. Dans une relation d'interdépendance et de mutualité, nous découvrons ensemble notre forme commune, soit notre organisation, qui est plus que la somme de ses diverses parties. Être dans ce mouvement et dans cette forme unique s'avère infiniment passionnant.

L'application de ce principe général à la direction d'organisations, de nations ou d'autres systèmes sociaux relève d'une question de position, d'attitude, de perspective, de vision et de manière d'être. Mes connaissances sur la direction orientée vers le mouvement sont issues de mes consultations et de mon expérience auprès de directeurs à la vision particulièrement remarquable. Ainsi, les directeurs et les cadres de plusieurs organisations manifestent un esprit large, et leur organisation représente pour eux un organisme vivant qu'ils voient avec courage et passion. Ils perçoivent le mouvement dans le moulin à papier, dans le processus de fabrication, dans la mobilisation des ressources. Ils en sentent l'orientation vers des courants qu'ils voient très clairement.

Les directeurs les plus efficaces perçoivent ce phénomène avec beaucoup d'acuité. Leur vision dépasse l'unique énumération des divers éléments. Ils savent pertinemment que le processus se confond au mouvement, ils voient la rivière. Grâce à cette perspective, ils se fient à ces processus et ne s'égarent plus dans des questions sans lien avec le mouvement vital.

Toutefois, plusieurs de ces mêmes directeurs perçoivent plus difficilement le mouvement des processus individuels, certains dépersonnalisant les individus en ne les considérant que comme parties d'un mouvement plus grand. La croissance totale du directeur exige une vue d'ensemble. L'administrateur doit voir les processus internes des gens et les personnes elles-mêmes comme des aspects humains et *fondamentaux* du mouvement.

Dans les communautés CORI, nous avons découvert qu'un environnement physique en mouvement favorise l'interaction rythmique des membres du groupe. Les coussins, les tapis à texture feutrée, les murs sans aucun angle, l'absence de meubles durs, tous ces éléments encouragent l'émergence du mouvement. En présence de défenses réduites, les gens s'attendrissent et s'adoucissent, ils se blottissent les uns contre les autres, se touchent, s'entassent parfois comme des chatons ; ils dansent, ils courent, ils jouent et ils bougent selon des modèles plus doux, courbes, fluides, très différents des rangs et des formes linéaires de l'école ou de l'usine traditionnelles.

Le directeur conscient du principe du mouvement tente de l'introduire dans son organisation. Il réaménage alors les bureaux et l'immeuble afin que l'espace corresponde aux besoins fonctionnels de la communication, de la distribution des matériaux et des autres contraintes. Il réorganise l'espace pour que tous les employés aient une vue d'ensemble du travail et par conséquent du mouvement global. Il permet aux gens de découvrir leurs propres rythmes de travail et de repos ; il ne fixe donc pas l'heure de la pause-café, de l'arrivée et du départ. Il crée un concept de temps flexible applicable à plusieurs aspects de l'horaire. Il encourage les sous-groupes et les équipes à découvrir leurs propres identité, rythme et mouvement. Il éloigne les obstacles linéaires et rectangulaires, empêchant le mouvement, que l'on retrouve à la fois dans les règlements comme dans l'architecture. Il emploie des chaises, des bureaux, des classeurs et des cloisons parfaitement mobiles, modulaires. Il élimine les descriptions de tâche qui enferment les gens dans des relations compartimentées et hiérarchisantes. Il enlève les normes qui nuisent au mouvement. Il favorise l'expression à l'extérieur des canaux officiels. Il encourage les gens à jouer de la musique, à bouger selon leurs impulsions. Bref, il facilite le mouvement et la fluidité des relations à l'intérieur de son organisation.

Les formes d'organisation qui surgissent des mouvements et des rythmes naturels de l'organisation en favorisent la créativité, l'efficacité et la productivité.

2. *Faire confiance aux processus.* Je suis une personne confiante et, par conséquent, je crois en mes processus vitaux. Ils contiennent la plénitude de la vie. Je suis en eux et ils sont en moi. Je suis qui je suis. *Je laisse mon identité se manifester.* Je laisse surgir la vie.

J'ai confiance en moi et en mes processus quand je corresponds à mon identité, lorsque je laisse mon être couler et surgir librement, lorsque je permets à toutes mes possibilités d'émerger. Dès que j'ai confiance en mes processus, je peux jouer, connaître de nouvelles aventures, accepter de nouveaux défis, prendre des risques, suivre mon mouvement et aller de l'avant, même si j'ai peur. L'ambiguïté, l'incertitude, l'imprévisible, l'absence de garanties, de plans et de techniques structurées me permettent de m'appuyer sur ma confiance. Je me fie alors à mes processus et j'agis selon les événements.

Mes processus comprennent à la fois mes peurs, mes incertitudes, mes sentiments, mes fantaisies, mes phobies, mes intuitions, mes impulsions, mes paranoïas, mes envolées d'imagination, mes terreurs ainsi que tous les événements qui se produisent en moi. Cette confiance en mes processus signifie que je me laisse aller, que je ne tente pas de les maîtriser, de les diriger ou de les contenir. En fait, je crois alors que ma liberté, mes impulsions naturelles, ma façon d'être me protégeront, me tireront d'affaire, me guideront et arrangeront tout pour le mieux.

Plus nous nous méfions de nos processus, plus nous avons besoin d'une technique, d'un leader, d'un guide, d'un livre de recettes, d'une structure, d'un plan, d'un horaire, d'une réservation à l'hôtel, d'une assurance-vie, d'un contrat à toute épreuve, d'un accord sans risque, d'un remboursement garanti, d'une zone de sécurité, d'un préavis, d'une période de réchauffement, d'un temps d'essai, d'une carte routière, d'un ami influent, bref de toute protection contre les risques habituels de la vie. Plus nous avons confiance en nos processus (compétences, perceptions, intuitions, sentiments, idées et projections), plus nous acceptons ces risques. Nous sommes alors disposés à jouer, à tout risquer, à rechercher l'aventure, à aller vers l'ambiguïté, à inventer une nouvelle solution, à explorer de nouveaux mondes, à nous faire de nouveaux amis, à prendre de nouvelles responsabilités, à relever un défi, à accepter un nouvel emploi, à engager quelqu'un d'inhabituel, à développer un nouveau produit, à prendre un auto-stoppeur et à accepter un rendez-vous galant avec une personne inconnue. Viser la lune, à la fois pour celui qui joue aux échecs et pour celui qui s'aventure dans l'espace, n'est strictement que pour ceux qui ont confiance en leurs processus.

Ce même phénomène se produit lorsqu'il s'agit d'organisations, de groupes ou de systèmes sociaux. Un système qui a confiance en ses processus a aussi confiance au mouvement de la vie et il le laisse émerger. La vie prend forme d'elle-même lorsqu'on lui fait confiance. Les organisations et les nations créent leurs formes particulières. À l'état libre, la vie transcende tout.

La méfiance ou la peur envers les processus organisationnels conduit à des niveaux extrêmes de planification, d'organisation, de direction, de surveillance, de manipulation et de stratégie. *L'atmosphère* devient étouffante. La méfiance peut s'exprimer à travers la structure officielle des règles et des contrats, mais on peut aussi la retrouver dans les messages cachés transmis par le comportement des gens. On ne peut tromper les gens très longtemps. À un moment donné, on finit par percevoir le mensonge chez ceux qui simulent. La véritable confiance se sent, se *reconnaît.*

Les processus qui forment l'organisation *constituent* aussi le message. S'ils sont sains, c'est-à-dire autodéterminants, respectueux de la personne, transparents, interdépendants et synergiques, ils produiront des résultats sains. Bien sûr, les processus sont à long terme beaucoup plus importants que les résultats. Sous le feu de l'action, dans une atmosphère de peur et d'urgence, il devient difficile pour un directeur d'appliquer ce principe, mais une direction basée sur la peur s'oriente essentiellement vers les résultats et le produit. Toutefois, en matière de sexualité, de jeu, de thérapie, d'amitié, de mariage, de communication et de fabrication, seul le processus compte, non le produit.

Les directeurs qui ont confiance en leurs processus laissent carte blanche à leurs employés. Ils abolissent les signatures, les horaires stricts, les vérifications de la qualité. Ils évitent de surveiller constamment les groupes de travail. Ils décentralisent les opérations et essaient une formule de direction à un ou deux niveaux. Ils évitent les règles et les règlements déshumanisants. Ils abolissent l'évaluation du rendement, les grades et les récompenses selon le mérite. Ils enlèvent les fusils des mains des policiers, ils abolissent les lois de prohibition et la réglementation des drogues. Ils humanisent les hôpitaux pour malades mentaux ainsi que les prisons. Ils évitent les descriptions de tâche. Ils réduisent les programmes de formation et de communication. Ils libèrent le personnel et l'administration des fonctions inutiles. Bref, ils favorisent tous les moyens qui permettent aux processus humains de se réaliser librement.

La définition des objectifs et la planification sont des fonctions moins claires. La plupart des fonctions organisationnelles se caractérisent par une planification exagérée et par des objectifs trop précis et trop formels. L'importance qu'on accorde à ces deux éléments relève probablement de la complexité de l'organisation, de l'importance du groupe, de l'interdépendance avec des organisations affiliées et, certainement, de la peur. J'ai maintenant l'impression, à la suite de mon travail auprès de multiples organismes, qu'on accorde beaucoup trop de temps à la planification et à la définition des objectifs.

Les processus de méfiance, soit la manipulation, le contrôle, la dissimulation et la dépersonnalisation, s'autodétruisent et s'autoperpétuent. Les gens qui recourent au contrôle et à la manipulation découvrent inévitablement que ces comportements deviennent nécessaires. Cette façon d'être coûte beaucoup de temps et d'argent et elle remplit rarement les objectifs visés. Quand, par exemple, la peine de mort, les mesures contre le manque de ponctualité, les amendes à la suite d'erreurs et les règles de sécurité se révèlent inefficaces, on a tendance à les appliquer encore plus sévèrement. Il est très difficile de réduire les contrôles et la surveillance lorsqu'ils ne remplissent pas leur rôle. Cette attitude semble même irrationnelle. Il est difficile de rejeter l'hypothèse que règles et contrôles sont nécessaires.

3. *Création de la vision et de la clarté*. Je crée mon être unique, ma réalité, la mission de ma vie, la vision de mes possibilités. Je corresponds à ma perception de moi. *Je suis*. Je suis digne d'une confiance infinie. J'écris ma propre théorie de la vie. Ma vision est aussi large que je le désire.

La croissance personnelle dépend en partie de la clarté cognitive et perceptuelle. La peur restreint tous les niveaux biologiques, la clarté perceptuelle et le champ de vision. Mais la confiance élargit la pensée et la perception.

Les cadres et administrateurs qui ont vécu un certain degré de confiance peuvent percevoir le mouvement de la vie. Ils se tiennent alors en retrait et le regardent selon une certaine perspective. Leur confiance leur procure courage et vision, les deux éléments fondamentaux d'une façon d'être, basée sur la confiance. Il s'agit en fait de posséder le courage de regarder et la confiance nécessaire au regard soutenu et perçant.

Mon identité détermine pour beaucoup ma perception, et ma croissance personnelle est étroitement reliée au processus de la vision. Je dois donc apprendre à comprendre les mécanismes de la perception et je dois savoir les enrichir. Comme le chapitre précédent l'a souvent prouvé, la théorie que je crée est fondamentalement reliée à ma façon de comprendre mon expérience vécue. La théorie de la confiance est à ce point de vue particulièrement significative. Une plus grande confiance me permet de transcender ma peur et de voir au-delà des apparences immédiates.

Selon la théorie de la confiance, les comportements agressifs proviennent des défenses dressées contre les attaques perçues ou prévues. Si je peux vraiment voir la personne défensive sous cet angle, il devient plus facile de réagir d'une manière non défensive. Si j'ai parfaitement intégré la théorie, si je perçois l'*hostilité comme une défense*, ma réaction, même spontanée, jouera moins au niveau de la colère ou de la peine. Si, pour moi, les menus larcins d'un enfant correspondent à une réaction défensive contre ma punition, je ne réagirai probablement pas de la même façon que si je vois le vol comme un défaut de caractère ou comme une attaque non provoquée. Ma théorie guide mon regard et ma pensée lorsqu'elle surgit de mon vécu le plus profond, lorsqu'elle s'intègre à ma personne et qu'elle est congruente avec mes façons de comprendre et de raisonner.

La croissance de mes capacités de perception constitue un processus crucial et fondamental. Les objets de ma vision, ma façon de voir les gens et les événements déclenchent et déterminent mes sentiments et mes réactions. Je suis impressionné, par exemple, par les gens qui font montre d'une confiance profonde et qui en comprennent la vraie nature. Cette confiance leur procure une tranquillité intérieure. Ils peuvent percer toutes les couches défensives et voir la peur et la recherche de l'amour qui sont profondément enracinées en chacun de nous. J'ai vu ce processus à l'oeuvre tellement souvent que je suis convaincu que notre être profond vit de douceur et de recherche de l'amour. Il n'a donc, au contraire, rien de démoniaque et il ne recherche pas la mort, comme plusieurs pourraient le croire. La personne qui voit, qui sent et qui perçoit cette recherche de l'amour réagit d'une manière moins défensive que celle dont les yeux ne sont tournés que vers l'hostilité.

Une expérience basée sur la confiance transforme les mécanismes de la perception et de la sensation, et là réside toute la puissance d'un tel vécu. La théorie de la confiance trace un sentier à l'intégration profonde des processus vitaux. La personne se crée elle-même à l'intérieur du processus de croissance. De plus, à l'aide de processus perceptuels, elle crée en partie l'environnement dans lequel se produira cette croissance.

Chaque organisation et chaque système social créent et découvrent leur propre mission, leur vision du présent et du futur, force d'unification et de synergie. De la même façon que chaque personne agit selon ses désirs, chaque organisation accomplit une mission qui correspond à son orientation et à son mouvement profonds, intérieurs, conscients et inconscients. Chaque organisation est ainsi l'être en gestalt, la synergie des désirs, des fantaisies, des caractéristiques et des besoins de tous les individus.

Les gens se réunissent à l'intérieur d'organisations pour une multitude de raisons et de désirs et, dans le processus d'interaction, ils en créent de nouveaux. Ils se retrouvent à l'église, dans le monde des affaires, dans une association, dans une organisation professionnelle, où ils tentent de tromper leur solitude, de plaire aux autres et d'agir selon leurs attentes, de construire leur moi, de punir ou de se battre, d'atteindre le pouvoir et de dominer, de trouver l'amour, de vivre des sensations fortes, de fuir l'ennui, d'échapper à leur conjoint ou à leur famille, de changer le monde, d'apprendre ou d'enseigner, de travailler, de réaliser et de sentir une foule de choses.

L'amalgame de ces divers désirs et besoins individuels conduit parfois l'organisation à créer et à se découvrir une mission qui transcende l'individu. L'organisation peut alors devenir, par exemple, un groupe d'apôtres évangéliques ambitieux de convertir tout leur entourage ; il peut s'agir aussi d'une croisade mondiale d'aide aux pauvres, ou d'un mouvement patriotique décidé à assassiner des millions de Juifs, de la création d'un environnement d'amour dans le but de découvrir une nouvelle façon d'être, d'une association conservatrice orientée vers le travail et la défense des intérêts de la classe moyenne, d'une cruelle vendetta dirigée contre les non-conformistes et les déviants, d'une organisation professionnelle consacrée à la protection d'un haut niveau de vie pour quelques privilégiés. En fait, l'organisation tente de découvrir sa propre identité et de réaliser les désirs latents de ses membres. Elle accomplit de cette façon sa mission fondamentale et transcende les buts quasi conscients de chacun.

Les organisations réalisent en partie leurs buts premiers : les groupements pour les libertés civiques, les associations racistes, l'intelligentsia nationale, les partis politiques, les vétérans de l'armée, les fabriquants de produits chimiques, les églises et communautés de toutes sortes, les mouvements patriotiques. Ces organisations correspondent en partie à leurs stéréotypes ; elles sont en partie réactionnaires et leur façon de réagir aux critiques les entraînent, parfois involontairement, vers d'autres voies ; elles sont en partie rationnelles, et elles se tracent des buts précis, suivent un plan d'action rigoureux. Elles deviennent en partie ce qu'elles voulaient inconsciemment devenir.

Les directeurs et administrateurs conscients du principe de création de la vision et de la mission tentent de réaliser plusieurs projets. Ils organisent, par exemple, des séances de sensibilisation, des programmes de développement de la carrière axés sur la mission fondamentale de l'organisation, des colloques ouverts à tous et basés sur la théorie CORI, des séances de formation expérimentale construites d'après les concepts de la confiance et de la perception, des programmes basés sur la sémantique, visant à analyser un échantillonnage d'attitudes de la compagnie face à la réalisation de sa mission organisationnelle, de multiples séances de formation et de « développement organisationnel » dont le but est d'aider à saisir les données perceptuelles. Ils engagent aussi des consultants externes qui interrogent un échantillonnage d'employés et de personnes clés et qui, se basant ensuite sur ces données, organisent des conférences sur la définition de la mission de l'organisation. À l'aide de moyens ingénieux, ils facilitent l'accès des bureaux à tous les employés et ils leur permettent ainsi de rencontrer les personnes clés de l'organisation. Enfin, ils mettent sur pied plusieurs autres types de programmes de formation et de communication.

Je crois que, de toute façon, nous n'avons fait que très peu de progrès dans ce domaine. Nous n'avons pas encore en effet réussi à créer une mission, à y impliquer les membres de vastes organisations ainsi qu'à favoriser leur participation à la création ou à la modification des objectifs généraux. Beaucoup d'entre eux se sentent isolés et impuissants, même ceux qui semblent détenir le pouvoir. Lors de séances de formation et de sensibilisation aux relations humaines données à l'intention d'administrateurs et de cadres supérieurs, j'ai entendu des présidents d'importantes compagnies se plaindre de leur manque d'influence sur leur propre organisation !

4. *Sollicitude pour soi et pour le système.* Je m'occupe de moi-même avec beaucoup de soins car je suis un précieux réceptacle de mon amour, une expression de l'essence divine. La sollicitude envers soi-même est un processus rédempteur et spirituel. L'amour véritable est libérateur, glorificateur, chaud et doux. Une telle attitude envers moi-même me permet de me préoccuper des autres, de les aimer et de me joindre vraiment à eux dans une relation d'interdépendance et de communauté.

La plupart d'entre nous pourrions subvenir à notre besoin d'amour, mais ironiquement, nous remettons ce soin à des thérapeutes, des parents, des conseillers et des amis qui réussissent beaucoup moins bien que nous en ce domaine. Il est triste de constater l'insuffisance de notre sollicitude envers nous-mêmes. En fait, nous n'avons pas encore réussi *à apprendre à nous aimer.*

En soit, l'amour correspond à un processus nourricier dont nous avons tous profondément besoin. L'amour de soi et des autres est une source de vie et ses déformations le dépouillent de cette qualité nourricière.

Si nous la basons sur la théorie du niveau de confiance, notre réflexion sur l'amour et la sollicitude mettra en lumière les points suivants :

a) Amour et sollicitude signifient *correspondre à mon identité* et être, pour vous, présent en tant que personne « réelle ». Je ne peux aimer qu'une personne, mais non un rôle. Ma présence entière me permet de consacrer mes énergies à être et non à me défendre.

La sollicitude équivaut à éviter les rôles, les attitudes défensives, les comportements de l'ami, de l'aide, du thérapeute ou du parent. *L'altruisme* conduit à diluer et à filtrer la sollicitude. Il empêche la véritable disponibilité envers soi et les autres.

b) L'amour et la sollicitude sont aussi synonymes de *communication profonde.* L'amour est expression. L'amour non exprimé et non ressenti n'est pas de l'amour, car l'amour est communication, c'est-à-dire un processus qui opère dans les deux sens. J'indique où je me situe, je manifeste ma chaleur, ma joie ou ma colère. L'amour est aussi l'apprentissage de la « lecture » de vos signes, c'est une recherche, une découverte et une écoute de votre douceur. L'amour est impulsif, spontané, naturel, sans prétention et sans artifice. La sollicitude n'a strictement rien à voir avec la manipulation, la stratégie, la dissimulation, le calcul, la prudence, la faiblesse ou l'aumône. On peut toujours avoir confiance en l'amour.

c) L'amour et la sollicitude *n'empêchent pas* les autres de vivre selon leur identité. Ces manières d'être apportent leurs propres récompenses et ont nul besoin de l'approbation, de la punition, de la récompense externe ou de la rémunération. Tout comme la grâce, l'amour est gratuit, n'a pas à être gagné, mérité ou justifié. L'amour caresse à la fois l'amant et l'aimé.

L'amour n'est pas un troc et n'exige aucune forme de paiement. Il ne correspond pas à une aide, à une protection, à une préoccupation ou à une attitude parentale, et ne saurait s'accommoder d'idées de loyauté, de devoir ou d'obligation. On donne l'amour et on le reçoit librement.

d) La sollicitude signifie aussi *être avec l'autre.* L'amour n'existe que si les personnes concernées ne sentent nullement le besoin de se défendre. L'amour et la confiance correspondent au même processus.

L'amour n'a rien à voir avec la possession, le contrôle, le sacrifice, la dépendance. Il n'épuise pas vos forces. Il est plutôt partage et liberté.

En m'aimant, j'agis envers moi-même de la même façon qu'envers un amant. J'entre au plus profond de ma personne. Je communique honnêtement avec moi. Je corresponds à mon identité sans jamais me protéger, m'approuver, me punir ou me corriger. Je vis *avec* moi, je ne me défends pas.

Rien de tout cela ne se produit dans le vide. Je ne peux apprendre seul à m'aimer. Ceci ne survient qu'à l'intérieur d'un environnement de confiance que j'ai aidé à construire moi-même. Les gens apprennent à aimer en communauté. Cette croyance profonde nous a d'ailleurs conduits, Lorraine et moi, à placer presque toutes nos énergies dans le développement d'une communauté, lors de nos premières tentatives d'application de la théorie CORI à toutes les facettes de la vie personnelle et organisationnelle.

Une organisation, un groupe ou un système social efficaces sont des endroits d'amour et de sollicitude. Dans de tels environnements, nous pouvons apprendre à aimer l'organisation que nous créons, nous l'aimons car elle est une création commune, et nous lui avons consacré le meilleur de nous-mêmes, nous lui avons donné tout notre amour et toute notre sollicitude. Elle correspond, *pour cette époque, à l'expression la plus achevée de notre être commun.* Elle reflète notre « nous ».

Notre éducation nous a conduits à adopter une façon de vivre marquée par la méfiance. Par conséquent, nos organisations ne nous appartiennent pas et nous blâmons les autres pour ce que nous avons en fait créé. Nous percevons nos organisations, notre quartier et notre pays comme la création de gens « haut placés », d'individus puissants, influents et guidés par des « motivations » secrètes.

Une des caractéristiques les plus encourageantes de notre époque se retrouve dans notre désir de plus en plus marqué de devenir vraiment responsables de nos systèmes sociaux. Nous créons de nouvelles écoles, de nouvelles communautés religieuses, de nouvelles entreprises. Nous en sommes entièrement responsables et nous veillons à ce qu'elles demeurent modestes, à l'échelle de la personne et faciles à diriger. Nous manifestons devant l'Assemblée nationale, nous protestons contre la guerre, nous créons des coopératives de consommation, nous nous battons pour les droits des femmes et nous créons une multitude d'organisations destinées à combler nos besoins individuels. Bref, nous tentons, par de multiples moyens, de « prendre possession » de nos organisations.

Les groupes et les organisations peuvent être des endroits d'amour. Dans les chapitres VII, VIII et IX, je parlerai de certaines tentatives heureuses à ce sujet et des principes sur lesquels elles se sont appuyées.

L'amour de soi s'applique à notre vie professionnelle et organisationnelle de plusieurs manières. Si, par exemple, je suis un enseignant, je me poserai avant tout la question suivante : « Comment puis-je créer un environnement ouvert, passionnant, source d'amour quotidien, où j'agis selon mes désirs ? » Une fois réalisé pour moi-même, cet environnement ne pourra qu'être favorable aux étudiants. Il facilitera l'apprentissage, la croissance et la création de la communauté.

Nous connaissons tous des salles de cours où cet objectif n'est pas atteint. Si je me fatigue facilement, si j'appréhende le lundi, si j'attends impatiemment la fin de la journée ou de la semaine, si je pense que les étudiants apprennent peu, cela signifie que je ne m'occupe pas de moi en classe. Ce même principe s'applique aux thérapeutes, aux parents, aux directeurs ainsi qu'à toutes les professions. Préoccupé de sa personne, le thérapeute, l'enseignant, le parent ou le directeur est apprécié, il apprend à aimer les étudiants, les enfants et les travailleurs et il se révèle très efficace dans son travail.

Plusieurs organisations pour lesquelles j'ai travaillé réussissent de plus en plus à réduire les *barrières qui empêchent l'avènement d'une communauté préoccupée de ses membres*. Parmi les obstacles à abattre, notons : l'hypothèse qu'un tel environnement est impossible à réaliser ; l'hypothèse que l'amour et la sollicitude ne sont pas reliés à la productivité et à la poursuite d'un objectif ;

l'absence d'expériences vécues dans des communautés et dans des environnements de travail fondés sur la sollicitude et l'amour ; les peurs non résolues des organisations et de la vieille garde, et ce particulièrement à l'intérieur de vastes organisations ; la supposition que les gens mal dirigés agiront à l'aveuglette et ne sauront s'organiser eux-mêmes ; le peu de leaders, de consultants et de théoriciens qui croient en la possibilité ou en la pertinence d'une communauté basée sur l'amour et ce, même dans le domaine de l'éducation et de la religion; enfin, une foule d'autres peurs, d'attitudes et d'hypothèses négatives largement répandues dans notre vie moderne.

5. *Vie ouverte et système ouvert.* Je me montre à vous et je vous invite à vous joindre à moi de manière à ce que nous nous joignions au monde. Je vous prends en moi et je suis prêt à pénétrer dans votre espace. Nous créons des cercles qui se recoupent, transparents, translucides et sans frontières.

L'ouverture de la personne correspond à un mouvement de va-et-vient. On ouvre les auras et les orifices, on se laisse couler, on émet des messages clairs et on accueille favorablement ceux d'autrui.

Les messages ouverts se révèlent plus efficaces lorsqu'ils sont purs, clairs, spontanés et lorsqu'ils bouillonnent sous l'effet de l'interaction. Ils atteignent plus facilement leur but si on les exprime tôt, avant toute planification exagérée, avant toute manifestation de peur, de mise en garde et d'épuration. On les entend mieux s'ils ne s'expriment pas dans un langage de contrôle et de punition.

« Laisse-moi tranquille, salaud ! » est un message très chargé de sentiments. Il nous apprend beaucoup sur celui qui l'émet, mais il dissimule toutefois les sentiments les plus importants. Le contrôle, l'hostilité et l'interprétation dominent le message. Sa traduction crée une distorsion, engendre la défense, la contre-attaque et tous les aspects négatifs d'une mauvaise communication. Les messages sont plus efficaces lorsqu'ils sont ouverts, lorsqu'ils décrivent ma personne, mes sentiments et mes perceptions, lorsque je ne m'en sers pas pour vous décrire, vous interpréter ou vous analyser. « Je me sens comme un enfant » a une couleur très particulière et ne suscite pas la même réaction que « Tu agis comme un parent ! »

Le concept de l'ouverture suscite la controverse. Il engendre, entre autres sentiments, la peur chez les gens. C'est celui qui des quatre processus de découverte CORI, nous touche de plus près. Les informations recueillies grâce à la grille d'auto-évaluation

CORI démontrent à cet égard des résultats de beaucoup inférieurs à ceux obtenus lors de l'évaluation des trois autres processus. Lorsque je décris la théorie à un nouvel auditoire, le processus d'ouverture suscite beaucoup plus d'interrogations, de résistance, de conceptions erronées et de projections défensives. L'interaction peut provenir à la fois de ma peur de l'ouverture ainsi que des peurs d'autrui. La résistance de la plupart d'entre nous est due en partie à notre reconnaissance organique de l'importance du concept et à notre peur de l'appliquer. De plus, nous nous sentons rapidement coupables de cacher des facettes de nous-mêmes car nous savons pertinemment qu'il « devrait » en être autrement.

Sous un aspect rationnel, l'ouverture comporte pour la personne et pour le système des avantages nombreux et assez évidents :

a) un comportement fermé est relié aux maladies physiques, à la tension et à l'anxiété. Il empêche la croissance interne et le processus de guérison. On a remarqué que le comportement ouvert et non défensif, au contraire, diminue les maux de tête, les indigestions, la pression sanguine et plusieurs symptômes psychosomatiques ;

b) l'expression ouverte sert de catharsis, d'instrument de libération. C'est comme si je me débarrassais de mes culpabilités, et de mes mauvais sentiments, de mes hostilités, de mes haines et de celles de mes pensées qui sont sources de maladies ;

c) on attribue souvent à la dissimulation une connotation négative car, la plupart du temps, les sentiments que nous cachons sont des sentiments négatifs. Le message ouvert, s'il est clair et *orienté selon mes sentiments* et non sur votre comportement, est souvent perçu comme positif et amical même s'il révèle des sentiments négatifs ;

d) l'ouverture libère une énergie auparavant consacrée à un effort névrotique de dissimulation. L'individu peut alors accomplir des activités plus fonctionnelles ;

e) *montrer clairement mon imperfection change le comportement ou le sentiment que je perçois comme imparfait.* Montrer et révéler sont les premières étapes d'une nouvelle croissance ;

f) si je m'exprime ouvertement, sans artifice, sans tentative de dissimulation, je n'ai pas à me souvenir de mes conversations passées. Je ne suis pas prisonnier de « trames compliquées » qui se forment à la suite de tromperies conscientes et inconscientes ;

g) la personne ouverte se sent en sécurité et elle n'a aucun besoin de se défendre. Une communication honnête et claire engendre sérénité et sécurité, alors que la défense commence avec la dissimulation ;

h) l'ouverture encourage chez les autres les sentiments positifs, la confiance et l'intimité. Elle diminue les distances ;

i) l'ouverture engendre l'ouverture. Les gens partagent plus facilement leurs expériences et leurs connaissances avec les gens ouverts. Il se produit ainsi une interaction sociale efficace ;

j) l'ouverture est nécessaire à l'activité efficace et à l'affirmation personnelle, deux aspects précieux du comportement ;

k) souvent de manière inconsciente, les processus de la communication révèlent d'une manière très juste mes sentiments autant que mes aspects négatifs. J'encourage donc la confiance chez autrui si je les dévoile avec rapidité et spontanéité ;

l) les rumeurs et les projections favorisent la distorsion. L'ouverture qui se manifeste tôt empêche cependant la rumeur de se propager et améliore le traitement de l'information dans tout le système ;

m) les décisions sont meilleures car elles s'appuient sur un traitement de l'information plus valable. Les décisions qui reflètent les véritables opinions et attitudes de ceux qui doivent les exécuter conduisent à une action plus efficace ;

n) l'ouverture compte parmi les quatre éléments importants de l'environnement de qualité tel que nous l'avons décrit dans le chapitre III.

Les mariages, les thérapies, les organisations et les systèmes sociaux efficaces créent l'ouverture au niveau de l'espace, de la communication, des formes et de l'organisation. Le camouflage et la filtration correspondent à des systèmes de défense et à une protection contre la peur. Ils ne pourront jamais conduire à une vie productive.

L'ouverture du système social peut se réaliser de plusieurs manières : l'ouverture des comptoirs de marchandises, l'espace ouvert dans les salles de cours, les bureaux et les usines ; les ordres du jour ouverts lors des rencontres entre les membres du personnel ; les portes de bureaux ouvertes ; les échelles de salaire et les dossiers de correspondance rendus publics ; les réunions ouvertes à tous lors de la cueillette des informations ; la publication des résultats des sondages et des questionnaires d'évaluation ; un style vestimentaire libre et ouvert ; des élections ouvertes ; la libre expression de la critique et de l'évaluation ainsi que toutes les façons possibles de « libérer le système ».

6. *Orientation de l'énergie.* Lorsque j'oriente mes énergies vers la réalisation de mes désirs profonds, tous les états intérieurs deviennent possibles. Lorsque je crée une image claire, l'énergie se mobilise d'une façon étonnante afin de m'aider à actualiser cette image.

Ces dernières années, j'ai pris clairement conscience que je fixais mes propres limites et que je pouvais facilement m'en débarrasser. Car je produis mon énergie. Je puise à même mes ressources intérieures dès que je réalise mes véritables désirs, et de cette façon, les distinctions entre jeu et travail disparaissent. L'énergie se concentre sur les choses importantes, sur les actions satisfaisantes en elles-mêmes. J'obéis à mon mouvement vital et à celui du système. Je crée donc ma propre vie.

Il se publie, de nos jours, une foule d'articles et de livres sur l'utilisation du pouvoir, de l'intimidation, de la stratégie et de la manipulation dans les domaines de l'administration et du changement social. Toutes ces attitudes conduisent à un gaspillage d'énergie étonnant. Mal utilisée et complètement dispersée, cette énergie se concentre en effet dans des techniques de stratégie et de direction superficielles, indirectes, détournées et surtout compliquées. Une vie organisationnelle plus organique et mieux dirigée conduirait cependant à des modes d'action tellement plus directs, plus simples et plus naturels.

Les gens sont animés par de multiples motivations intrinsèques et ils aiment poser de nombreux gestes. Non seulement aiment-ils manger, respirer, faire l'amour et obtenir une satisfaction des sens, mais aussi désirent-ils travailler, créer, résoudre des problèmes, construire des usines, écrire des livres, composer des symphonies, guérir des malades et produire des biens. Les gens qui apprécient leurs activités et qui *agissent selon leurs véritables désirs* peuvent poser de multiples gestes qui comportent leurs propres satisfactions et deviennent agréables en eux-mêmes. Souvent, les gens vraiment libres et à l'écoute d'eux-mêmes peuvent trouver des activités extraordinairement passionnantes et même extatiques. De temps à autre, je rencontre un artiste, un ingénieur, un homme de science ou un menuisier qui choisiraient de conserver leur travail même si on tentait de les persuader d'en accepter un autre. Pour eux, ces activités sont parfois plus importantes que de prendre des « vacances », passer leur temps en famille ou accepter un travail plus rémunérateur.

La vie peut devenir très satisfaisante lorsque les gens découvrent des activités passionnantes et les réalisent à leur rythme, avec des gens qu'ils apprécient et selon les conditions qui leur conviennent. D'ailleurs, les motivations de ces personnes leur viennent rarement, peut-être même jamais, des autres. Les parents, enseignants, directeurs ou animateurs qui tentent de changer ou d'ébranler les motivations d'autrui emploient habituellement de multiples récompenses ou punitions, formelles ou pas, entre autres l'attribution de médailles selon le mérite, les gestes d'encouragement et les étoiles dorées. Ces efforts afin d'influencer le comportement ou le caractère d'autrui sont souvent arbitraires et extrinsèques aux processus. Les soi-disant programmes de « modification du comportement » représentent tout simplement une formalisation sophistiquée du processus que la plupart des parents et directeurs appliquent au hasard.

Ces processus extrinsèques de punition et de récompense comportent des effets négatifs. Les gens n'apprennent pas à travailler pour le plaisir mais pour le salaire ou l'approbation. On doit donc augmenter et renouveler constamment les punitions de même que les récompenses si on veut maintenir un même niveau d'efficacité. Plusieurs aspects des activités de la vie sont à leur meilleur s'ils reposent sur une motivation intérieure. Toutefois, et pour ne citer que quelques exemples, la responsabilité de tracer des objectifs, de fixer des règles de qualité et d'évaluer *est* souvent *détenue par une personne extérieure à l'activité.* Une immense quantité d'énergie se dépense inutilement à élaborer des stratégies de récompense. Directeurs et parents auraient avantage à consacrer cette énergie à des activités plus utiles et plus agréables. Les récompenses semblent être efficaces, mais en fait, elles ne le sont que pendant un certain temps seulement, et le mythe de *leur nécessité* s'en trouve ainsi justifié. De plus, les organisations se basent sur la fausse hypothèse que les récompenses permettent de diriger de manière efficace. Le fait le plus déroutant est sans doute que presque toute l'énergie créatrice des gens porte la triste étiquette « travail ». Nous retrouvons dans cette catégorie une foule de gestes ennuyeux, qui nécessitent une récompense et qui n'ont parfois aucune valeur en eux-mêmes.

La connaissance de nos sources d'énergie et la concentration de ces forces dans des activités valables sont essentielles à notre croissance. Si nous agissons autrement, cette perte d'énergie nous éloigne de notre être fondamental, l'énergie se détourne des processus de découverte et elle s'attache à défendre la personne contre un ennemi extérieur alors que celui-ci se trouve à l'intérieur. De plus, nous tentons d'atteindre la perfection, alors que pourtant très peu de choses méritent une telle attention. Nous nous prenons au piège et nous recherchons des récompenses non pertinentes, des gratifications à des gestes qui ne correspondent pas à nos véritables désirs. Nous gaspillons nos énergies dans des processus de manipulation, de recherche du pouvoir, de persuasion, de direction, d'influence et de domination. En fait, toutes ces attitudes ne sont que diversions. Nous nous éloignons ainsi des gestes que nous poserions si nous connaissions nos désirs profonds. Nous plaçons toutes nos précieuses énergies à réaliser les attentes des autres.

De la même façon, l'organisation efficace évite ces mêmes diversions et concentre plutôt ses énergies sur sa mission fondamentale, sur ses véritables désirs et sur son essence. Elle ne gaspille pas ses énergies en manoeuvres défensives, en attitudes routinières et rituelles et en objectifs non souhaités.

Une direction inventive peut créer des organisations simples, qui suivent leur mouvement naturel et qui orientent leur énergie vers l'essentiel. Des mesures comme l'affectation à un nouveau poste et la mobilité latérale et fonctionnelle aident les gens à essayer de nouvelles tâches jusqu'à ce qu'ils trouvent l'emploi qui leur permet d'utiliser pleinement leurs sources profondes d'énergie. À cet égard, il serait important de créer un environnement qui facilite l'expérimentation de nouvelles activités et qui aide les gens à découvrir les tâches qu'ils préfèrent. Lorsqu'il s'agit de cerner les désirs de quelqu'un, la consultation sur le choix d'un emploi et les tests d'intérêt et d'aptitudes s'avèrent utiles. Toutefois, rien ne remplace l'expérience concrète. Toutes les organisations efficaces facilitent l'essai de nouvelles tâches. Elles reconnaissent que la découverte et la création de nos désirs, de nos intérêts et de nos aptitudes se poursuivent tout le long de notre vie. Nos désirs nous sont souvent cachés jusqu'à ce que nous expérimentions de nouvelles activités. Les désirs changent constamment.

On a fait récemment une découverte encourageante : les gens peuvent réussir exceptionnellement bien dans un grand nombre de professions différentes. Lors de ce processus de découverte, les gens et les organisations se transforment constamment. L'organisation peut toutefois percevoir cette mobilité d'emploi comme un processus coûteux et bouleversant, mais, de plus en plus, on reconnaît là une source nouvelle d'énergie et de créativité. L'auteur, John K. Wood, raconte ses découvertes lors du congédiement massif de spécialistes de l'espace à la suite, il y a plusieurs années, d'un changement de la politique gouvernementale. Il souligne que ces congédiements ont forcé plusieurs hommes de science à admettre qu'ils mouraient d'ennui dans leur emploi. Ils ont alors découvert qu'ils pouvaient s'estimer « chanceux », car ce congédiement leur permettait de rechercher de nouveaux emplois et de se créer de nouvelles carrières. Les organisations offrent rarement des environnements où les individus peuvent poursuivre leur recherche créatrice afin de renouveler leurs activités et de les faire correspondre à leurs sources intérieures d'énergie.

Wood, avec plusieurs autres, a établi qu'il fallait *créer* et proposer de nouveaux emplois plutôt que de rechercher ceux qui existent déjà. Les consultants les plus créateurs dans ce domaine aident maintenant les gens à définir l'emploi idéal et à rechercher ensuite les compagnies ou organisations qui souhaitent fournir l'environnement favorable à de telles positions.

Les organisations efficaces apprennent à orienter leurs énergies vers la réalisation de leur mission fondamentale : fabriquer des produits, fournir des services, améliorer la conception d'un produit et résoudre des problèmes de manière créatrice. Du même coup, elles tentent de diminuer les activités improductives, sources de gaspillage d'énergie et souvent inefficaces, comme la supervision, la vérification de la qualité, les relations publiques, les inspections, la tenue de livre trop minutieuse, les programmes inutiles de formation destinés au personnel de direction, les récompenses marginales, les mécanismes de punition, les programmes de sécurité et une foule d'autres activités reliées à une attitude défensive.

7. *Diminution des contraintes.* Je crée les peurs et les forces qui me contraignent. Je peux toutefois détruire ce que j'ai créé, puisque les peurs et les contraintes sont, d'une certaine façon, des illusions qui viennent de mes perceptions défensives du monde. Si

j'affronte ces réalités, je peux déclencher en moi des processus de croissance. Je peux supprimer les contraintes qui m'étouffent.

Comme consultant, je demande parfois aux membres d'organisations de définir leurs contraintes. En premier lieu, ils parlent des contrôles trop étroits, des ressources inadéquates, du manque de pouvoir et d'influence, de la compétition déloyale, des syndicats ouvriers, des règlements gouvernementaux, des politiques centralisatrices restrictives, de l'opinion publique, de la formation inadéquate et d'une foule d'autres facteurs qu'ils perçoivent comme *partie intégrante d'une situation*. Une réflexion plus approfondie les amène toutefois à délaisser ce point de vue, et ils réalisent alors que les contraintes n'existent que dans leurs perceptions, leurs attitudes et leurs sentiments. L'application de la théorie CORI m'a appris que ces facteurs internes sont en fait déterminés par les peurs et les méfiances des individus.

Selon Kurt Lewin, chaque situation est le produit d'un équilibre entre deux ensembles de forces, celles de la stimulation et celles de la contrainte. Il reconnaît qu'il est plus efficace d'employer son énergie à réduire les forces de contrainte plutôt que de tenter d'accroître les forces de stimulation. Selon mon expérience, les étapes initiales sont les suivantes : la prise de conscience que je suis la source de mes contraintes, que je peux les maîtriser complètement, qu'elles sont des processus de peur et de défense et qu'elles sont minimes si je les compare à mes ressources et à mes pouvoirs intérieurs.

Nos analyses du chapitre III sur l'environnement de qualité sont ici particulièrement pertinentes : chaque mouvement de progression vers un meilleur environnement conduit à la disparition graduelle des contraintes et à l'apparition d'une liberté de plus en plus grande.

La plupart des forces conservatrices et civilisatrices de notre société s'expriment à travers la morale, les lignes de conduite, les tabous, les règles, les conventions, les défenses et les avertissements qui proviennent de notre peur du monde et de notre nature profonde. Si nous nous référons à l'histoire, nous en arrivons à croire que les gens sont dangereux et qu'ils doivent être protégés contre eux-mêmes. Ils ont par conséquent besoin de règles d'éthique, de codes juridiques, de contrats, de gouvernements, de règles de sécurité et de multiples poids et mesures afin d'assurer la maîtrise de leurs impulsions naturelles. Nos peurs deviennent complices de ces forces externes ; elles nous poussent à accepter les pressions extérieures et même à les faire croître. Mais nous pouvons dépasser ces attitudes et réduire les contraintes grâce à l'émergence de la confiance et à une meilleure compréhension de la peur.

De la même façon, l'organisation efficace oriente ses énergies vers la diminution et même vers l'abolition des forces de contrainte qui s'exercent entre ses murs. Il s'agit là d'un principe fondamental dans le domaine de la direction et de l'administration. Son application intégrale exige, évidemment, la présence d'un haut niveau de confiance à la fois dans l'organisation et de la part de la direction.

Plusieurs directeurs, parents et enseignants renforcent une théorie de la contrainte avec leurs propres peurs. D'une manière rationnelle et délibérée, ils dépensent une énergie considérable à accroître les contraintes « raisonnables » et « pertinentes » qui s'exercent sur les membres de leur organisation. Je me rappelle une affiche gigantesque dans une piscine publique. On y avait inscrit « NON » en lettres géantes et, à la suite, on énumérait les multiples défenses : courir, lancer des objets, pousser les gens, se jeter à l'eau, cracher, sauter et se promener à cheval sur les autres. Je demandai au directeur si les enfants tenaient compte de cette affiche. Il me répondit : « Non, mais on doit faire *quelque chose* pour tenter de les contrôler ! » Il renforçait ainsi mes observations sur la direction par la contrainte : a) les contraintes s'avèrent rarement efficaces ; b) elles engendrent souvent des résistances qui augmentent les problèmes plutôt que de les résoudre ; c) elles correspondent chez les directeurs à des attitudes de défense et de désespoir ; d) on les utilise beaucoup dans les domaines du bénévolat, de l'éducation et de la religion, là où elles sont particulièrement inefficaces et là où elles s'opposent à la philosophie habituelle de ces institutions. Les conséquences de la punition sont normalement plus nuisibles que le comportement qu'elle tente de « corriger » ou d'empêcher.

Dans le domaine des sciences de l'administration et de la direction, la théorie et la pratique s'appuient beaucoup sur *l'augmentation des contraintes*. Par conséquent, l'application d'un programme basé sur la *diminution des contraintes* exige une révolution tranquille à l'intérieur de l'organisation. À cet égard, la question fondamentale se pose en termes de niveau de confiance. Lorsque change le niveau de confiance, les attitudes de la direction changent aussi.

8. *Conception de l'environnement*. Je crée le monde qui m'entoure, mon environnement et ma réalité. Je peux toujours choisir.

Le chapitre III présente ce principe fondamental et le tableau VIII oppose le point de vue de la conception de l'environnement au mode de direction plus traditionnel basé sur l'intervention extérieure.

L'organisation efficace se crée selon un principe d'interdépendance. Elle crée la mutualité, non la compétition ; les amis, non les ennemis. Elle crée son voisinage au fur et à mesure qu'elle entre en contact avec d'autres organisations. L'environnement physique et social acquiert de plus en plus d'importance à l'échelle mondiale et, par conséquent, les sciences de l'administration tiennent de plus en plus compte des effets massifs de l'environnement culturel aussi bien que de l'environnement interne de l'organisation elle-même. Tout comme l'individu crée son monde, l'organisation peut créer son propre environnement interne et externe. Le principe de la conception de l'environnement implique que les directions efficaces *s'attachent* à *changer l'environnement*, non plus les individus.

Selon la théorie CORI, la conception de l'environnement se base sur quatre grandes idées :

a) *Personnalisation*. Fournir à chaque personne un « espace » psychologique et physique unique. Supprimer la structuration selon les rôles dans les bureaux, les terrains de stationnement et la salle à manger. Diminuer l'importance des organigrammes et des définitions de tâches. Abolir la bureaucratie dans le domaine des communications. Réduire les catégories, traiter les gens comme des êtres humains et s'attaquer ainsi aux causes du racisme, des tensions ethniques et de la discrimination sexuelle. Supprimer la coutume qui veut que les gens importants aient un titre et que les gens sans importance n'en aient pas.

b) *Ouverture*. Voir le cinquième point, *La vie ouverte et le système ouvert*, des tableaux X et XI.

c) *Réalisation*. Accroître l'autonomie. Accroître la possibilité de voir clairement les divers choix qui s'offrent dans l'organisation en évolution. Intégrer le travail en équipe et la définition des objectifs au choix personnel des tâches et des sous-objectifs. Employer la sociométrie afin de choisir les membres d'une équipe et les tâches de la direction. Employer la psychologie afin de déterminer les objectifs et les désirs.

d) *Interdépendance.* Créer des normes qui facilitent la coopération et la formation d'équipes. Créer une communauté, tel que proposé plus loin. Expérimenter les matrices, les grilles et les autres formes fonctionnelles de formation d'une équipe et d'une organisation. Fournir un espace ouvert qui permet aux gens de se voir, de réagir les uns par rapport aux autres, de découvrir et de créer des interdépendances. Concevoir une façon de communiquer l'information qui crée le plus de liens possibles entre les diverses parties de l'organisation.

9. *Création d'une communauté.* Nous créons, vous et moi, le partage de nos expériences. Nous n'existons, ni l'un ni l'autre, par nous-mêmes. Vous êtes ma soeur ; vous êtes mon frère. Cette découverte profonde et *réciproque* est un processus de renouveau qui vivifie toute organisation.

Je crée ma propre communauté. L'union, le partage et la vie réciproque sont possibles grâce à la croissance des trois autres processus de découverte CORI, soit confiance-être, ouverture-manifestation de soi, réalisation-mouvement vital. Lorsque je connais mon identité, que je peux me dévoiler et que j'agis selon mes véritables désirs, je peux me joindre très intimement à vous et partager ma créativité.

Le mouvement de progression d'un environnement à un autre conduit vers une communauté profonde et vers la force. Nous sommes prêts à atteindre des formes de communauté plus achevées au fur et à mesure que nous découvrons de nouvelles dimensions de notre capacité d'être et que nous intégrons de plus en plus d'aspects de notre identité à notre vie fonctionnelle.

Pour ma part, le quatrième processus de découverte, soit *interdépendance-relation profonde*, offre la forme la plus élevée de satisfaction possible, et ce processus résulte du développement des trois autres. Les expériences vécues dans la communauté CORI sont la base de ma croissance : ma prise de conscience élevée de mon identité et de mes capacités, mes expériences extra-corporelles, ma prise de conscience profonde de la confiance, mes moments religieux et spirituels les plus intenses et mon mouvement vers des états cosmiques.

Tout système social peut devenir une communauté. L'organisation qui se perçoit comme une communauté peut progresser vers l'environnement de son choix. Nous sommes à deux doigts de découvrir de nouveaux aspects de la communauté au sein de l'organisation. Durant les trente dernières années, de nouvelles perspectives dans le domaine de la dynamique de groupe ont bouleversé la théorie et la pratique de la gestion. Elles ont hâté l'apparition d'une nouvelle discipline, le « développement organisationnel », et elles ont conduit les systèmes sociaux vers d'importants changements. Les expériences CORI et plusieurs autres tentatives connexes ont permis d'acquérir de nouvelles connaissances sur la formation de la communauté. D'ici les trente prochaines années, ces nouveaux développements auront un impact encore plus important sur les conditions sociales, sur la théorie et sur la pratique de l'organisation.

Le chapitre IX présente quelques-uns des nouveaux aspects de la création d'une communauté qui sont issus de la théorie du niveau de confiance. Nos hypothèses sur les possibilités de la communauté sont aussi limitatives que les hypothèses que nous avancions voilà trente ans sur le « potentiel humain » alors que, depuis ce temps, la révolution suscitée par Maslow dans le domaine de la croissance personnelle a permis d'importantes découvertes.

10. *Perception du « tout » cosmique.* Il m'est difficile de communiquer par la parole les conséquences de mes expériences cosmiques et intégrales ainsi que celles d'expériences présumées semblables chez les autres. Voici quelques-unes des plus remarquables pour moi et pour certaines personnes que je connais particulièrement bien :

a) Une profonde *tranquillité* ; un apaisement du tumulte intérieur ; une prise de conscience, dans les moments les plus sombres, que nous n'avons nul besoin de nous défendre et que nous n'avons pas d'ennemis. L'absence de la peur.

b) Une *perspective*, un horizon plus grand à tous les points de vue. En relation à mon intégralité, toute douleur, toute tragédie, tout sentiment contiennent leur propre puissance, mais sont *en même temps* minuscules si je les compare à l'infinité de ma vie. À la suite de mes expériences cosmiques, je me rappelle avoir eu une perception différente d'événements passés particulièrement douloureux tels la mort de mon fils, mon divorce, ma conscience soudaine de l'approche irrévocable de la vieillesse, mon immuable solitude. J'ai alors réalisé, avec une intensité égale à ma douleur passée, que chacun de ces événements était minuscule si je le reliais à ma destinée éternelle et que chaque expérience s'était ajoutée à la beauté de mon être.

c) *La conscience toujours présente de la divinité et de l'intégralité chez tout être humain.* Quelles que soient ses peurs et ses blessures, chaque personne représente un tout et illustre un aspect de la divinité. Chaque personne *est* Dieu. Les expériences vécues auprès de notre fils retardé m'ont appris que nous sous-estimons toujours l'intégralité et les possibilités de tout être humain. D'ailleurs, notre merveilleux Larry est encore mon gourou et mon professeur. L'intégralité se trouve dans chaque feuille, dans chaque animal, dans chaque enfant, dans chaque forme de vie.

d) *Une ouverture nouvelle envers l'expérience vécue.* Mon arrogance provinciale de jeune professeur de psychologie m'amuse toujours lorsque je m'en rappelle. Les mythes et les espoirs de l'opérationalisme, le simplisme carnapien, le behaviorisme et la méthode scientifique nous contaminaient tous. J'oublie maintenant combien de fois j'ai prouvé que tout en psychologie pouvait se mesurer. Je me souviens d'une longue période pendant laquelle je refusais d'écouter les personnes qui me parlaient des idées que je tente maintenant de promouvoir et de communiquer. Mes années de consultation m'ont un peu déprovincialisé. Toutefois, mes expériences intégrales m'ont appris à ne rien ignorer de ce qui peut sembler le plus improbable, le plus irrationnel et le moins susceptible de se reproduire. La prudence et le doute peuvent se révéler utiles, mais ils peuvent aussi nous empêcher de vivre de nouvelles expériences rédemptrices. Parmi les illogismes et même les fumisteries de notre monde en ébullition, nous pouvons trouver certaines vérités qui transformeront nos vies d'une manière irréversible.

e) *Une perception nouvelle du non-rationnel et du non-verbal.* Je communique maintenant plus facilement avec les enfants. Les animaux me traitent différemment. Je passe moins de temps à tenter de raisonner mon vécu, mes motivations et mes sentiments. La raison est un outil précieux mais d'autres aspects de la vie sont encore plus puissants. La théorie du niveau de confiance représente mon effort afin de transcender les limites de la mesure et de la rationalité lors de l'élaboration d'une théorie.

Je commence à peine à voir les conséquences de ce nouveau point de vue sur la vie organisationnelle moderne. Plusieurs personnes impliquées dans des organisations partagent ces mêmes intérêts, ces mêmes espoirs et ces mêmes lueurs nouvelles. Je crois que nous commençons enfin à « casser l'oeuf cosmique » et à créer une vision nouvelle de la vie organisationnelle. Je parlerai un jour de mes expériences transcendantales et cosmiques ainsi que de mes hypothèses et de mes croyances au sujet de l'organisation transcendantale.

Emploi des idées directrices

Dans les chapitres qui suivent, les idées directrices et la base de la théorie présentée dans les quatre premiers chapitres me serviront à analyser l'application de la théorie à diverses situations.

Le chapitre VI parle de consultation, de mariage, d'amitié et d'autres types de relations à deux. Le chapitre VII présente pour sa part diverses relations à plusieurs, telles la thérapie de groupe, la vie familiale, la formation aux processus de groupe et le développement d'une équipe.

Les chapitres VIII et X s'attachent aux organisations, à la gestion, au développement organisationnel, à la consultation et aux organisations expérimentales créées afin d'illustrer et de mettre à l'épreuve la théorie CORI. « Les Associés CORI », une organisation prototype sans but lucratif, applique d'une manière radicale l'approche CORI à la théorie moderne de l'organisation. La Société Astron est une entreprise à but lucratif créée en vue d'appliquer la théorie CORI aux « dures » réalités du monde des affaires. Nous parlerons de ces deux tentatives importantes et de plusieurs autres en voie de réalisation.

Le chapitre IX décrit le développement de la communauté et l'applique aux églises, aux entreprises commerciales, aux quartiers, aux communauté thérapeutiques, aux loisirs et à d'autres aspects de la vie en société. Les expériences vécues à l'intérieur des communautés CORI y sont présentées comme une application de la théorie CORI au développement de la communauté.

Le chapitre XI relie la théorie CORI à l'action sociale et gouvernementale. Le chapitre XII représente une extrapolation CORI vers l'avenir. Il illustre ce que pourrait être la vie dans la prochaine génération.

Aimer signifie partager notre espace et ne rien laisser nous diviser.

Chapitre 6

Transparence et « être avec »

L'amour signifie être *avec* vous et *en* vous, ne laisser aucun obstacle nous séparer, nous percevoir avec douceur. En présence de l'autre, nous devenons transparents. Nous transcendons nos barrières.

En présence d'êtres aimés, toute personne désire profondément connaître l'intimité, la transparence et la confiance. Malheureusement, nos peurs nous séparent parfois et embrouillent notre vision de l'autre.

Avant de voir les facteurs qui nous poussent à établir une relation étroite et profonde, voyons les éléments susceptibles de nous séparer. J'ai été, pendant près de deux mille heures, un « leader » CORI lors de séances intensives auprès de groupes de formation ou de groupes de thérapie. À la suite de ces expériences, j'ai dégagé les huit principales caractéristiques d'une relation insatisfaisante entre deux personnes :

1. Les gens se sentent mal à l'aise lorsque les autres dépendent d'eux et exigent davantage qu'ils ne sont prêts à donner. L'autre partie de la relation est aussi insatisfaisante. La plupart des gens n'aiment pas demander, être dépendants, s'accrocher à quelqu'un et le désirer inutilement.

2. La plupart des gens se sentent embarrassés s'ils doivent donner ou recevoir quelque chose en retour d'une relation. Les gens sont offusqués lorsqu'on tente de les sermonner, de les manipuler, de les persuader, de les accaparer et de leur « vendre une salade ». La plupart sont mal à l'aise s'ils se sentent une obligation envers les autres ou s'ils perçoivent ce sentiment chez autrui. La différence entre le libre partage et l'obligation est très mince.

3. Les gens n'aiment pas les relations planifiées et routinières. Ils n'aiment pas s'enfermer dans de vieilles habitudes, dans des comportements ennuyants ou dans des relations qui piétinent plutôt que de croître. Toutefois, nous ne savons pas jusqu'à quel point cet inconfort est fonction d'attitudes orientées vers la croissance et propres aux gens qui suivent une thérapie ou des séances de formation et de sensibilisation en relations humaines. Je soupçonne qu'il s'agit là d'une affirmation plutôt générale et que les gens orientés vers le statu quo sont essentiellement craintifs et sur la défensive.

4. Les gens n'aiment pas se sentir désunis, seuls, hors d'atteinte et séparés. Ils aiment savoir qu'ils sont des êtres uniques et particuliers mais, en même temps, ils désirent des relations avec les autres. Un nombre étonnant de personnes manifestent le besoin de créer des relations spirituelles, transcendantes, d'un nouvel ordre, mystiques, « réelles », bref, tout à fait spéciales.

5. Plusieurs sont insatisfaits de la vie et des relations humaines actuelles. Ils recherchent quelque chose de plus passionnant et de plus aventureux. Notre époque est prête à connaître un changement et de nouvelles perspectives.

6. Une autre insatisfaction se manifeste très clairement : les gens n'apprécient pas être traités « comme des objets », comme des personnes segmentées (un corps magnifique, une brillante intelligence, une compétence particulière) ou comme des non-personnes. Les gens ne sont pas plus heureux, s'ils l'ont jamais été, si on les considère comme des héros ou des héroïnes, comme des dieux ou des déesses, comme des êtres déifiés, inhumains. En considérant plusieurs vedettes qui se sont suicidées, il nous vient à l'esprit plu-

sieurs personnes très adulées par le public et par leurs proches, mais qui en ont aussi beaucoup souffert. Nous ne désirons au fond ni la déification, ni le rabaissement. Nous voulons simplement être traités comme des individus réels et humains.

7. La plupart des gens n'aiment pas se sentir défensifs, évalués et comparés aux autres. Beaucoup expriment leur profonde insatisfaction lorsqu'ils doivent subir différents types d'évaluation afin d'obtenir un diplôme, de devenir membres d'une profession ou d'obtenir une augmentation de salaire. Notre culture est très orientée vers l'évaluation et ces réactions de malaise demandent toute notre attention.

8. La plupart des personnes n'aiment pas qu'on les classe dans une catégorie, même pour des raisons de prestige ou d'adulation. Chaque personne aspire à être perçue comme particulière, unique et non comme membre d'une classe. Une belle femme se sent différente d'une autre « belle femme » ; un garçon de table préfère être considéré comme une personne distincte et non comme un membre du personnel ; aucun menuisier ne ressemble à un autre. « La jeunesse type » n'existe pas. Personne ne peut se relier individuellement à un rôle ou à une classe de gens.

Le merveilleux d'être vraiment « avec » une autre personne

Les quatre processus de découverte CORI s'associent à des états de grande confiance. Lorsque les gens correspondent à leur identité, qu'ils se dévoilent aux autres, qu'ils agissent selon leurs véritables désirs, ils peuvent s'unir à autrui à l'intérieur d'une relation profonde et intime. Les peurs non analysées et non intégrées créent en nous tous les malaises déjà énumérés. Le processus de croissance se confond avec un processus d'apprentissage où nous apprenons à transcender nos peurs et à établir des relations profondes et importantes.

Dans notre culture, nous recherchons particulièrement les relations entre deux personnes. À première vue, il semble moins menaçant de tenter de créer des liens avec une personne et d'établir une seule relation à la fois. Nous recherchons la compagnie et la chaleur de nos amis, de nos amants et de nos conjoints. Nous recherchons l'aide de conseillers et de thérapeutes lorsqu'il s'agit de guérir nos blessures spirituelles et corporelles. Nous recherchons la sagesse et les connaissances de nos professeurs, de nos directeurs de

TABLEAU XII : LE MERVEILLEUX D'UNE RELATION PROFONDE

Présence d'une relation profonde	Absence d'une relation profonde
1. La relation est *satisfaisante en elle-même* ; elle s'entretient et se régénère elle-même ; l'être est la source de sa propre motivation.	1. Une personne dirige la relation. Une personne ou les deux sentent le besoin de protéger l'autre, se sentent dépendantes. La relation ne génère pas sa propre satisfaction.
2. Les deux personnes créent et soutiennent la relation. Chacune peut dire : « Je crée cette relation. »	2. Une personne ou les deux se sentent payées, obligées, réprimées, vendues, envahies, utilisées, manipulées, persuadées, influencées.
3. La relation *progresse* vers de nouvelles qualités d'environnements. Elle se caractérise par la croissance, le mouvement, le changement. Elle est un processus.	3. Tout est prévu. La relation est routinière et préservatrice. Elle ne change ni ne progresse.
4. La relation est *synergique* et transcendante. Elle est un organisme, un tout émergent.	4. Une personne ou les deux se sentent isolées, seules. La relation ne correspond pas à une «nouvelle réalité » à un tout transcendant.
5. La relation correspond à une *co-découverte*, à une aventure, à une recherche, à un jeu.	5. La relation se caractérise par l'ennui, l'absence d'émotions vives et de désirs. Le sens de l'aventure et du jeu n'existe pratiquement pas.
6. La relation est *personnelle*.	6. Une personne ou les deux se sentent un objet, une non-personne, un personnage étranger à leur identité. Elles se sentent déifiées ou diminuées.
7. En présence de l'autre, chaque personne *se sent mieux dans sa peau*.	7. Une personne ou les deux deviennent défensives. Elles se sentent évaluées et jugées. Elles sont moins bien dans leur peau lorsqu'elles sont ensemble.
8. Chaque personne se sent particulière, *unique*. Elle se sent appréciée pour elle-même. Elle sait qu'on ne la compare à personne.	8. Une personne ou les deux se sentent classées dans une catégorie, sans valeur propre, sans caractère unique, sans importance.

thèse ou de nos gourous. Nous recherchons une aide professionnelle efficace des dentistes, des médecins, des architectes et des comptables. Nous tentons de trouver des compagnons pour jouer au tennis, pour aller au cinéma ou pour converser. Nous recherchons un partenaire pour étudier, travailler, méditer, écouter de la musique, aller à l'église, établir un lien affectif ou partager les frais.

Quelles que soient les raisons de son existence, la relation sera plus satisfaisante si elle correspond d'une façon ou d'une autre aux critères du tableau XII. Bien sûr, les relations diffèrent en qualité, elles se différencient selon leur intensité, leur but, leur niveau d'engagement, leur degré de réciprocité, leur intégration dans un environnement. Elles varient aussi de durée. Elles s'échelonnent de la brève conversation avec un voisin dans l'autobus au mariage qui dure toute une vie.

Lorsque nous devenons responsables de notre vie et que nous créons nos environnements, nous pouvons accroître notre capacité de lier des *relations profondes* avec la plupart des gens de notre entourage :

1. *La relation profonde contient sa propre satisfaction.* Elle *est.* Elle ressemble à la grâce. Elle vient de la vie, de Dieu, de la nature de l'être. Elle se suffit à elle-même. Lorsque nos espaces se recoupent... que nos énergies vitales se fusionnent... que nos lumières se confondent... que nous découvrons la divinité de l'autre... que nous pleurons ensemble... que nous partageons le même silence... que nous aimons sans parler... que nous marchons d'un même pas... que nous apercevons en nous le même ennemi... que nous reconnaissons la même frayeur... nous pouvons marcher et parler ensemble dans un esprit de communion et de profondeur. Nous nous découvrons l'un l'autre et nous suivons le même parcours.

De telles unions *sont* rédemptrices. Un tel processus *est* une adoration. Une relation semblable *peut se révéler* thérapeutique. Nous nous en remettons aux thérapeutes parce que nous ne savons pas découvrir ce type de relations. Nous croyons avoir besoin de prêtres pour nous montrer la voie de cette spiritualité. Ces relations *sont* amour. Elles comblent par leur essence même. Elles n'ont besoin d'aucun autre processus pour se réaliser, se justifier ou acquérir une signification. *Être avec quelqu'un c'est être avec quelqu'un c'est être avec quelqu'un c'est être avec quelqu'un.*

La peur nous sépare et cette peur équivaut sûrement à une illusion. En effet, sauf dans notre imagination, quel danger peut nous menacer à l'intérieur d'une si profonde intimité ?

2. *Chacun de nous assume pleinement la création d'une relation profonde.* Il m'aura fallu beaucoup de temps avant de devenir vraiment responsable de ma vie et de réaliser que j'en créais tous les événements. En fait, rendre les autres, mon environnement ou le hasard responsables des événements malheureux de ma vie n'est que pure lâcheté. J'ai constaté le même processus lorsqu'il s'agissait de mes relations avec autrui. Dans le passé, je me laissais persuader et séduire ; l'autre déterminait la nature de notre relation. J'ai enfin appris à créer ma vie. J'ai découvert un merveilleux aspect rédempteur dans le fait de prendre *l'entière* responsabilité de mes relations et de laisser aussi l'autre faire de même. Dans une relation profonde, les *deux* personnes partagent *l'entière* responsabilité de leur expérience commune. Là réside la base d'un échange créateur et actif. Personne ne peut se retirer, puis blâmer l'autre pour les événements malheureux. De la même façon, l'un et l'autre sont également responsables des joies qui surgissent.

Dans la relation la meilleure, les deux personnes vivent la plupart du temps selon leurs désirs. Rarement sentons-nous alors le besoin de faire des compromis et cherchons plutôt à créer constamment des solutions passionnantes pour l'un et l'autre. Tous les deux, nous dévoilons nos sentiments, nos désirs et nos pensées. Nous savons où nous nous situons. Nous n'avons pas peur d'être dévorés, trompés, réprimés et manipulés. Nous aimons et nous sommes aimés.

3. *La relation profonde est dynamique et elle progresse vers de nouvelles qualités d'environnements.* Toute relation peut se dépasser elle-même. L'acceptation mutuelle ne va pas à l'encontre du mouvement de la relation. Lorsque deux personnes sont profondément unies, sans aucune intention de se changer mutuellement, une dynamique apparaît et conduit vers une croissance nouvelle et constante. En fait, je suis le mouvement. Je découvre de nouveaux sentiments et de nouveaux modèles de vie lorsque j'accepte les autres, que j'écoute leur être avec attention, que je suis leur rythme et que je recherche leur caractère unique. Je peux alors adopter des façons d'être fondamentales et intuitives et pénétrer avec autrui dans de nouveaux espaces. Nous créons et nous découvrons lorsque nous ne sommes ni programmés, ni poussés.

La relation ne doit jamais être statique. Quand nous en parlons, nous décrivons toujours le passé. Chaque instant contient de nouvelles promesses, et la conscience de leur présence crée une énergie nouvelle, source de transformation.

La croissance d'une relation entre deux personnes suit la même progression que la qualité de l'environnement. Dans l'environnement I, les personnes effrayées et blessantes ne comprendront probablement pas les efforts de communication des autres et vice versa. Une personne recherchant éperdument de l'affection peut paraître lassante, agaçante et même hostile à une autre personne craintive ; la recherche de l'approbation par le biais de la vantardise peut passer pour de l'arrogance ; on peut percevoir une simple question comme une indiscrétion. Les personnes effrayées ont plusieurs façons de se punir mutuellement. Marquée par la peur et la méfiance, même la relation la plus intime régresse vers l'environnement I.

Nous connaissons tous des amitiés, des ententes ou des mariages marqués par des rapports de domination-soumission propres à l'environnement II. Dans ces cas, une seule personne mène le bal. La confiance et l'expérience vécue peuvent toutefois transformer ces liens en des relations nourricières et bienveillantes (E III), consultatives (E IV) ou véritablement de participation (E V). Dans les environnements I à V, une des deux personnes « conduit » la relation et le type de leadership varie selon les situations.

Les relations entre deux personnes évoluent beaucoup plus souvent vers les environnements sans leader (E VI-X) que ne le font les groupes ou les organisations. Dans une relation qui se déroule dans l'environnement VI, aucune personne ne domine ou ne dirige l'autre. Il s'agit vraiment là d'une communication étroite, d'une mutualité et d'une interdépendance dans les choix et dans la prise de décision.

Alors qu'augmente la confiance, les deux personnes construisent une relation où la communication se base souvent sur la sympathie et l'intuition, tout comme dans l'environnement VII. Dans l'environnement VIII, la relation se caractérise par une intégration profonde reliée à l'inconscient et à de grands archétypes. L'environnement IX voit les deux personnes évoluer vers des états transcendants et mystiques. Je suppose, toutefois, que les relations vécues aux niveaux VIII, IX et X sont, du moins dans notre culture, assez rares. Elles sont peut-être plus courantes dans des sociétés plus primitives, plus mystiques, plus spirituelles, moins limitées par les mots.

4. *La relation profonde correspond à un tout organique unique et à une réalité transcendante.* Chaque relation est unique et ne peut jamais se reproduire. Nous devons l'honorer au même titre qu'un individu unique. On doit la nourrir, la soutenir, l'entretenir et la protéger.

Ainsi que ma personne est très différente des éléments particuliers qui la composent (elle diffère même de leur somme), une véritable relation profonde correspond à un nouveau tout, à une réalité nouvelle qui dépasse la somme de nos deux personnes. Stern et les autres psychologues orientés vers la personne nous ont rendu un immense service lorsqu'ils nous ont rappelé l'importance de l'être. Cette approche nouvelle a représenté un puissant antidote contre la dépersonnalisation vécue à l'intérieur de notre société. Toutefois, nous devons avouer que cette importance de la personne s'est vue décuplée dans notre culture beaucoup trop portée à l'individualisme à l'excès et que par conséquent, nos peurs de l'intimité et de la communauté s'en trouvent accrues. Il est donc grand temps de reconnaître la réalité et la puissance des relations vécues entre deux personnes et entre les membres d'un groupe ou d'une communauté. De plus, nous devons en accepter et en honorer la qualité transcendante. Lorsqu'on accepte et qu'on honore les personnes telles qu'elles sont, on découvre la richesse de leur être à l'intérieur de relations interpersonnelles et transcendantes.

Les gens sont souvent troublés et effrayés lorsqu'ils songent à la possibilité de vivre d'une manière moins individualiste, craignant de perdre leur individualité, de devoir vivre d'une manière collective, d'étouffer sous le zèle d'une secte religieuse ou de devoir s'effacer devant les buts rationalistes des états fascistes. À cause de la frayeur que ces images produisent, plusieurs tiennent avec raison à leur individualisme. Toutefois, certains surmontent ces mêmes peurs et vivent l'expérience enrichissante d'une relation profonde et d'une vie axée vers la communauté. La voie vers l'épanouissement personnel se trouve dans l'apprentissage d'une vie intime et transcendante avec les autres. Nous atteignons pleinement la liberté, l'amour de soi et l'autonomie lorsque nous vivons avec les autres dans une intimité et une communauté profondes.

5. *La relation la plus épanouissante se confond à une aventure et à une codécouverte de l'inconnu.* Nous nous unissons afin

de rechercher notre réalité future, afin de déterminer notre identité et de tenter d'atteindre l'inconnu dans l'enthousiasme. Vécue avec une grande confiance, l'aventure se révèle passionnante mais, en présence de la peur, au contraire, l'inconnu et les sentiers non battus deviennent étouffants et engendrent des attitudes défensives.

L'importance cruciale de la confiance est très claire dans cette prédisposition à l'aventure et au jeu : l'inconnu devient alléchant et peut même sembler meilleur que le présent. La vie est un processus, une quête sans fin vers l'inconnu. Lorsque nous prenons conscience de cette réalité, nous savons que nous rattacher au passé équivaut à suivre la voie de la peur. L'ennui vient de la peur, alors que la confiance nous aide à accueillir avec joie l'expérience nouvelle et à souhaiter vivement de nouveaux moments encore plus prometteurs.

6. *Une relation satisfaisante est aussi une relation personnelle.* Il m'est impossible de trouver un exemple d'une relation qui ne s'est pas améliorée en devenant plus personnelle. Une attitude impersonnelle est particulièrement inefficace, et ce dans tous les domaines. Ainsi, une relation plus personnelle entre un médecin et son patient améliorera les soins apportés. Les policiers qui appliquent la loi d'une manière plus personnelle réussissent davantage à la faire respecter. L'action militaire atteint plus facilement son but quand les relations entre les officiers et les simples soldats sont moins structurées. À l'usine, la productivité augmente dans un climat plus personnel. Les relations entre un prêtre et ses paroissiens changent beaucoup lorsqu'elles deviennent une recherche spirituelle commune. Même dans le domaine scientifique, on remet en question la notion même d'objectivité dans l'observation et l'expérimentation.

7. *Dans une relation profonde, chaque personne se sent mieux lorsqu'elle est en présence de l'autre.* L'individualisme forcené est essentiellement une révolte contre les processus propres aux quatre premiers niveaux d'environnement et contre les relations qui se caractérisent par la punition, le contrôle, la bienveillance et le conseil. Les gens qui se voient constamment réprimés, étouffés, persuadés, abaissés, contrôlés, évalués, surveillés, protégés et dirigés peuvent difficilement se sentir bien dans leur peau. Chaque personne découvre l'importance de la présence de l'autre au fur et à mesure de l'évolution de la relation vers des niveaux d'environnement plus élevés. De plus, l'environnement s'avère plus efficace dans tous les domaines lorsqu'il aide chaque membre de la relation *à se sentir bien dans sa peau.*

Hier après-midi, j'ai rencontré un groupe de vingt adultes. Suzanne était accompagnée de son fils de onze mois. Il s'amusait parmi nous et nous le regardions avancer d'un air confiant vers chaque personne afin de jouer ou de l'embrasser. Hélène remarqua alors avec enthousiasme : « Voyez comme il se sent bien ! » Nous avons vivement apprécié cette expression de confiance. Nous nous sommes sentis davantage voués à la préservation de la confiance et nous en avons vu l'aspect nourricier chez nous et chez cet enfant. Nous devons tous trouver en chacun de nous cette expression si rare de la divinité et de l'éternité.

8. *À l'intérieur d'une relation profonde, chaque personne se sent unique, spéciale et vraiment incomparable.* Chaque relation est unique et chaque membre y est aussi unique et particulier. On ne doit le comparer à aucun autre individu. Chaque fois que nous nous classons dans une catégorie, nous déclenchons des processus qui diluent notre caractère unique. Toutes les personnes qui détiennent une responsabilité, particulièrement les parents, les professeurs et les directeurs, peuvent tirer ici une grande leçon, car trop de processus administratifs et institutionnels encouragent la comparaison. Notons par exemple les grades, les concours d'orthographe, les échelles de salaires, les trophées et les prix, les compétitions, les bureaux, les hiérarchies, les organigrammes, les permis de stationnement et les cartes de membre. La récompense déclenche autant de processus de comparaison que ne le fait la punition. À cet égard, les relations axées vers la récompense ne sont pas plus efficaces. *Être* correspond à un processus non comparatif.

La célébration de l'unicité et de la diversité est une marque d'accomplissement et de réalisation. Les caractéristiques propres à chacun correspondent seules à la réalité. Je suis qui je suis. Je suis unique. Je suis.

Relation profonde et processus d'amitié

Plusieurs relations s'établissent d'une manière fortuite. Elles surgissent par hasard et peuvent n'impliquer aucun contact important. L'étranger dans la rue, le chauffeur de taxi, les membres d'une file d'attente, le garçon d'ascenseur, le voisin dans le train... nous ne pouvons nous lier d'amitié avec tous. Je connais toutefois certains individus qui ont le bonheur de savoir rendre tous ces furtifs contacts très intéressants, car ils communiquent *personnellement* avec presque toutes les personnes qu'ils rencontrent. Ils reconnaissent l'individualité de chacun et ils le manifestent, ne serait-ce que par un regard ou par une communion d'esprit. Une telle attitude m'impressionne et me réconforte toujours. Je réalise à nouveau qu'être personnel exige très peu de temps et d'énergie. Un véritable contact est une question de présence, d'orientation, d'intention. En fait, il s'agit d'être pleinement où je suis.

Toutes les relations peuvent correspondre à de mini-aventures : les découvertes communes... un partage de la joie de l'univers... un toucher plutôt qu'une manipulation... un regard confiant plutôt que distant ou furtif... une attitude chaude plutôt que froide... une invitation plutôt qu'une rebuffade. Une relation étroite n'exige simplement que de la confiance, non du temps.

Bien sûr, je crée mes liens d'amitié et de camaraderie. J'ai le choix entre solitude et amitié. L'amitié et la camaraderie commencent avec l'intention de partager mon être avec les autres.

Relation profonde et amour

L'amour dépasse parfois l'amitié. L'évolution des personnes vers des niveaux d'environnement plus élevés le rend possible. L'amour naît avec la suppression des défenses, la diminution des contraintes, l'apaisement de l'instinct de possession, l'atmosphère de liberté, la perception de l'essence de l'autre, l'émergence de la plus grande confiance.

Chacun pénètre alors dans le mouvement et le rythme de l'autre. L'amour vient lorsque les amants se fient à leurs processus respectifs. L'amour ne se commande pas : il surgit, il croît, il émerge.

L'amour n'est pas à l'aise en présence de l'ego. Il ne se réalise pleinement que lorsque la personne se libère de ses besoins, de son ego, de ses attitudes de pouvoir et de contrôle, de ses satisfactions sensorielles. L'amour change au fur et à mesure que les personnes évoluent vers de nouveaux niveaux de croissance. Il apporte toujours de nouvelles merveilles, un nouvel être. À chacune de mes découvertes de l'amour, j'ai réalisé qu'il dépassait ce que j'en savais déjà. Si les amants s'y impliquent totalement, l'amour correspond pleinement à un processus. L'amour transforme à la fois l'amant et l'aimé.

Relation profonde et famille

Avec ou sans cérémonie du mariage, qu'elles existent à l'intérieur d'un couple ou d'une communauté plus vaste, des relations de base stables enrichissent la vie. La qualité de la relation qu'un couple peut atteindre détermine aussi la qualité de son environnement.

J'ai observé et interrogé vingt et un couples dont les membres se sont rencontrés pour la première fois à l'intérieur d'une communauté CORI et qui ont ensuite décidé d'établir une relation stable. Avant de prendre une décision, ces personnes s'étaient connues très intimement lors d'une ou de plusieurs expériences CORI. Ces circonstances expliquent peut-être le degré de satisfaction particulièrement remarquable de ces relations. Voici les éléments qui en constituent la force :

1. Les partenaires *partagent une conception* de la vie. Leurs attitudes et leurs croyances au sujet des éléments fondamentaux d'une vie commune se ressemblent beaucoup. Ils ont pu voir de l'autre son comportement à l'intérieur de situations sociales très diverses et *connaissent* réciproquement leur état d'esprit. La congruence est élevée entre leurs états d'esprit et leurs comportements. Ils partagent, par conséquent, des valeurs, des perceptions et des croyances fondamentales. Cette entente de base représente un facteur de stabilisation, particulièrement lorsque des conflits ou des crises surgissent.

2. La plupart des partenaires manifestent une *confiance réciproque fondamentale*. Pour eux, cette confiance représente l'élément le plus important de leur relation. Ils posent d'ailleurs plusieurs gestes qui la nourrissent.

3. Ces couples sont *plus ouverts* que la plupart des autres lorsqu'il s'agit de manifester leurs sentiments, de ne rien tenir secret, d'exprimer leurs différences, de partager leurs perceptions, de vivre leur vie à « livre ouvert ». Plus je rencontre de ces couples, plus je crois en l'importance cruciale de l'ouverture à l'intérieur de la vie familiale.

4. La plupart de ces gens croient en *l'importance de la communauté*, et il leur est fondamental de vivre selon la théorie CORI, puisque c'est là qu'ils peuvent s'unir plus facilement pour créer une vie familiale basée sur le partage, sur la communauté et sur la sollicitude. Ils croient donc en une vie basée sur l'interdépendance.

5. Dans la plupart des cas, la personne interrogée désire définir *sa propre façon de vivre* à l'intérieur d'un processus d'amour de soi. Cette caractéristique est particulièrement présente chez les femmes qui découvrent la liberté et l'aspect passionnant de nombreux nouveaux choix. De nouvelles possibilités s'offrent à elles. Elles constatent enfin qu'elles s'étaient limitées à des rôles non désirés et qu'elles avaient laissé les autres, surtout les hommes, leur assigner ces tâches. La façon de vivre et la philosophie CORI sont étroitement reliées aux aspirations du mouvement de libération des femmes et ainsi les organisations CORI comptent un nombre égal d'hommes et de femmes impliqués à tous les niveaux d'activité. Dans les couples observés, il est toutefois important de remarquer que les hommes *et* les femmes se débarrassent de leurs rôles traditionnels et s'engagent dans des façons uniques d'unir leurs désirs et leurs talents individuels. Leurs choix, leurs carrières, leurs loisirs et leurs amitiés sont ainsi totalement renouvelés.

6. Nous remarquons aussi chez la plupart de ces individus *l'émergence d'une intégrité* nouvelle qui provient de l'écoute de leurs messages intérieurs, plutôt que des influences extérieures. Cette transformation est dramatique dans certains cas car ils demandent, ils exigent une vie plus intégrale. Ils veulent s'impliquer pleinement dans leurs travaux, dans leurs relations, dans leurs emplois, dans leurs loisirs, dans leur éducation, bref, dans toutes les facettes de leur vie. En ce moment, je consulte mes notes et je m'aperçois de ma difficulté à nommer et à classer les « aspects » de la vie de ces personnes. Sans doute s'agit-il là d'un signe de santé, car pour elles la vie s'écoule et émerge si naturellement qu'on ne peut l'enfermer dans des catégories. Ces gens ne semblent pas travailler, prendre des vacances, avoir des loisirs, manger, travailler bénévolement ou avoir des emplois du temps. Pour eux, tous ces aspects se fondent dans l'ensemble de leur vie. La vie s'écoule. Elle est intégrée et spontanée.

7. Pour la plupart de ces individus, la vie est *remplie de sentiments*. Ils connaissent ainsi des hauts et des bas, des changements, de l'excitation, de l'instabilité, des malaises, des émotions, des peurs, des accomplissements. Ils ne voudraient pas retourner vers leur passé et, d'ailleurs, ils ne le pourraient probablement pas.

8. Tous ces couples se situent souvent dans les environnements VI et VIII. Plusieurs expérimentent de nouveaux types d'union qui augmentent le nombre de leurs expériences transcendantales. Ils

éprouvent naturellement certaines difficultés à vivre toutes ces choses dans une culture se situant en majeure partie dans les environnements II à V et ils connaissent certains problèmes à coexister avec les environnements professionnels et avec les écoles, les quartiers et les églises tels qu'ils existent présentement.

Relation profonde et processus spirituel

Nous ne devons pas nous surprendre si des gens se montrent actuellement insatisfaits envers la religion institutionnelle. Plusieurs se sont détournés des institutions religieuses et du culte organisé lorsqu'ils y ont reconnu les mêmes mécanismes de peur et de méfiance que dans les institutions financières, gouvernementales ou scolaires. Paradoxalement, ces « révoltés » se tournent de plus en plus vers d'autres formes d'expériences religieuses et spirituelles, comme le mysticisme, la transcendance, les possibilités de la réincarnation, la prière et la guérison .

Selon moi, une vie spirituelle révèle la présence d'un climat de confiance élevé. Le spiritualisme signifie : être à l'écoute de nos éléments intérieurs infinis et cosmiques. Il signifie aussi une évolution vers une plus grande qualité d'environnement. Existe-t-il une démarcation entre les phénomènes humains et spirituels ? Peut-être que non. Pour ce qui est de ma propre expérience de vie, probablement pas. Mon expérience me pousse à croire que tous les états se fondent les uns dans les autres et évoluent constamment vers de nouveaux niveaux qui ne diffèrent seulement que par leur degré.

Tous peuvent connaître la spiritualité. À l'intérieur de notre évolution vers des niveaux de confiance plus élevés, nous transcendons graduellement les obstacles qui, à chaque niveau, nous empêchent de réaliser pleinement notre spiritualité. Nous nous débarrassons ainsi de notre dépendance envers la raison, de nos désirs de satisfaction sensorielle, des besoins de notre ego, de nos processus corporels et même de notre dépendance envers la conscience. Au fur et à mesure de notre croissance, nous entrons en contact avec des forces intérieures qui sont intégratrices, cosmiques et nirvaniques.

Que la vie serait revalorisée si notre spiritualité s'intégrait dans tous les aspects de la vie ! Malheureusement, plusieurs d'entre nous remettons la responsabilité de notre vie spirituelle à un groupe professionnel particulier ou à une institution, et nous nous contentons ensuite de lui consacrer une heure ou deux par semaine.

Relation profonde et travail productif

De plusieurs façons, le milieu de travail représente un des endroits privilégiés où nous pouvons établir des relations profondes et solides. Le travail peut avoir une dignité, une signification, un objectif qui orientent la vie du travailleur. Les gens travaillant ensemble à des tâches volontairement choisies et satisfaisantes développent les uns envers les autres un attachement, une loyauté, une chaleur, une interdépendance et un respect profonds. Ceci est particulièrement vrai si la personne aime son travail et si celui-ci donne, à long terme, un sens à sa vie. J'ai constaté la présence de ce phénomène surtout chez des gens dont le travail est la peinture, l'écriture créatrice, l'architecture, les sciences de l'espace, la chimie et d'autres domaines reliés à la création. Souvent, le milieu de travail est dominé par la compétition, la direction et la motivation extérieure. Pensons à ce qu'il deviendrait si on le transformait en un endroit qui encourage et nourrit la synergie, la découverte personnelle, la satisfaction autonome et la création à l'intérieur des équipes. Imaginons le travail comme instrument de découverte mutuelle pour les gens, comme ayant un contenu spirituel et correspondant à un processus qui conduit à la transcendance.

La relation profonde pourrait remplacer les rôles conventionnels à l'intérieur du milieu de travail. Ceci se produira d'ailleurs de plus en plus, au fur et à mesure que les institutions renouvelleront leur conception du travail et constateront que :

1. le travail peut être satisfaisant en lui-même et que les divers types de rémunération ne sont pas vraiment nécessaires ;
2. le travail devient plus productif si les membres de l'équipe se sont choisis mutuellement et s'entendent bien ;
3. les relations de travail peuvent être égalitaires plutôt qu'hiérarchisées. La supervision et le contrôle sont donc superflus ;
4. tout travail est un processus de découverte. Il correspond à une recherche de solutions, de satisfactions nouvelles, de relations personnelles et de processus totalement nouveaux. Le travail peut être jeu, aventure, passion ;
5. plus la relation est satisfaisante entre collègues, plus le travail devient productif. À l'intérieur d'une relation valable, chaque personne agit vraiment selon ses désirs. C'est d'ailleurs là la source d'un travail créateur et satisfaisant. Je songe ici à toutes

les activités de tous les milieux de travail. Elles *peuvent toutes* être satisfaisantes et contenir leurs propres récompenses ;

6. chaque personne a une contribution unique à apporter à l'organisation. Chaque individu peut créer un travail qui correspond à ses aspirations et à ses talents particuliers ;

7. dans un milieu de travail, les partenaires peuvent établir des relations transcendantes qui se situent à des niveaux d'environnement plus élevés. Ces relations sont aussi et même souvent plus satisfaisantes que toute autre relation.

Relation profonde et processus de vente

La vente et la mise en marché sont des processus reliés à notre économie capitaliste basée sur la compétition et la libre entreprise. Notre définition du monde des affaires, des sciences économiques et particulièrement d'une économie de « libre marché » donne une grande importance à la mise en marché. Le monde des affaires domine notre société et, par conséquent, ses concepts et son langage sont partout présents dans nos vies.

La vente en est un bon exemple. On se vend soi-même. On vend une personnalité ou un programme universitaire. On annonce des sermons et des techniques de croissance. On tente de vendre ses idées lors d'une simple conversation. On entre en compétition avec des amis pour gagner l'amour de quelqu'un. On vend une religion et la voie du salut. Ironiquement, certains programmes de croissance personnelle emploient les techniques de la vente sous pression pour faire accepter l'idée que « nous ne sommes pas ici-bas pour correspondre aux attentes d'autrui » !

La relation acheteur-vendeur va à l'encontre de la relation profonde et intime. La persuasion mène à la résistance, à la méfiance, aux attitudes défensives et à l'éloignement des individus. Les vendeurs expérimentés connaissent bien ces mécanismes de défense, et on leur enseigne de multiples techniques afin de diminuer la résistance, de favoriser la confiance et de masquer le geste même de la vente. Tous ces processus rendent peu probable l'existence d'une relation authentique entre le vendeur et l'acheteur.

Dans notre culture de la libre entreprise, des raisons économiques peuvent expliquer la nécessité de cette relation vendeur-acheteur. Toutefois, il en coûte tellement, socialement et psychologiquement, que nous serions justifiés d'examiner d'un peu plus près notre système. Notre économie peut-elle fonctionner sans la « vente » ? En fait, il s'agit peut-être d'un simple « marché » : nous nous accommodons de la méfiance produite par la persuasion afin de pouvoir vendre les biens nécessaires au fonctionnement du système. Reste encore la question : « À quel niveau de production et de vente correspondent la peur et la méfiance ainsi créées ? Les unités de biens disponibles équivalent à combien d'unités de méfiance ? »

Plusieurs fonctions organisationnelles sont reliées dans leur application actuelle au mode de vie vendeur-acheteur. Nommons par exemple les relations publiques, les relations avec le consommateur, la mise en marché, la publicité, les communications, les compagnies de souscription. Les spécialistes de ces domaines donnent-ils ou reçoivent-ils de la confiance, de la sincérité, de l'authenticité et de l'ouverture ? Des études démontrent que ces personnes ne se font même pas confiance entre elles. Plusieurs de mes clients qui travaillent dans ces domaines partagent toutefois mon point de vue, consacrent beaucoup d'énergie à résoudre les problèmes de la méfiance, et croient pouvoir un jour y arriver.

Relation profonde et processus d'évaluation

Un autre processus institutionnel bien connu illustrera davantage mon point de vue. Certaines activités s'opposent aux processus CORI de la relation profonde. L'évaluation en est un remarquable exemple.

Dans notre culture, la plupart des pressions qui poussent à l'évaluation viennent du monde des affaires. Si je demande à un enseignant, pourtant convaincu du bien-fondé de l'évaluation et du diplôme, pourquoi notre système d'éducation continue à employer ces processus déshumanisants, il me répond : « La principale raison en est que le monde des affaires exige de nos finissants des relevés de notes et des diplômes. » Toutefois, mon expérience me prouve que la plupart des employeurs s'intéressent très peu aux évaluations des candidats à un emploi et manifestent moins de respect pour ces papiers que la plupart des éducateurs.

L'évaluation provient aussi de la croyance que la menace et la peur motivent les gens : les étudiants étudieront mieux et les travailleurs seront plus productifs si on les évalue ; les prisonniers adopteront un meilleur comportement s'ils craignent l'évaluation du gardien de la prison ou de l'officier de probation ; les enfants obéiront mieux si on leur sert de petites caresses de temps à autre. Je dois avouer, tout en prenant certaines précautions, que ces hypothèses se révèlent parfois malheureusement vraies. Mais, lorsque les gens apprennent, travaillent et vivent sous l'influence de la peur, il en résulte des tensions qui produisent maladies, culpabilités et images de soi fragilement reliées aux attentes de la société. Plus l'évaluation est efficace, plus les évalués en subissent les effets négatifs.

La motivation la plus importante vient peut-être toutefois du besoin d'influencer et de contrôler les gens évalués comme de l'insécurité ressentie par celui ou celle qu'on soumet à l'évaluation. Notre besoin d'évaluation est directement proportionnel à notre absence de connaissances ou à notre manque de confiance. Plus nous connaissons notre travail, plus nous croyons en nos processus, moins nous sentons le besoin de l'évaluation.

La relation profonde ne peut s'épanouir en présence de l'évaluation. Ce processus crée un malaise à la fois chez l'évaluateur et chez l'évalué. Les deux personnes perçoivent alors l'impossibilité d'établir une relation intime.

Dans une société libre, on doit oser trouver des processus qui procurent leurs propres satisfactions et deviennent des *réalisations personnelles directes* : de telles activités comblent d'*elles-mêmes* et ne requièrent pratiquement pas d'évaluation.

Relation profonde et processus de direction

L'organisation moderne se fonde sur la philosophie, les croyances et le style de vie des niveaux d'environnement I, II et III. De plus, la structure de classe qui la caractérise rend difficile la présence de relations profondes. Je travaille cependant avec certains directeurs et cadres efficaces qui peuvent se dégager de leur rôle, surmonter les barrières inhérentes aux structures et communiquer d'une manière très personnelle avec tout membre de l'organisation. Pour leur part, les directeurs les moins efficaces s'enferment habituellement dans des processus de dépersonnalisation qui les empêchent de voir le caractère unique et la dignité des autres membres de l'organisation.

Seuls les gens et les systèmes qui s'élèvent aux environnements VI à X peuvent vraiment vivre une relation profonde. La détention du pouvoir, si importante aux niveaux I à V, explique en grande partie ce problème. Les relations profondes entre un directeur et son employé sont presque impossibles lorsque le « patron » peut engager et congédier quelqu'un, recommander ou accorder des promotions, se concerter avec ses supérieurs immédiats, évaluer le travail de ses subordonnés et détenir de multiples pouvoirs formels et informels sur son employé et son environnement de travail.

Dans le chapitre VIII, je parlerai de certaines expériences intéressantes conduites dans le but de réduire ces obstacles. Malgré nos progrès dans ce domaine, je crois que nous sous-estimons les coûts psychologiques inhérents au maintien de systèmes hiérarchiques et compétitifs. Il est inconcevable que nous encouragions encore, à l'intérieur d'une société démocratique, un système de classe très puissant qui exacerbe les différences et les sources de division chez les gens. Nous demandons aux « passagers de deuxième classe » d'aller vers l'arrière de l'avion où ils s'assoient dans des fauteuils moins confortables, mangent des repas différents, emploient des toilettes réservées à leur usage et sont en général traités comme les membres d'une classe inférieure. Nous mettons à la disposition de la classe supérieure des toilettes et des salles à manger luxueuses, des emplacements spéciaux dans les terrains de stationnement, des secrétaires particuliers et des valeurs à option. Bref, nous offrons à la bourgeoisie de multiples privilèges dont ne jouissent pas les autres classes. Nos organisations industrielles et militaires sont ainsi structurées. De plus en plus, nous retrouvons cette même caractéristique dans les organisations religieuses, éducatives, gouvernementales, professionnelles et même charitables.

Il y a plusieurs années, lorsque j'ai quitté le monde universitaire afin de travailler auprès de vastes organisations, on m'a introduit dans ce monde de privilèges, de division selon les classes sociales et de ségrégation. Les principes du pouvoir, du rang, de l'argent et de la position sont plus importants, les différences et les structures de classe plus grandes, les lignes de démarcation plus claires et beaucoup mieux définies que je ne l'avais alors imaginé.

Le coût social de toutes ces différences me frappe particulièrement. Il en résulte en effet une hostilité latente, une diminution des idées personnelles, une législation informelle conduisant à marquer les différences entre les gens, une aliénation structurée selon les frontières de classes, le formalisme des rôles, ainsi que la méfiance et la division institutionnalisées. Dans ces conditions, devons-nous être surpris de la révolte qui gronde dans des ghettos, de la guerre de classe entre les athlètes et leurs dirigeants de la haute bourgeoisie, des conflits latents entre les citoyens et le gouvernement qui s'expriment, par exemple, à travers une fraude fiscale dûment organisée, de l'arrogance des médecins envers l'assurance-santé, de l'attitude d'une nouvelle jeunesse qui se vante de dépendre de l'assistance sociale et des multiples tensions entre la police et le citoyen moyen ?

Nous plaisantons au sujet de la « présidence impériale » de Nixon et des peines légères infligées lors de l'affaire du Watergate, mais nous nous entendons tous pour maintenir, dans nos institutions, des niveaux de direction basés sur les classes et des postes inutiles qui encouragent l'aliénation de nos structures organisationnelles héritées de l'église médiévale et de l'armée prussienne.

La présence de cette aliénation de classe dans les organisations religieuses et éducatives est particulièrement décourageante. Si nous regardons les choses de près, les justifications de la hiérarchie au niveau militaire (la sécurité nationale est en jeu) et dans le monde des affaires (c'est la seule façon « d'être compétitif » et de faire de l'argent) ne s'appuient sur aucun fait. Dans le domaine de l'éducation et de la religion, la hiérarchie s'explique encore moins facilement. L'efficacité ? La diminution des coûts ? La complexité de la tâche ? Ces raisons apparaissent particulièrement nocives quand nous les relions aux buts des écoles et des communautés religieuses. Ces structures aliénantes sont-elles nécessaires lorsqu'il s'agit de créer un environnement propice à l'apprentissage ou au culte religieux ?

Les relations profondes sont essentielles à l'accomplissement de la mission des écoles et des communautés religieuses. L'importance du pouvoir et des rôles à l'intérieur de ces institutions les rendent toutefois difficiles à réaliser, sinon carrément impossibles. À ce formalisme croissant s'ajoute une tendance vers le professionnalisme à outrance, vers un style de direction basé sur une technologie compliquée et vers une théorie des rôles de plus en plus formelle.

Comme consultant, j'ai eu récemment l'occasion de visiter les bureaux de l'administration des écoles publiques d'une grande ville. Élégance et confort mis à part, ils m'ont rappelé les bureaux de certaines industries pour lesquelles j'ai travaillé. Les ressemblances étaient nombreuses : une complexité impressionnante, un abîme de procédures, l'ambiguïté et le double-emploi des fonctions ainsi qu'une coordination à niveaux multiples. À ces problèmes s'ajoutaient l'ennui, la dépersonnalisation, la rancune, l'apathie, l'impatience, l'importance des gestes officiels, la déférence envers mon rôle de « consultant réputé » et toutes les autres contraintes habituelles. N'est-il pas triste et ironique de penser qu'ils m'engageaient afin d'« humaniser » leurs relations ?

La relation profonde est nettement incompatible avec ces façons habituelles de diriger, d'administrer, de contrôler, de superviser, d'évaluer et de gouverner. Nous devons nous attarder longuement sur le concept de la direction d'une institution. Nous devons définir les formes de direction nécessaires à la réalisation des objectifs organisationnels et voir ensuite si elles aident à rendre le monde plus humain par le biais de niveaux d'environnement de plus en plus élevés.

Relation profonde, bien-être et santé holistique

Les relations profondes et la vie à l'intérieur d'une communauté basée sur la confiance permettent de relier santé physique et bien-être mental. La séparation entre les aspects spirituels, physiques et mentaux de la santé devient de plus en plus difficile et illogique. Nous devons prendre conscience que nous sommes l'union d'un corps, d'une intelligence et d'un esprit, que notre être entier se situe à la source de notre santé et de notre maladie. En médecine, en psychologie et dans d'autres domaines connexes, certains praticiens voient la santé, la guérison et la thérapie d'un point de vue holistique. De là viendra d'ailleurs une véritable révolution.

Le bien-être se relie à un processus de croissance holistique. Sa progression est décrite dans la grille d'évaluation de l'environnement. Une piètre santé se rattache aux plus bas niveaux d'environnement, tandis que notre progression vers des processus holistiques, transcendants et cosmiques nous permet d'éloigner l'anxiété, la psychose, l'hypertension, les dépressions, les maladies cardiaques, bref, toutes les formes de maladies physiques et mentales, peut-être même ses formes les plus insidieuses comme le cancer. Le cancer et l'anxiété apparaissent dans des organismes affaiblis par des états de méfiance, par exemple, le manque d'amour de soi, le contrôle à outrance, la culpabilité, les conflits latents, la répression, les attitudes défensives, les peurs non intégrées, la dépossession de sa propre vie et de son propre corps, le rationalisme exagéré, la passivité et l'engagement de l'intelligence et de l'esprit.

La voie de la santé se situe dans la découverte de la relation profonde. De plus, nous devons devenir responsables de notre progression vers de nouvelles qualités d'environnements. D'ailleurs, nous découvrirons peut-être qu'une vie basée en grande partie sur des relations profondes éloigne les maladies de l'intelligence, du corps et de l'esprit. L'anxiété et l'hypertension doivent être reliées à un manque de confiance et sont des signes brutaux exigeant que l'individu repense ses relations en profondeur.

Être pleinement responsable de sa vie conduit à la création d'un environnement nouveau, à la recherche de relations profondes, à l'élaboration de communautés basées sur la confiance et à l'analyse de ses propres processus CORI. Je dois donc cerner mon identité et réfléchir à ma façon de me dévoiler, d'agir selon mes désirs et de créer des relations d'interdépendance.

Les relations profondes vécues quotidiennement marquent un début de bien-être. Elles se situent d'ailleurs au coeur de l'orientation de la santé holistique qui remet actuellement en question les concepts et les institutions du monde de la santé. Dans ce domaine, les systèmes conventionnels conduisent parfois à plus de méfiance et d'aliénation que les autres institutions mentionnées plus haut. Les hôpitaux et les cliniques médicales pratiquent un type d'organisation structurée à outrance sous prétexte qu'il s'agit là d'une question de vie ou de mort. Cette attitude se révèle particulièrement déplacée si nous songeons que la guérison est le but premier de l'hôpital. Il est donc fondamental d'humaniser l'atmosphère régnant parmi les membres du personnel. Historiquement, la hiérarchie et la structure de classe ont caractérisé les soins médicaux. Nous devons à tout prix transformer cette conception.

Nous connaissons dorénavant l'influence considérable de l'environnement sur notre santé. La réforme entreprise dans le domaine de la santé holistique doit donc viser avant tout l'humanisation des hôpitaux. Un souvenir reste solidement ancré dans ma mémoire. Il s'agit des paroles de ma mère à la suite d'une hospitalisation de deux semaines et d'une intervention chirurgicale majeure à l'estomac : « Jack, je préférerais mourir plutôt que de retourner à l'hôpital. » Les situations les plus critiques, les prétextes de l'urgence, de l'efficacité et de l'importance de la vie ne peuvent justifier la dépersonnalisation des patients et des professionnels de la santé.

Plusieurs institutions prouvent actuellement que l'environnement hospitalier peut être personnel et humain, qu'il peut se baser sur la sollicitude, l'amour et la guérison dans son sens le plus complet.

Les soins médicaux les plus efficaces et les plus modernes ne peuvent atteindre pleinement leur but en l'absence d'amour. Les effets de l'environnement interpersonnel dépassent souvent les effets de la médecine, même la plus perfectionnée.

Relation profonde et processus thérapeutique

Connue sous de multiples appellations, dispensée selon les principes les plus divers, perçue avec des sentiments qui vont du culte à l'hostilité, la thérapie connaît une vogue grandissante. De plus en plus de gens recherchent l'aide de psychologues cliniciens, de psychiatres, de travailleurs sociaux, de conseillers... mais aussi d'astrologues, de guérisseurs holistiques, de diseurs de bonne aventure, de chirurgiens métapsychiques, d'hypnotiseurs, de nutritionnistes, de pédiatres, de conseillers en orientation, de professeurs, de spécialistes du métapsychisme, de chiropraticiens, bref de toute personne qui offre son aide aux gens tourmentés.

Un certain nombre de professionnels orientent leurs thérapies selon la théorie CORI et je crois, pour ma part, que la relation profonde définie dans le tableau XII constitue la relation thérapeute-client la plus efficace : ici, les deux personnes sont responsables de la thérapie, elles sont le plus personnelles et le plus ouvertes possible et elles établissent une relation qui constitue une satisfaction en elle-même. De concert avec le client, le thérapeute crée alors un environnement. Ensemble, ils évoluent vers les niveaux d'environnement qu'ils sont capables d'atteindre.

La création d'une relation profonde est difficile lorsqu'un membre rémunère l'autre, que l'un demande de l'aide et que l'autre la lui fournit, que l'un, contrairement à l'autre, se perçoit comme ayant des problèmes. Plusieurs thérapeutes arrivent à dépasser ces obstacles. Ils établissent alors une relation réciproque et synergique qui se révèle riche et propice à la croissance et à la guérison mutuelles.

Si cette relation CORI basée sur l'amour représente vraiment la thérapie la plus efficace, nous, thérapeutes, pratiquons en un sens une prostitution légalisée : nous échangeons de l'amour contre de l'argent. La réussite de cette pratique constitue un commentaire éloquent sur notre société sans amour, caractérisée par la peur et par les niveaux d'environnement les plus bas. Nous, les professionnels de l'aide, sommes malheureusement et involontairement des parasites. Nous vivons de la maladie et de la dépendance d'autrui engendrées par les environnements II, III et IV, environnements que nous contribuons à créer. Le type d'éducation, de consultation et de thérapie que nous pratiquons couramment ne pourra vraisemblablement pas diminuer ces dépendances maladives. À mon avis, nous avons besoin de thérapies semblables aux programmes décrits dans les chapitres VIII et IX, dans lesquels nos environnements sont transformés radicalement. Les gens qui se situent surtout au-delà de l'environnement V n'ont nul besoin de thérapie.

Relation profonde et processus éducatif

Le processus de l'éducation se confond au processus de la croissance personnelle et institutionnelle à l'intérieur des niveaux d'environnement les plus élevés. Les tableaux V, VI et VII démontrent que les buts d'une telle éducation comprennent les processus suivants :

— socialisation
— éducation intégrale
— consultation
— rassemblement et utilisation de l'information
— choix et décision
— création de nos propres ressources
— apprentissage de la vie dans une communauté émergente
— accroissement de notre sympathie et de notre intuition
— intégration de nos processus fondamentaux et inconscients à l'intérieur de notre vie consciente
— réappropriation de nos possibilités extra-sensorielles et transcendantes
— contact avec notre être intégral, cosmique et spirituel

Un processus interpersonnel n'est pas nécessaire à la réalisation de ces objectifs. L'apprentissage peut provenir de la méditation, de l'autohypnose, de l'introspection, de livres, de la télévision, d'enregistrements, de rubans magnétoscopiques, de machines à enseigner et de tout autre type de ressources.

Toutefois il demeure que l'apprentissage des processus mentionnés plus haut vient surtout de la création de relations profondes avec les gens avec lesquels nous travaillons, jouons, pratiquons une religion, inventons, chantons, découvrons, transcendons, apprenons, communiquons ou voyageons. L'apprentissage provient de notre *être entier*. Il ne s'agit pas ici de revenir au concept de l'« apprentissage par la pratique » et de son contenu axé vers la routine, la répétition, l'automatisme et les exercices scolaires. Il faut plutôt *apprendre par le geste, les sentiments, l'être, la pensée,* bref par l'utilisation de tous les processus de la vie. Plus s'effectue à l'intérieur d'une relation profonde, un apprentissage dans la réciprocité, plus le processus de l'éducation acquiert un sens.

Pour être le plus efficace possible, ce processus exige la présence d'une véritable relation entre les deux personnes, d'une codécouverte des attitudes, techniques, connaissances et habiletés nécessaires à une vie intégrale et transcendante. Peut-il exister une relation profonde entre un professeur et un étudiant ? Plusieurs professeurs efficaces réussissent à l'établir. Par exemple, la plupart des débutants dans l'enseignement découvrent très tôt que le professeur qui « intervient » tente en réalité d'enseigner, se substitue à l'étudiant dans l'acte d'apprentissage et favorise ainsi la passivité et la dépendance. Holt et plusieurs autres contemporains ont souligné avec justesse que l'environnement de la salle de cours se caractérise alors par la frustration et par l'aliénation. De plus, les stratégies d'intervention provoquent une résistance défensive.

Le professeur capable d'établir des relations profondes peut apprendre *avec* l'étudiant, partager le merveilleux de la codécouverte et créer un processus commun satisfaisant, parfois même extatique et transcendant.

La confiance permet l'émergence de l'être et de l'essence.

Chapitre 7

Émergence du groupe

Chaque groupe *émerge* d'une façon particulière et provient de l'union des quatre processus de découverte CORI. Chaque groupe est unique. Il diffère des autres groupes de la même manière qu'une personne ne ressemble à aucune autre. Chaque groupe est plus qu'un ensemble de personnes, plus que la somme de ses parties, il a une identité et une essence.

Certains groupes naissent, croissent et s'actualisent. Ils offrent un environnement de confiance et ils sont perçus par leurs membres comme des organismes sains. Je parlerai, dans ce chapitre, de cinq sortes de groupes qui me sont particulièrement familiers et à l'intérieur desquels j'ai passé une bonne partie de ma vie. Il s'agit de la famille, de la salle de cours ou du groupe d'apprentissage, du groupe formé à l'occasion d'une thérapie ou d'une consultation, du groupe de formation en relations humaines et de l'équipe de travail ou de direction. À chacune de ces situations correspondent des buts, des processus et des structures fondamentalement différents. Toutefois, je m'intéresserai surtout ici à leurs ressemblances. J'honore la personne et, de la même façon, je respecte le groupe à l'intérieur duquel je vis, je travaille, j'étudie ou j'apprends. Je *suis* le groupe, j'entre dans son mouvement, je le sens, je *vis* en lui, je capte ses vibrations et je tente de saisir son essence.

Certains groupes se caractérisent par la stagnation, la contrainte et la défense. Les membres s'y sentent d'ailleurs mal à l'aise. Pour eux, leur groupe épuise leurs énergies personnelles, est ennuyeux, malsain et trop exigeant. Certaines familles sont perçues comme des sources de souffrance et comme des environnements que fuient leurs membres. Certaines thérapies de groupe aggravent la maladie et créent le besoin d'une aide continue. Certaines salles de cours sont nocives. Certaines équipes de direction se rencontrent longuement, prennent des décisions insatisfaisantes sous le coup de l'impatience, créent plus de problèmes qu'elles n'en solutionnent et ajoutent à la lourdeur organisationnelle.

Nos énergies, nos actions et nos attitudes nous permettent de *créer les groupes auxquels nous appartenons*. En retour, ils nous soutiennent ou nous épuisent.

Quel est mon comportement lorsque je suis responsable d'un groupe ?

J'écris ce chapitre à mon intention et à l'intention de toute personne qui appartient ou appartiendra à un groupe. Mon public est donc particulièrement vaste. Toutefois, je m'adresse surtout à moi et à vous, parents, thérapeutes, professeurs, animateurs de groupes et directeurs. Selon la théorie CORI, le responsable d'un groupe agit simplement *comme un autre membre de ce groupe*. Bien sûr, tout n'est jamais aussi simple. On exerce en effet de nombreuses pressions sur les parents, les thérapeutes et les directeurs afin qu'ils assument leur rôle et prennent certaines responsabilités. Les pressions viennent à la fois d'eux-mêmes et des attentes des enfants, des clients et des employés et leur abolition représente l'une des premières tâches du leader comme du groupe.

Dans le tableau XIII, j'applique la théorie CORI au leader se situant près de l'environnement V et qui est en voie de progression vers des environnements plus élevés. Ces trente-deux points du tableau exigent peu d'explications. Ceux qui désirent lire davantage sur l'application de la théorie CORI aux groupes trouveront les références nécessaires dans la bibliographie. Ce volume ne se veut pas un manuel de formation destiné aux leaders mais bien une réflexion sur la théorie CORI appliquée aux groupes. Un ouvrage

TABLEAU XIII
ÊTRE AVEC UN GROUPE
(Comme parent, professeur, thérapeute, animateur, directeur)

Je m'éloigne de	J'évolue vers
1. Jouer mon *rôle* de parent, de professeur, de thérapeute.	1. Être une personne *à part entière.*
2. Agir d'une manière *utile* (selon les caractéristiques de mon rôle).	2. Agir selon mes *sentiments* et perceptions (me dévoiler).
3. Importance des *relations entre un rôle et un autre rôle* (leader-membre).	3. Importance des *relations entre les personnes.*
4. Importance de l'*intervention.*	4. Importance de l'action commune afin d'améliorer notre *environnement.*
5. Importance de la famille ou du groupe en tant que *somme* de personnes.	5. Importance de la famille ou du groupe en tant qu'unité *transcendante.*
6. Être responsable de moi et de vous.	6. Devenir responsable de *notre famille ou du groupe.*
7. Réagir selon les *besoins* des patients ou des enfants (planification).	7. Réagir selon mes *sentiments* et mes *perceptions* actuels (spontanéité).
8. *Adopter* une attitude professionnelle ou un comportement approprié.	8. *Partager* toute ma personne (me dévoiler).
9. Considérer l'autre comme un *client*, un *étudiant*, un *enfant.*	9. Considérer l'autre comme une personne *unique et spéciale.*
10. S'attacher à *changer* ou à guérir la personne déficiente.	10. S'attacher à notre être et à la *croissance* de chacun de nous.
11. Importance des *motivations*, des interprétations, des inférences.	11. Importance du *vécu* et de l'expérience présente.
12. Importance de l'*abstraction*, des généralités, des principes.	12. Importance des perceptions et des sentiments *concrets.*
13. Importance des *valeurs, des jugements et de la morale.*	13. Importance de la description de mes *sentiments* et de mes *perceptions.*

14. Importance du *passé* et du *futur*.	14. Importance du *présent* (être présent).
15. Description passive de soi. La personne est un être *statique*.	15. Chacun de nous est un être *dynamique* en mouvement constant.
16. S'attacher aux *limites* de chacun.	16. S'attacher aux *forces* et à la *croissance* de chacun.
17. Importance des *récompenses* et des *punitions*.	17. Importance du *mouvement* et de l'être.
18. Importance de la *légalité*, des contrats, des normes et de la rationalité.	18. Importance du *mouvement* des sentiments et des perceptions.
19. Importance de la *direction* du contrôle du processus.	19. *S'intégrer au processus*, suivre le mouvement.
20. Importance de la peur, du risque, de la *prudence*, de la préservation.	20. Importance de la confiance, de *l'aventure*, de l'impulsion, de la libération.
21. Importance des *mots*, de la sémantique, du discours, de la précision.	21. Importance de l'intégration organique et des processus *non langagiers*.
22. Importance de la *planification* et de la préparation.	22. Importance de «*l'action*».
23. Importance de la loi, de l'*ordre* et de la *structure*.	23. *Réduction des structures* et des modèles.
24. Importance de l'*engagement* et de l'obligation.	24. Importance des *désirs*, des impulsions, de l'émergence.
25. Concentration sur la capacité actuelle et la *maturité*.	25. Possibilité de *transcender* la capacité actuelle.
26. Obtenir un *consensus*.	26. Célébrer nos *différences*.
27. Concentration sur mes habitudes, sur mes *modèles* favoris.	27. Vie basée sur l'*imagination*, sur la création active d'images.
28. *Accepter* ma réalité habituelle.	28. *Choisir* constamment de nouvelles réalités; ouverture à la transcendance.
29. Écouter seulement mon *corps*.	29. Écouter mon *être entier*, soit le tout formé par mon corps, mon intelligence et mon esprit.

30. Accepter mon *niveau d'environnement.*	30. Créer de *nouvelles qualités d'environnement.*
31. Vivre selon mes perceptions et mes *sentiments habituels.*	31. Vivre dans le *tout universel.*

subséquent tracera un ensemble d' idées directrices qui se trouvent à la base de l'expérimentation.

Ce chapitre analysera la théorie du point de vue de la croissance et du développement du groupe. J'y traiterai de ma perception des principaux phénomènes de la vie de groupe. J'étudierai ensuite chacune des cinq situations suivantes : la famille, la salle de cours, la thérapie de groupe, le groupe de formation et l'équipe de travail.

Commentons d'abord quelques-uns des points du tableau XIII.

1. Chaque leader, lorsqu'il applique la théorie CORI, se pose cette question : « Que se passerait-il si j'étais plus confiant ? » L'application de la théorie CORI correspond à un processus particulier et continu. Comme thérapeute, parent ou professeur, mes moments de réflexion m'amènent toujours à me demander : « Qu'est-ce que signifie *pour moi, maintenant* être plus confiant ? » Le tableau XIII et une réflexion sur la théorie aident à la croissance personnelle. Face à une situation nouvelle, je peux ainsi être plus spontané, plus présent, plus entier, plus en contact avec tout mon être. Je pourrais d'une certaine façon oublier ce livre en présence d'un groupe et, peut-être, y revenir dans mes moments de réflexion et d'analyse rétrospective. Parce que la confiance est un processus ouvert, je pourrais aussi parler de ma « théorie » ou de certains de ses éléments avec les membres de la famille, de la classe ou de l'équipe. Lorsqu'elle se situe dans les environnements V à X, la vie de groupe est un processus de découverte vécu selon un principe de collaboration et d'union. En fait, personne ne connaît d'une manière absolue la meilleure façon d'être ensemble : *la vie à l'intérieur de chaque groupe correspond à un processus continu de découverte.*

2. Dans le chapitre III, l'analyse de la qualité de l'environnement fournit à tout groupe et à tout leader un cadre de travail et des critères d'analyse des problèmes. La qualité de l'environnement détermine le processus. Selon leur niveau, le directeur et le

professeur se demandent ou demandent au groupe : « Comment pouvons-nous créer un nouvel environnement qui nous soutiendra et nous motivera ? » Pour poser cette question, les leaders doivent se situer aux niveaux IV, V ou VI. En effet, les leaders des niveaux I, II et III ne pourraient voir les choses sous le même angle. D'autre part, il n'existe plus de leaders, de thérapeutes, de professeurs ou de directeurs à l'intérieur des environnements VI à X et les groupes qui y évoluent ont dépassé les problèmes discutés dans ce chapitre.

3. Les points du tableau ne constituent aucunement des règles à suivre, mais sont plutôt conçus pour aider à la réflexion. Pour les formuler, nous nous sommes basés sur notre société, présentement le théâtre d'un conflit entre les environnements III et IV ou entre les niveaux IV et V. Certaines personnes et certains groupes luttent afin de progresser vers le niveau VI. Cet environnement est en fait une frontière entre la vie *avec leader*, mode de vie agonisant, et la vie *sans leader*, qui contient les promesses d'un futur renouvelé. Cette transition représente un processus social fondamental dont nous ne pouvons qu'entrevoir aujourd'hui les conséquences. Les théoriciens CORI perçoivent d'ailleurs cette transition de plusieurs manières différentes. Ainsi, un groupe local appartenant à la communauté CORI internationale déclarait récemment : « Nous sommes une communauté sans leader parce que nous croyons être tous des leaders. » Mais selon moi, au contraire, nous sommes une communauté sans leader parce qu'aucun de nous n'est un leader. Nous savons en effet que les leaders nous limitent et que le besoin d'un leader est une attitude d'abandon et de restriction. Nous reparlerons de ce problème ainsi que de quelques autres plus loin.

4. Tel que nous venons de le souligner, les praticiens CORI manifestent des divergences importantes qu'ils expriment et célèbrent. Il s'agit pourtant là d'un aspect positif et passionnant de cette théorie. Permettez-moi un autre exemple : je crois que les techniques engendrent la dépersonnalisation et la diminution de la confiance ; une autre communauté CORI très active a déclaré récemment : « Nous ne nous limitons pas à une seule technique. Nous en utilisons plutôt une variété. » Il s'agit certainement là d'une divergence importante, mais nous devons nous rappeler que chacun d'entre nous écrit et crée sa propre théorie.

5. Comme l'indique le cinquième point du tableau XIII, je crois que la façon habituelle de pratiquer la thérapie de groupe est

maintenant dépassée. On nous parle la plupart du temps d'un thérapeute compétent qui travaille avec un membre du groupe à la fois. On espère vraisemblablement que l'exemple du thérapeute agira efficacement, que la remarque chaleureuse, les projections sur la solution du problème ou l'emploi de processus semblables permettront aux participants de bénéficier de la thérapie. La thérapie de groupe est pour moi très différente. Le groupe, avec ou sans l'aide du thérapeute, crée d'une manière ou d'une autre un climat, un nouvel environnement, un organisme nouveau et transcendant qui est beaucoup plus qu'une réunion de deux ou de plusieurs individus. Ce nouvel organisme alimente sa propre thérapie et crée les processus de *relation profonde* qui *constituent* la thérapie. Le rôle du thérapeute dans un tel processus n'est pas encore complètement défini mais la clarification de ce concept est un pas dans la bonne direction.

6. Le sixième point affirme que « prendre l'entière responsabilité de notre groupe familial » est une étape positive de la formation du groupe. Lorsque je suis membre d'un groupe auquel j'attache de l'importance, je prends l'entière responsabilité de la création de notre environnement. Je prends l'*entière responsabilité d'amorcer les processus de partage et de collaboration. Toute autre attitude correspond à une démission qui me conduit à blâmer les membres satisfaits du groupe pour les limites que je crois y percevoir. Il ne s'agit pas non plus de prendre toutes* les responsabilités à la place de quelque membre du groupe que ce soit, ou même de tenter de l'influencer. Ceci signifie plutôt que j'exprime clairement mes sentiments, que je révèle ma véritable identité, que je manifeste mes désirs et mes préférences et que je participe d'une manière créatrice à la solution des problèmes du groupe. Je pourrai aussi modifier mes désirs, mes préférences, mes sentiments et même ma nature lorsque j'accumulerai plus d'expérience, connaîtrai des perspectives plus larges et m'engagerai dans un échange créateur. Je fais partie de l'émergence et de la synergie.

7. Dans le septième point, j'exprime mon opinion sur l'inefficacité relative de l'analyse des motivations. J'ai tenté pendant plusieurs années d'analyser mes motivations et celles de mes patients, étudiants, clients et amis. Je me suis retrouvé devant autant de culs-de-sac. Une motivation correspond toujours à une déduction, à une interprétation et à une analyse de deuxième ordre, rétrospective et non existentielle. Une telle analyse suscite habituelle-

ment des sentiments péjoratifs et des jugements de valeur à la fois chez l'analyste et l'analysé. De plus, elle soulève des défenses et de la méfiance. Je préfère plutôt m'appuyer sur l'expérience directe et employer avec modération le concept des motivations, car les termes « motivations », « besoins » et « valeurs » mentionnés au treizième point sont des concepts beaucoup trop utilisés et nous aurions avantage à les remplacer par des concepts plus près de l'expérience directe. La formation en relations humaines et la psychologie ont employé les « exercices » de « clarification des valeurs ». Les choix sont des « jugements de valeur », et on ajoute ainsi une étape compliquée, inutile, culpabilisante et peut-être confuse au processus de l'expérience. Tout comme le mot « leader », « valeur » appartient aux préoccupations des environnements I à V et perd de sa pertinence à partir du niveau VI. Néanmoins, la clarification des valeurs s'avère probablement utile lorsqu'il s'agit d'aider les gens à se dégager de leurs préoccupations défensives et à progresser vers des environnements plus élevés.

8. Le seizième point illustre un concept particulièrement utile : l'apprentissage fonctionnel vient du renforcement de nos façons actuelles d'être, de notre libération des contraintes, de notre profond accord avec nos gestes et nos sentiments, de notre correspondance avec notre rythme et notre mouvement. De plus, il s'agit de ne *pas* s'attarder à nos limites, nos erreurs et nos déficiences. Pour ma part, l'éducation et la thérapie sont des processus de croissance plutôt que de correction.

9. Le dix-septième point souligne les problèmes de la récompense et de la punition. Les théoriciens de l'apprentissage ont découvert il y a longtemps un principe évident selon lequel l'individu répète les activités récompensées et délaisse celles qu'on punit. Les praticiens se sont servis de ce principe et ont tenté d'améliorer la vie des enfants, des travailleurs, des clients et de divers autres groupes. Appelée récemment la « modification du comportement », cette ancienne forme de contrôle correspond aux préoccupations des seuls environnements I, II et III. Notre culture a peut-être déjà dépassé ce besoin.

10. Le vingt-deuxième point insiste sur la formation de la confiance par le biais de l'action. Il s'agit ici « d'agir », de suivre nos impulsions, de découvrir nos désirs en vivant pleinement nos actions et de réaliser d'autres processus existentiels. En fait, ces façons d'être sont à l'antipode de la planification. Dans l'action,

les besoins de planification, de vérification préalable, de précision des règles ou de rationalisation quelle qu'elle soit, sont proportionnels à la peur. Plus la peur est grande, plus les besoins de planifier, de vérifier, de fixer des règles précises ou de rationaliser se font sentir. Jusqu'à quel point doit-on prévoir et planifier ? Quand l'imagination et une vision large sont-elles fonctionnelles ? Tous ces problèmes se posent au praticien CORI.

11. Le vingt-cinquième point se réfère à l'opinion de plus en plus répandue que la « capacité » correspond à un concept passif relié à la peur. La description d'une personne en ces termes se rattache à une attitude rétrospective et limitative que nous devons transcender, ce que, d'ailleurs, la personne confiante arrivera certainement à réaliser. En fait, je suis toujours capable d'accomplir plus de choses qu'il y a un instant. Dans mes moments de réflexion, il m'est utile de percevoir les niveaux de capacité comme des états que j'ai dépassés. Un groupe créant un environnement en conformité avec son mouvement particulier dépasse ses divers degrés de capacité.

12. Le vingt-sixième point relie le concept du consensus et de l'unanimité à la théorie de la qualité de l'environnement. Les groupes qui se caractérisent par la participation, et qui se situent par conséquent dans l'environnement V, dépensent souvent une énergie folle afin d'atteindre l'unanimité. Le processus peut se révéler essentiel tant que le groupe n'évolue pas vers les niveaux VI et VII. Ainsi, dans une équipe de travail ou de direction, l'unanimité peut être nécessaire si on veut que le groupe s'implique dans l'action ou dans la tâche présente ou future . Le même processus peut s'appliquer au conseil de famille. La famille peut souhaiter atteindre un consensus à certaines occasions, par exemple lors d'un achat familial, d'un projet de vacances ou du partage des tâches. La famille peut se dégager de cette nécessité et évoluer d'une manière créatrice vers les environnements VI et VII. À ces niveaux, les actions se réalisent et s'imbriquent les unes dans les autres avec plus de naturel, selon un processus organique en accord avec les mouvements et les rythmes corporels de chacun. Nécessaire encore au niveau V, le processus verbal perd maintenant de son importance. Selon le modèle utilisé, les groupes d'apprentissage, de formation en relations humaines et de thérapie ressentent peu le besoin de l'unanimité. Les tentatives pour l'atteindre sont alors souvent des symptômes d'attitude défensive et de tension non productive. Un consensus sur nos

sentiments, sur notre perception du groupe ou sur les obstacles qui nous empêchent d'avancer se révèle même souvent inutile ; il aide très peu à la réalisation des objectifs fondamentaux du groupe et nous empêche d'analyser et de célébrer nos différences, sources de richesse et d'efficacité.

Les groupes, comme les personnes, croissent

Vus de manière superficielle, les groupes semblent très différents les uns des autres. En fait, leurs ressemblances sont cachées derrière des différences beaucoup plus apparentes, l'infinie variété de leurs modes d'expression et des circonstances de leur création.

Il me paraît utile de voir les groupes selon quatre préoccupations fondamentales, présentes de diverses façons tout au long de la vie du groupe. Dans le cas d'une interaction sans contraintes, ces quatre préoccupations, énumérées dans le tableau XIV, produisent des forces internes. Ces dernières diminuent les préoccupations elles-mêmes et engendrent un mouvement chez les individus et le groupe qui conduit à la réalisation des désirs de chacun.

L'*acceptation* relève de l'acceptation de soi et des autres, de la formation de la confiance envers soi et envers les autres, de la diminution des peurs et de la reconnaissance de sa qualité de « membre à part entière ». La *circulation de l'information* se rattache à l'expression des perceptions et des sentiments, à la création d'un système de communication à l'intérieur du groupe et à l'intégration de ces informations dans la *prise de décision* et dans les choix.

La *formation des objectifs* se relie à la détermination des désirs des membres ainsi qu'à l'intégration de ces motivations intrinsèques aux actions du groupe et à la résolution des problèmes. De plus, on applique ce processus à un travail productif, à la créativité, aux apprentissages et à la croissance. Par le contrôle, nous manifestons nos aspirations à exercer un contrôle sur nous-mêmes, sur autrui et sur le processus lui-même, mais le groupe transforme ce besoin de protection et propose un comportement stable, confiant et plus satisfaisant. Ce processus correspond à *l'organisation* du groupe, à une forme et à une structure basées sur l'interdépendance et la réciprocité.

Le talent et l'imagination à dissimuler nos peurs et nos méfiances sont les aspects qui me frappent le plus dans cette analyse

TABLEAU XIV
CROISSANCE D'UN GROUPE

Préoccupations propres au groupe	**Caractéristiques des premières étapes de la croissance**	**Caractéristiques des dernières étapes de la croissance**
Acceptation	Souci d'homogénéité	Célébration de l'hétérogénéité
(Qualité de membre à part entière)	Souci des motifs	Acceptation des motifs
(C)	Paranoïa, cynisme	Confiance
	Conformisme	Non-conformisme
	Souci de compétence	Sentiments de compétence
	Troc de ses qualités	Importance de son identité
	Vérification du degré d'acceptation	Laisser vivre
	Besoin d'un statut	Mon espace est magnifique
	Besoin de définir les rôles	Inutilité des rôles
Circulation de l'information	Stratégies, combines	Expression spontanée
(Prise de décision)	Adoption d'une façade	Diminution de la façade
(O)	Prudence, peur du risque	Expression impulsive
	Fausses hypothèses	«Théorie» réaliste
	Détour, commérage	Conflit, confrontation
	Supercherie, malhonnêteté	Sincérité, franchise
	Ambiguïté, projection	Clarté, attitude directe
	Prise de décision difficile	Prise de décision naturelle et aisée
	Direction de l'information	Circulation libre de l'information
Formation des objectifs	Apathie, retrait	Énergie au travail
(Productivité)	Résistance	Implication, créativité
(R)	Persuasion, conseil	Reconnaissance des différences
	Motivations extérieures	Motivations intérieures
	Compétition, rivalité	Coopération
	Direction des motivations	Acceptation des motivations
	Atrophie du soi	Réémergence du soi
	Travail effréné	Travail satisfaisant
	Objectifs confus	Objectifs clairs
Contrôle	Cynisme	Fluidité de l'organisation
(Organisation)	Structures, canaux	Absence de formalisme, anarchie
(I)	Règles et forme	Absence du besoin de règles
	Négociation, guerre limitée	Expression des désirs
	Importance des contrôles	Inutilité des contrôles
	Dépendance, hostilité	Interdépendance, partage
	Guerres pour le pouvoir	Inutilité du pouvoir
	Importance des leaders	Absence du besoin de leaders
	Légalisme, rationalité	Mouvement des sentiments

des premières étapes de la vie de groupe. Dans le tableau XIV, la deuxième colonne énumère certaines manifestations de nos peurs. Ces dernières se trouvent amplifiées par l'incertitude, le manque de structures, l'ambiguïté, la méconnaissance des attentes d'autrui à notre endroit, la dissimulation des problèmes derrière des façades, l'ignorance de ce qu'on nous demandera de faire dans le groupe, ainsi que toutes les peurs contagieuses des autres.

Selon l'approche CORI, la façon la plus éloquente de décrire la vie de groupe consiste à montrer comment la confiance détruit les peurs. La troisième colonne du tableau XIV illustre en parallèle comment la confiance remplace graduellement la peur dans le cadre des quatre grandes préoccupations du groupe.

Développement de l'acceptation et de sa qualité de membre à part entière. Au départ, l'entrée dans un groupe se caractérise par des symptômes de méfiance : on défend son image publique, on n'exprime pas ses sentiments et ses conflits, on nie l'importance du groupe et ses actions, on désire connaître les rôles et les statuts des autres membres afin de déterminer les dangers possibles, on se méfie des motivations des autres, on rabaisse les pouvoirs et les capacités du groupe, notre comportement est froid, on maintient les autres à distance raisonnable, on tente de fixer des règles et d'établir une structure protectrice et, enfin, on use de toute une variété de mécanismes ayant pour but de se faire accepter sans risque par le groupe. Ce problème se complique par le fait que ni la personne ni le groupe ne sont vraiment conscients qu'il s'agit là d'une préoccupation d'acceptation. Le groupe ne connaît pas la nature du problème et, par conséquent, son travail est inefficace. Même si je peux définir cet obstacle, comment puis-je me faire accepter par les autres ? Analysons cette question en faisant abstraction de l'acceptation de soi.

Les membres tentent d'être acceptés de plusieurs façons : ils étalent leur puissance, tiennent des raisonnements compliqués, tentent de prouver leur compétence, démontrent leur connaissance du groupe, exhibent subtilement leurs lettres de créances et tentent de se joindre aux membres « influents ». Bref, ils utilisent tous les moyens qui semblent leur avoir réussi par le passé.

Toutefois, certains comportements se transforment en présence de l'interaction et de la confiance. On perçoit enfin la diversité et on en apprécie toutes les possibilités. Les membres commencent à accepter les attitudes et les sentiments des autres, éléments qui les troublaient plus tôt. Ils apprennent graduellement à devenir personnels et à se dégager de leurs *rôles*. Ils se départissent presque entièrement de leurs craintes et dévoilent leurs points vulnérables, car les autres semblent maintenant rassurants et leurs motivations paraissent acceptables et raisonnables. On reconnaît donc en eux des amis et non des ennemis possibles, et ils nous semblent intéressants plutôt que menaçants.

La confiance semble toujours apparaître un jour ou l'autre dans le groupe et chez la plupart des membres. D'une certaine façon, il s'agit d'un miracle. Comme une vague adoucissante, la confiance se manifeste au fur et à mesure que les gens découvrent mutuellement leur véritable identité. Ils s'aperçoivent alors que les autres sont fondamentalement rassurants, dignes de confiance, humains et animés de motivations acceptables.

Circulation de l'information, prise de décision et développement du système de communication du groupe. Les processus des quatre préoccupations fondamentales du groupe s'effectuent simultanément. Nous pouvons toutefois remarquer une certaine suite. La croissance de l'acceptation rend possible une manifestation plus profonde des sentiments. La circulation de l'information permet l'intégration des structures conçues pour atteindre les objectifs du groupe. De plus, elle conduit le groupe vers une action efficace. La formation de buts intérieurs et fonctionnels crée l'ouverture nécessaire à l'émergence d'une structure et d'un ordre satisfaisants. Nous ne pouvons affirmer, toutefois, que les quatre processus suivent nécessairement toujours cet ordre. Ils jaillissent ensemble et ils se mettent en valeur les uns les autres.

L'honnêteté et la sincérité sont difficiles à acquérir. La peur conduit à la prudence, à la dissimulation, à la déformation de l'expression, au filtrage des sentiments, à la création de façades polies et à la multiplication des commérages et des conversations secrètes. À l'intérieur de ces sous-groupes, plus petits et plus sécurisants, les gens dévoilent ce qu'ils aimeraient avoir le courage de dire devant l'ensemble des membres. Nous développons en fait une série de techniques de dissimulation et d'attitudes de compensation très perfectionnées qui,pour nous et pour nos auditeurs, sanctionnent ce filtrage.

Les membres habiles dans la dissimulation sont aussi passés maîtres dans l'art de jeter la confusion lors de la prise de décision. En effet, si le groupe n'arrive pas à obtenir une information juste, il pourra très difficilement prendre des décisions rapides et efficaces.

Avec la croissance de la confiance, les barrières qui empêchent l'ouverture et la sincérité tombent. Les gens s'expriment plus facilement et deviennent plus impulsifs, plus francs et plus spontanés. Ils dévoilent leurs pensées et leurs sentiments, expriment leurs opinions par des messages clairs et brefs, avec un minimum d'observations préliminaires et de justifications. Ils manifestent clairement leurs états d'esprit. Ce processus permettra plus tard d'atteindre l'environnement VII et d'y évoluer d'une manière efficace.

L'ouverture s'accompagne à la fois de conflits, de confrontations, comme d'une communication plus profonde et d'une implication plus grande. Les obstacles diminuent et la prudence est moins nécessaire. Les groupes peuvent enfin cerner les « véritables » problèmes plus rapidement, sans avoir recours aux « exercices de réchauffement » reliés habituellement à des peurs cachées.

Dans les groupes de travail naturels, le manque d'information sur les sentiments et les perceptions des membres est particulièrement déroutant. Cette situation se change difficilement car elle est issue de vieilles peurs, d'habitudes et de mécanismes si familiers qu'ils semblent naturels et inévitables. Quand les groupes manquent d'informations, ils ne peuvent être utiles ; ils prennent de mauvaises décisions basées sur de fausses hypothèses. Ils croient, par exemple, que le silence signifie l'accord ou le désaccord, que tout le monde est satisfait de la situation présente et que les gens apprécient ces rencontres puisqu'ils y participent. La conspiration inconsciente conduit à la dissimulation des sentiments et des opinions. Le groupe paralyse, le cynisme se répand et on doute de toutes les autres formes de groupes. On croit que les comités ne peuvent résoudre les problèmes, diriger une entreprise, atteindre leurs buts ou réussir quoi que ce soit.

Toutefois, avec l'apparition de la confiance, les groupes apprennent à rassembler rapidement l'information et à se départir de leur « ignorance ». Ils peuvent alors prendre des décisions plus sagement que des individus isolés. Les groupes *peuvent être* merveilleusement efficaces. Certains *arrivent bel et bien* à diriger d'importantes entreprises, à atteindre leurs objectifs, à prendre des décisions justes et à s'engager dans l'action.

Développement de la formation des objectifs et diverses formes de productivité. La peur et la méfiance proviennent aussi d'un traitement partiel de l'information qui, à son tour, empêche l'intégration adéquate des objectifs du groupe.

La formation inadéquate des objectifs vient d'une connaissance incomplète des buts individuels, d'un mauvais traitement de l'information, d'une entente précipitée sur des buts à demi formulés, d'un manque de réflexion sur les choix possibles, de l'absence de décisions afin de résoudre le problème de l'acceptation, de la présence d'une tension qui nuit à la réalisation de tout objectif et d'un trop haut niveau d'abstraction dans la formulation de ces objectifs.

Une bonne formulation des objectifs constitue une caractéristique du groupe efficace. Un groupe faible ou qui se situe aux premières étapes de son développement se remarque à ses compromis dans la définition de ses objectifs. Par conséquent, les membres se sentent parfois moins satisfaits que s'ils faisaient cavaliers seuls. S'ils manifestent leur approbation, c'est par servilité, par souplesse feinte ou par peur de la différence. Lors de nos premières recherches, les groupes qui se situaient aux premiers stades de leur développement manifestaient un « niveau de réserve » très élevé. Plus tard, nous avons recueilli l'information par de meilleurs moyens, par exemple l'entrevue en profondeur. Les membres que le groupe avait crus d'accord avec ses décisions ont alors manifesté un certain nombre de réserves secrètes et non exprimées.

L'apathie et le travail frénétique sont les signes d'une tension non résolue qui résulte du problème de la formation des objectifs. On prend à tort le travail effréné pour de la création et de l'efficacité. Cette attitude peut venir plutôt d'un sens du devoir, du besoin compulsif d'impressionner les autres ou du désir de prouver l'efficacité du groupe. Le travail fiévreux peut durer un certain temps mais il ne se relie pas vraiment à des objectifs réels et ne conduit pas à des résultats concrets.

D'autre part, l'apathie constitue une façon de s'opposer à des objectifs mal définis ou mal compris et elle peut provenir de l'attitude persuasive et ambitieuse de certains autres membres, lors de la définition des objectifs. Les gens « dynamiques » et charismatiques qui tentent de diriger le groupe peuvent aussi en être la cause. De plus, elle peut être une réaction à des activités qui n'ont pas été vraiment choisies librement.

Les groupes « débutants » peuvent faire d'autres erreurs reliées à la définition des objectifs. De trop grandes aspirations peuvent, par exemple, conduire à la formulation d'objectifs vagues, lointains, pratiquement irréalisables. Par conséquent, les membres se découragent avant même que l'action n'ait été entreprise. De plus, l'appui désinvolte à des objectifs faciles provient d'une attitude de fuite face à des choix plus exigeants.

Les processus de la définition des objectifs sont clairement reliés à la qualité de la productivité. Les objectifs doivent se développer dans une atmosphère de grande confiance et venir d'un accord *profond* de la part des membres, d'un traitement *ouvert* de l'information pertinente, et de la synthèse *créatrice* des désirs exprimés. Si ces conditions sont réunies, les objectifs seront une force intégratrice qui conduira à la coopération, au travail satisfaisant et soutenu, à la joie de l'activité commune, à l'interdépendance.

Développement de l'interdépendance, d'un contrôle approprié et d'une organisation efficace. Lors des premiers stades du développement du groupe, la peur fait apparaître des structures, des contrôles, des règles, des leaders, des rôles précis, des canaux de communication, bref, tous les moyens nécessaires pour diminuer l'ambiguïté et l'imprévisible. Les membres peuvent demander de chronométrer les interventions et de fixer des règles concrètes. « Si nous parlons chacun notre tour en suivant un ordre préétabli, je saurai quand m'exprimer et je n'aurai pas à me battre pour prendre la parole. » Quelqu'un peut demander aux gens de se présenter de manière à faire connaissance avec tous et chacun. Comme le déclarait un membre : « Je connais les infirmières; si je sais qu'elle est une infirmière, je peux réagir en conformité avec ce que j'en connais. »

Quand je parle de structures, j'entends par là la présence visible de modèles, de règles, de rôles, de canaux, de contrôles, de contrats, de lois, d'autorités, de responsabilités et d'accords formels. En d'autres termes, il existe toujours une « structure », telles les préférences de la sociométrie, les règles figées et les voies officielles de la communication.

Les membres du groupe finissent par s'apercevoir de la fragilité de ces structures d'apparence si solide. Les structures, en effet, ne desservent pratiquement pas les buts conscients de leurs créateurs. Si on les exige, c'est surtout par besoin de prévisibilité, d'ordre, de sécurité, d'efficacité, d'équité, de protection du soi-disant faible contre le soi-disant fort, de contrôle des minorités en apparence dangereuses et détestées, d'un monde rationnel, d'une règle légale et de tout autre critère « raisonnable ». Mais il y a un problème : la structure n'atteint tout simplement pas ses fins, raisonnables ou non. En l'absence de la confiance, elle conduit plutôt à la résistance, au détour, à la stagnation, à la délinquance, à l'illégalité, à la malhonnêteté, à l'adoption de lois additionnelles afin de corriger les anciennes, à l'inefficacité, à la désobéissance et à une variété de comportements de contre-dépendance. Mais si la confiance règne, aucune structure n'est nécessaire.

Ces généralisations sur les structures et sur la confiance semblent très bien se vérifier à l'intérieur de petits groupes. Selon l'acceptation courante, la plupart des « petits » groupes comptent de six à vingt membres. Avec le temps, ils acquièrent un niveau de confiance de plus en plus élevé.

Ces petits groupes deviennent alors plus informels, moins structurés, moins contrôlés, moins préoccupés par le pouvoir et l'autorité, moins dépendants à l'égard d'un leader. Ils adoptent une forme plus fluide et plus mouvante, manifestent un plus haut degré de réciprocité, de partage et d'interdépendance. Ils vivent de sollicitude, d'ordre, de sécurité, de confort, de douceur. Ils ne pratiquent donc pas l'anarchie, vision catastrophique des défenseurs de la structure qui assimilent l'absence de leader et l'émergence à l'anarchie dangereuse.

Le groupe familial

L'application la plus directe et la plus immédiatement satisfaisante de la théorie CORI s'effectue dans la famille. J'ai vu plusieurs praticiens CORI appliquer la théorie à la création de leur foyer. Lorraine et moi avons utilisé la théorie CORI pour la première fois lors de notre mariage, il y a vingt-huit ans.

Notre groupe familial comptait cinq membres. Dès le départ, nous avons tenté de créer l'atmosphère d'un groupe CORI. Larry, l'aîné, est mort à l'âge de sept ans. John et Blair ont maintenant respectivement dix-huit et vingt-trois ans. Nous nous percevons tous, chaque membre de la famille, comme personne et comme ami intime plutôt que comme parent ou enfant. Nous avons tous essayé de nous libérer des rôles ou des règles. Nous n'avons jamais consciemment tenté d'établir une forme quelconque de loi, de contrat ou d'accord formel.

Dans notre famille, il n'y a eu aucun effort conscient et délibéré pour « manier » les quatre processus CORI, pour manier les relations, la communication, les motivations et les contrôles. Nous ne nous sommes jamais consciemment efforcés de récompenser ou de punir. Nous n'avons jamais essayé d'influencer les motivations des autres. De plus, l'organisation formelle est pratiquement inexistante.

Nous avons tous tenté de créer un environnement relié aux niveaux VI et VII, insistant sur l'amour, le contact physique, l'expression des sentiments, la sincérité, l'ouverture, la chaleur, la liberté, le respect du désir de solitude, la sympathie et l'écoute. Nous avons essayé de passer le plus de temps possible ensemble. Bien sûr, il s'agit ici de nos *intentions*. Les résultats ont été très positifs. Il n'y a eu aucune insistance sur la responsabilité, la discipline, la formation, l'enseignement, les récompenses et les punitions, la morale, les avertissements, les horaires, le devoir, l'obéissance, les obligations, les contrôles, l'uniformisation, bref, sur tous les concepts classiques de l'éducation des enfants.

Nous apprécions tous notre famille, nous aimons vivre ensemble et nous sommes à l'aise lorsqu'il s'agit d'inviter des amis à la maison. Bien sûr, Blair et John cherchent maintenant à établir davantage de relations extérieures à la famille et passent de plus en plus de temps avec leurs amis. Notre groupe se trouve donc réuni moins souvent que Lorraine et moi le souhaiterions.

Lorraine et moi sommes tous deux satisfaits des résultats de notre théorie à l'intérieur de notre famille. Il s'agit là de la réalisation personnelle que j'apprécie le plus. J'aime particulièrement l'environnement que nous avons créé. Je crois surtout que Lorraine et moi ne pouvions fournir à Larry, Blair et John un meilleur départ dans la vie. J'ai analysé nos applications de la théorie CORI dans les domaines de l'industrie, de l'enseignement, de la création d'une communauté, de la formation aux relations humaines et de la consultation. Dans chaque cas, je modifierais beaucoup l'action passée. Mais, en ce qui concerne notre vie familiale, je ne changerais rien à notre utilisation de la théorie.

D'autres ont expérimenté la théorie CORI à l'intérieur de leur famille et ont constaté les mêmes résultats positifs. Ils ont cependant noté certaines difficultés, particulièrement dans les débuts.

Ici, le niveau de confiance des usagers est évidemment d'une importance cruciale. Les membres de notre famille *savent* qu'ils peuvent se faire mutuellement confiance. Nous *connaissons* la puissance et la nécessité de la confiance dans notre vie familiale et nous savons qu'elle en est le facteur le plus important.

Pour certains, la liberté et l'amour sont les éléments clés de la vie. À la clinique et dans mon voisinage, j'ai entendu des parents parler de leurs enfants. Une femme disait, par exemple : « Je donne à mes enfants leur liberté parce que, de toute façon, je ne pourrais les contrôler. Je préfère donc ne pas essayer. » Évidemment, la liberté ne se « donne » pas. Elle n'est pas authentique lorsqu'on doit la « donner » sans empressement, à contrecoeur ou en désespoir de cause. *En présence de la confiance*, toutefois, l'attribution de la liberté et de l'amour des membres de la famille prend une toute autre couleur. La théorie CORI « fonctionne » pour ceux qui y croient vraiment. L'acquisition de la confiance équivaut à atteindre un état organique profond ; elle n'est pas une question de volonté. On devient confiant et on communique notre état aux autres lorsqu'on agit d'une manière confiante. Je deviens plus confiant par la création d'un environnement dans lequel je sais pouvoir me fier aux gens et au monde qui m'entourent.

J'ai appris beaucoup lors de la création de notre groupe familial :

1) Au moins à l'intérieur d'une petite famille, le leadership et l'attitude parentale sont inutiles. De plus, ils nuisent à la création d'un foyer et à l'éducation des enfants. Les environnements VI et VII fournissent par contre un climat très satisfaisant et particulièrement propice au développement des enfants.

2) La confiance engendre la confiance. Nous avons constaté que les enfants élevés dans une atmosphère de confiance deviennent remarquablement honnêtes et francs. *Lorsqu'on ne punit pas les enfants* (surtout pour avoir dit la vérité !), lorsqu'on leur fait confiance, qu'on les aime, ils deviennent profondément honnêtes avec eux-mêmes comme avec les autres.

3) Qu'arrive-t-il aux enfants élevés dans un environnement de confiance profonde, en l'absence de récompenses, de punitions, de discipline, de formation morale, de règles, d'incitation à l'obéissance et de contrôles parentaux ? Ils semblent très bien s'adapter aux environnements II à IV qui caractérisent en général les écoles, les églises, le monde des affaires, les équipes sportives et les institu-

tions sociales. Ils sont aidés en cela par une exceptionnelle estime d'eux-mêmes : ils sont très bien dans leur peau. L'attitude défensive et la peur de l'autorité sont chez eux pratiquement absentes, contrairement aux enfants punis, disciplinés et obéissants.

4) Blair et John m'impressionnent particulièrement par leur façon de devenir responsables de leur vie et de leurs choix. Ils décident d'étudier ou non, déterminent le temps à passer devant la télévision, choisissent leurs amis, l'heure du coucher, leurs vêtements, leur alimentation, leur façon de dépenser leur argent, leurs écoles et leurs loisirs. Ils manifestent très peu de dépendance et de contre-dépendance.

5) Un point m'intéresse particulièrement en tant que psychologue, clinicien et théoricien. Blair, John et les autres enfants élevés de la même façon sont *libérés de toute culpabilité*. Cette caractéristique est évidemment pour moi d'une importance cruciale ; je connais tellement les effets négatifs et douloureux de la culpabilité !

6) La famille créée selon de tels principes connaît une vie remarquablement plaisante et sereine. On ne peut dire toutefois qu'il s'agit d'une vie sans heurts. Les parents ne jouissent d'aucune prérogative, comme c'est le cas dans les familles autocratiques. De vives discussions entourent la prise de décision au sujet des vacances familiales, du menu du dîner, de l'émission de télévision, de l'attribution de l'auto, des ordures ménagères, du volume de la musique et d'une foule de choses traditionnellement décidées par les parents. Freud avait tort sur plusieurs points. Toutefois, quel que soit son nom, la « rivalité familiale » est bel et bien présente chez nous. Blair et John se querellent sur divers sujets. Leur chambre est souvent dans un désordre inouï et ils ne semblent pas avoir découvert les avantages de la compulsivité anale. De plus, ils ne manifestent aucun respect pour mon amour de Chopin ! Ils sont délicieusement humains.

La classe

Je me rappelle avec stupeur l'expérience enrichissante que j'ai vécue en 1951 lors de mon premier été comme membre du personnel des National Training Laboratories. Lee Bradford et mes amis de l'université m'ont alors appris pour la première fois à voir ma classe *comme un groupe* et non comme une *réunion d'individus*. J'enseignais au niveau universitaire depuis 1937 et j'avais acquis la réputation d'un expérimentateur radical. J'étais satisfait de mon « enseignement », mais il ne m'était jamais venu à l'esprit de voir la classe *comme un groupe*.

Malgré l'influence mondiale des N.T.L. dans le monde de l'éducation, plusieurs éducateurs réputés et efficaces ne connaissent pas encore l'importance de ce concept. Certains voient la classe comme un ensemble de groupes de deux : le professeur et Robert, le professeur et Isabelle, le professeur et Jean, et ainsi de suite. Ils savent qu'il existe des groupes de deux étudiants, diverses atmosphères propres à la classe et des variables reliées à l'environnement. Toutefois, ils n'ont pas perçu que la réalité transcendante et enrichissante de la classe se trouve dans cette notion de *groupe*. Celui-ci est en effet un *organisme* chaud, vivant, palpitant, puissant, transformateur et fondamental.

Ceci étant perçu, le « groupe » peut être une source de terreur pour le professeur, de même que pour chaque étudiant : on peut le voir sous un aspect anthropomorphique, en faire un démon effrayant. Les résistances confuses peuvent effrayer l'étudiant et le professeur. Les pressions du groupe semblent prêtes à tout écraser. Toutefois, si on se joint à lui, si on en reconnaît la valeur, si on l'aime et on le caresse, il peut devenir pour tous une source de sollicitude et d'énergie, un appui, un lieu qu'on ne veut plus quitter.

Divers sentiments, attitudes et perceptions surgissent lorsque le professeur voit et intériorise cette nouvelle « réalité » transcendante. Il n'est plus celui qui motive. Il perd son rôle de personne ressource, de modèle, de responsable du rendement de la classe. Il ne propose plus de méthode, il n'est plus l'exemple à suivre. Il n'est plus là pour aider les étudiants à définir leurs valeurs, à négocier leurs contrats ou à repenser leur orientation. Le professeur se joint simplement au groupe et, de concert avec les membres, il apprend, se bat, s'amuse, souffre, tente de trouver un sens à la vie, apprécie l'univers, assimile les traditions et érige un monde nouveau.

Dans une classe, la différence fondamentale entre l'efficacité et l'inefficacité se trouve dans la capacité du professeur de participer au *processus de recherche*, de s'intéresser profondément à la découverte, de se dégager de son rôle d'enseignant, de laisser chaque étudiant prendre ses responsabilités et de créer son propre environnement d'apprentissage. Pour atteindre ces objectifs, l'enseignant doit se fier au processus de découverte, aux membres de la communauté d'apprentissage et au groupe lui-même.

Évidemment, les choses ne sont jamais aussi faciles. Un simple changement de perception ne conduit pas à la réalisation de tous ces objectifs. L'enseignant a en effet accepté un rôle de professionnel et toutes les responsabilités qui y sont rattachées.

Je connais plusieurs professeurs, se situant à tous les niveaux de notre système d'éducation, qui ont connu cette transition et qui vivent en union avec les autres membres de la classe. Certains appliquent consciencieusement la théorie CORI. D'autres n'ont pas entendu parler de la théorie du niveau de confiance mais connaissent d'instinct les caractéristiques d'un travail de groupe efficace. Ils sont les meilleurs professeurs que je connaisse et leurs étudiants les aiment, les apprécient et les respectent, leurs directeurs les approuvent souvent et les parents les appuient. Ces professeurs vivent dans un monde meilleur qu'ils aident à créer.

Voici les obstacles qui s'opposent à la création d'un groupe d'apprentissage :

1. Se laisser gagner par la peur. Mettre en place plusieurs *contrôles* qui protègent contre les risques. Exercer des pressions subtiles sur les étudiants afin qu'ils se fixent des buts « réalistes ». Tenter d'influencer le groupe lors de la prise de décision et de l'élaboration de règles de fonctionnement.

2. S'enfermer dans les processus d'*évaluation*. Placer ses énergies dans l'obtention du diplôme et dans l'application de critères de qualité. Gaspiller ainsi un enthousiasme et une énergie qu'on aurait pu consacrer à l'action et à la résolution des problèmes.

3. Passer un temps excessif à *planifier*, à préparer et à élaborer une stratégie. Accorder trop d'importance aux procédures. Perdre ainsi une énergie précieuse qui aurait dû être consacrée à des activités davantage reliées à l'apprentissage, comme la réalisation d'un projet, la solution d'un problème, le tournage d'un film, la conduite d'une recherche, la découverte de quelque chose.

4. S'enfoncer dans les processus des environnements II à IV, préoccupés avant tout par l'autorité, le pouvoir et le leadership. Selon mon expérience, les groupes d'apprentissage efficaces évoluent rapidement vers les niveaux V et VI.

5. Éviter les processus de l'émotivité, de la sollicitude, de l'amour et du toucher pourtant si importants lors de la création d'une communauté. J'ai travaillé à la préparation de programmes avec des professeurs et j'ai découvert qu'il n'existe aucune méthode

facile et rapide pour apprendre à être une personne dans une classe. Les bons enseignants ont d'abord une bonne théorie et tentent ensuite de l'expérimenter. Ile se produit alors un événement fondamental : *le professeur apprend*. Il apprend la confiance, il apprend à être personnel, à se tromper, à laisser surgir le processus, à se concentrer sur le groupe et sur la création de l'environnement, *à se sentir pleinement dans la salle de classe*. Le futur professeur doit découvrir très tôt s'il aime se trouver parmi des enfants ou des adultes et s'il peut apprécier les gens auxquels il se joindra.

6. L'incapacité de s'amuser dans la classe et de découvrir la joie d'être membre d'une communauté d'apprentissage.

7. S'orienter surtout vers l'emploi de techniques. De nombreux jeux, exercices techniques, trucs, explications et programmes sont préparés à l'intention des pédagogues. Ces derniers ont parfois besoin de les utiliser jusqu'au moment où ils acquièrent de l'expérience et de la confiance. Ils peuvent alors se joindre au libre mouvement de l'expérience directe et aux événements qui émergent de la classe. Les jeux de simulation, les exercices de clarification des valeurs, le cercle magique, les exercices non verbaux, les groupes de rencontre, les projets de livres de recettes et toute la gamme des instruments pédagogiques sont utiles dans certaines situations. Pour l'enseignant inexpérimenté, ils peuvent servir de transition entre la classe conventionnelle et la communauté d'apprentissage. Ils comportent toutefois d'importantes limites : d'une part, ils perdent vite de leur nouveauté ; d'autre part, ils *empêchent les étudiants de prendre la responsabilité de créer leur propre apprentissage*. En fait, ils ont été créés par des agents extérieurs et non par la communauté elle-même. Ces instruments servent à passer le temps ; ils gagnent l'affection des étudiants un moment et ils leur évitent d'écouter le professeur. De plus, les membres de la classe n'ont pas à s'engager dans la tâche ardue de créer leur propre communauté d'apprentissage.

La communauté d'apprentissage représente pour moi une transition. Elle sert de lien entre le système scolaire traditionnel et une culture qui remplacera bientôt l'école par une conception de vie propice à l'apprentissage. Les enseignants qui désirent participer à cette révolution devront *apprendre à apprendre*. Ils devront apprendre à se joindre aux autres lors de l'apprentissage, à vivre et à apprendre en communauté, à intégrer l'apprentissage au processus global de la vie et de l'être. Ce processus de changement est passionnant et il compense amplement pour les difficultés et la confusion occasionnelle que connaissent ceux qui apprennent à vivre dans un système éducatif différent.

Le groupe de thérapie ou de consultation

J'ai constaté, de concert avec plusieurs autres professionnels, l'utilité de l'application de la théorie CORI à la thérapie et à la consultation de groupe. La thérapie du niveau de confiance s'est aussi révélée efficace à l'intérieur de programmes conçus pour « s'aider soi-même ». Ceux qui souhaitent plus de précision sur ces sujets trouveront les références dans la bibliographie. Les principales caractéristiques de l'orientation CORI à l'intérieur de ces groupes sont les suivantes :

1. Le thérapeute se joint aux autres membres du groupe. Il réfléchit avec eux sur le niveau de confiance et l'environnement qu'ensemble ils ont créé. Il n'intervient pas dans la vie de ses « clients ».

2. Le thérapeute et les clients se dégagent le plus possible de leurs rôles. Tous les membres du groupe sont des personnes à la recherche d'une vie et d'un environnement plus riches. Le conseiller ou le thérapeute ne doit pas les considérer comme des clients à qui il doit son aide. Face au groupe, le thérapeute est une personne et un *membre à part entière*. Il n'a pas à proposer ou à faciliter le cheminement du groupe. Il n'est pas un guide, ni un protecteur, ni un conseiller, ni un aide. Il fait partie du groupe pour apprendre, croître, être et découvrir. Avec les membres, il crée un environnement qui émerge et qui soutient. Je connais plusieurs thérapeutes et conseillers qui réussissent très bien à appliquer ce principe. (**C**)

3. Tous les membres du groupe, y compris le thérapeute, sont aussi ouverts que leurs peurs le leur permettent. Le thérapeute partage ses sentiments, ses perceptions et ses problèmes de la même façon que les autres membres du groupe. (**O**)

4. Chaque membre prend l'entière responsabilité de ses processus de découverte, de la détermination de ses désirs et de tous les aspects de sa vie. Le thérapeute par exemple, n'est pas responsable du mieux-être de son client et ne favorise pas ce processus. Le groupe *n'est pas un « groupe d'aide »* ni même un groupe pour

« *s'aider soi-même* ». Il est plutôt un groupe de personnes qui cherchent ensemble diverses formes de transcendance. (**R**)

5. Le groupe cherche à atteindre des niveaux plus élevés de conscience, de communauté et de relations profondes. Ces processus, décrits ici-même dans ces pages, *sont* en eux-mêmes thérapeutiques. Une telle vie à l'intérieur d'un groupe ou d'une communauté est enrichissante pour les personnes qui ne se perçoivent pas comme malades ou comme ayant besoin d'aide. Le groupe ou la communauté basés sur la théorie CORI seront pour les autres personnes une source de guérison. (**I**)

Selon moi, nul n'a besoin de thérapie s'il peut connaître le type de relations profondes définies dans le tableau XII et s'il se situe dans les environnements VI et VII. Les relations profondes, les groupes émergents et les communautés CORI *correspondent* au processus de l'être sain. En présence des quatre processus de découverte CORI, la confiance l'emporte sur la peur et la vie est source de santé et d'accomplissement. Pour ma part, j'ai cessé de faire des thérapies parce que j'ai atteint, dans ma vie personnelle et organisationnelle, les états CORI de relations profondes et de communauté. Je préfère travailler avec les autres à la création d'environnements plus élevés à l'intérieur de groupes de travail, de groupes de vie, d'organisations et de communautés, auxquels j'appartiens ou auprès desquels je suis consultant.

Selon une habitude culturelle de plus en plus répandue, les gens attendent d'être en présence de leur groupe de thérapie ou de rencontre pour réfléchir sur leurs conflits et sur leurs sentiments. Ils gaspillent ainsi les énergies et les sentiments qu'ils auraient dû intégrer à chaque situation, au fur et à mesure qu'elle se présentait. De l'aveu général, dans notre culture de transition, la thérapie de groupe peut aider les gens à affronter leurs sentiments, leurs conflits et leurs choix et ce, au moment où ceux-ci surgissent. Il existe, toutefois, une voie plus directe pour connaître une vie saine : il s'agit d'apprendre à créer des groupes de travail qui encouragent l'expression des sentiments, la détermination des désirs et l'interdépendance. Ainsi, les gens peuvent résoudre immédiatement leurs problèmes et les thérapies ou les consultations perdent leur utilité.

La conception CORI de la thérapie et de la consultation n'est plus aussi radicale qu'il y a dix ou vingt ans. Quelques aspects fondamentaux la distinguent toutefois encore de certaines autres. Ainsi, on admet maintenant le *concept* que chaque personne est entièrement responsable de sa santé physique et mentale mais, cependant, on ne semble pas saisir l'essence du problème lorsqu'il s'agit de *former* les gens à devenir responsables d'eux-mêmes. Si *quelqu'un d'autre* tente de m'inculquer ce principe, je suis privé d'un élément fondamental du processus de vie. En fait, il s'agit souvent là d'une forme de modification du comportement appelée, par exemple, « training autogène ». Le thérapeute dit alors au patient de répéter une phrase semblable à : « je prends la responsabilité de ma personne », et il récompense ensuite le client. Le thérapeute devient l'amorce, la source de motivation, la figure prestigieuse qui garantit la qualité du processus, ainsi que le pourvoyeur de récompenses, à la suite d'un comportement « satisfaisant ». Le client abandonne à quelqu'un d'autre les éléments fondamentaux du processus de sa vie.

Il manque à ce cheminement des éléments essentiels. Pour prendre l'entière responsabilité de sa vie, le client doit en effet déclencher le processus, en inventer la forme, trouver les énergies internes nécessaires à son maintien, décider de sa durée et prendre la pleine responsabilité de *toute* cette séquence ou, mieux encore, de *tout le mouvement*. Les théoriciens et les praticiens CORI veulent découvrir des façons de rendre autogène le processus *entier*. La qualité de membre à part entière d'une communauté CORI basée sur la confiance,par exemple, permet à la personne de façonner ses initiatives, ses sentiments, ses perceptions, ses énergies et ses récompenses intrinsèques.

Voici une autre des implications fondamentales de la théorie : *le véritable environnement thérapeutique et curatif se situe aux niveaux VI et VII. Il favorise une participation entière et personnelle à l'intérieur d'un groupe ou d'une communauté sans leaders.* Il s'agit là d'une expérience beaucoup plus efficace que les thérapies de groupe classiques ou modernes qui se situent dans les environnements II à V. Je crois fermement en la valeur de ce principe qui changera bientôt la pratique de la thérapie et de la consultation.

La communauté CORI, qui n'est ni orientée vers la thérapie ni vers le principe de « s'aider soi-même », représente un environnement thérapeutique efficace. Elle peut remplacer avantageusement la thérapie de groupe conventionnelle. Si on la compare aux groupes de deux ou de plusieurs personnes, la communauté CORI propose plus de choix, plus de façons d'essayer d'atteindre à une vie efficace, plus de risques, plus de diversité. Elle présente à la fois un défi et un soutien plus grands. Un certain nombre d'études se sont penchées sur cette question d'efficacité. Leurs résultats sont intéressants mais on ne peut encore en tirer des conclusions définitives. Il m'apparaît toutefois évident que notre plus grand espoir se trouve dans l'évolution de notre culture vers des concepts davantage reliés à l'idée de communauté.

Le groupe de formation

Le groupe connaît une popularité croissante, qu'on l'appelle groupe de base, groupe de formation, groupe de sensibilisation, groupe de rencontre, etc. Il s'avère très efficace dans les domaines de la formation aux relations humaines, de la formation des directeurs et des cadres, de la croissance personnelle, de l'éducation religieuse, du travail d'équipe et même des relations raciales. Le groupe de formation diffère des communautés d'apprentissage et des groupes de thérapie. Il s'attache surtout au changement du comportement, au processus du groupe plutôt qu'à son contenu, à la croissance personnelle et à la croissance du groupe plutôt qu'à la thérapie et au principe de « s'aider soi-même » et, enfin, à la personne dans son ensemble.

Dans le chapitre XII de *The Laboratory Method of Changing and Learning,* écrit en collaboration avec Benne, Bradford et Lippitt, j'ai décrit ma conception du groupe de formation, inventée d'ailleurs en 1947 par les National Training Laboratories. Le groupe de formation connaît plusieurs changements semblables à ceux que nous avons décrits lorsque nous avons parlé des groupes en thérapie et des groupes d'apprentissage.

À l'origine, la méthode utilisée pour diriger les groupes de formation comportait une orientation formulée, habituellement réservée aux interventions. Cette forme pure et ses multiples variations émergentes ont été appliquées efficacement à presque toutes les situations où des personnes se trouvaient réunies en groupes. Nos premières formulations de la théorie CORI sont issues des expériences que nous avons menées à l'intérieur de groupes de formation sans leaders au début des années 50. Nos recherches ont alors démontré que, sans leaders, les groupes de formation, les groupes de thérapie et les groupes d'entraînement au travail en équipe étaient aussi efficaces, parfois même plus, que ceux dirigés par des professionnels. Ces recherches ont ensuite suscité, entre 1954 et 1975, plusieurs projets d'étude et d'expérimentation qui, à leur tour, ont conduit à la formulation de l'analyse des niveaux d'environnement présentée au chapitre III.

Il existe plusieurs façons d'améliorer le groupe de formation. On peut, par exemple, remplacer le leader par des directives enregistrées. L'enregistrement se substitue alors au leader et ce processus est étonnamment efficace. Une autre méthode, issue de la théorie CORI, consiste à laisser simplement les membres se rencontrer, sans utiliser de leaders, de directives ou de programmes. Cette technique est encore plus efficace que l'emploi d'enregistrements ou d'instruments quels qu'ils soient. Des recherches fort bien étoffées dans cette direction se révèlent très pertinentes.

Tout comme pour les groupes de thérapie, une personne-ressource professionnelle qui veut appliquer la théorie CORI à un groupe de formation se joint au groupe comme simple membre et tente de se dégager de son rôle. Cette méthode est pratique, efficace et de plus en plus utilisée. Elle comporte en outre de nombreux avantages.

Ainsi, les membres *et* la personne-ressource peuvent participer au processus au cours duquel le leader abandonne son rôle et se bat pour devenir simple membre. Tout usager de la théorie CORI, qu'il soit directeur, parent, professeur, membre du personnel, thérapeute, politicien, etc., doit vivre cette expérience. Les sentiments ambivalents du leader et les demandes ambivalentes des membres-travailleurs produisent une agitation latente créant à son tour une ambiguïté lors du passage de l'état de leader à celui de membre. Si mon analyse des tendances culturelles de notre société se révèle exacte, cette transition sera l'événement important de notre époque et tous peuvent participer à hâter son arrivée. Les pionniers en ce domaine accomplissent une tâche historique capitale.

L'équipe de travail et l'équipe de direction

Le groupe de travail et l'équipe de direction délaissent graduellement les environnements autocratiques et punitifs et évoluent de plus en plus rapidement vers des niveaux plus élevés, avec l'acquisition de nouvelles connaissances et avec l'apparition d'une conscience plus grande.

Chaque directeur ou consultant choisit lui-même le rythme auquel il progressera vers l'application intégrale de la théorie CORI dans le développement de l'équipe ou dans la direction opérationnelle. McGregor, Bennis, Argyris et Likert ont été de courageux pionniers dans ce domaine. Leurs travaux ont aidé les directions institutionnelles, particulièrement celles du monde des affaires, à se dégager de l'environnement II et à évoluer vers l'environnement V. Selon mes observations, ces groupes avancent plus rapidement que les groupes gouvernementaux, éducatifs ou religieux.

La nécessité d'une transition graduelle se rattache peut-être à des hypothèses trop prudentes. Mes consultations auprès de la haute direction de diverses entreprises m'ont prouvé, particulièrement depuis les trois ou quatre dernières années, que ces groupes sont probablement prêts à s'engager dans la voie d'un changement plus radical.

En appendice se trouve un instrument expérimental qui correspond à une modification de la grille d'auto-évaluation CORI. La *grille d'évaluation de l'équipe* est conçue à l'intention du consultant, du directeur, du groupe de travail ou de l'équipe de direction. Elle sert à réfléchir sur la présence des quatre processus de découverte CORI à l'intérieur de l'équipe. En fait, ces processus permettront de progresser vers un environnement plus riche et vers une productivité plus élevée.

L'équipe doit elle-même déterminer le niveau d'environnement qui lui convient le mieux au moment de l'analyse. Sous sa forme primitive (et aussi la plus pure), la gestion par objectif tentait d'opposer « la direction par un leader » du niveau II et la « direction par la formulation des buts ». Son succès illustre le rejet du principe selon lequel tout doit être fait par les leaders ou par les directeurs. On a tenté plusieurs fois d'appliquer le mode de direction de l'environnement III, soit la direction par « l'acceptation et le soutien ». Sous une forme ou sous une autre, la « direction par la circulation de l'information » s'est basée sur les développements du traitement de l'information et sur l'analyse informatique. Cette formule appartient à l'environnement IV et elle a été appliquée aux groupes CORI, où on a constaté qu'il s'agissait d'un concept de direction « sans consultant ». Dans plusieurs compagnies et plusieurs sociétés, nous avons pu remplacer le consultant, lors des séances conventionnelles de développement de l'équipe OD, par un processus au cours duquel l'équipe formulait les objectifs, les traduisait en termes mesurables et traitables par les ordinateurs et, enfin, les considérait comme des indications sur le développement du groupe. Les mesures du processus de développement, semblables d'ailleurs aux informations fournies par la *grille d'évaluation de l'équipe*, étaient utilisées de concert avec les mesures de la productivité et du profit.

De telles expériences permettent aux équipes d'évoluer vers les environnements VI et VII. Dans la pratique, un certain nombre de directeurs et de consultants, qui sont aussi des praticiens CORI, ont tenté de se départir le plus possible de leurs rôles et de devenir simples membres du groupe, et ces tentatives ont remarquablement réussi, malgré la prédominance de la théorie classique de la direction. Le monde des affaires dispose d'un grand nombre d'instruments objectifs servant à mesurer la productivité et l'efficacité des équipes. Par conséquent, l'application de la théorie CORI dans ce domaine a été plus efficace que dans les domaines de l'éducation, de la thérapie et de la religion. De plus, même si la théorie CORI a souvent plus d'affinités avec la théorie implicite de l'école, de la clinique et de l'église, la présence de la peur dans ces institutions et l'insécurité face à l'évaluation des résultats leur ont souvent fait adopter une attitude plus prudente.

Plusieurs facteurs rendent difficile la transformation de l'équipe en *groupe* dans le plein sens du terme. L'individualisme et la compétition sont des valeurs encore très présentes, surtout dans le milieu de travail. Les gens doutent, et parfois avec raison, de l'efficacité des groupes et des comités. Ils en arrivent à ne croire qu'à eux-mêmes, à n'agir que selon leurs seuls désirs et ne prendre de responsabilités que pour eux-mêmes ; ils manifestent de plus une peur du groupe et de la communauté qui teinte leur moindre jugement. Nous constatons aussi un manque de techniques susceptibles de favoriser la participation, la prise de décision et la planification à l'intérieur d'un groupe. Enfin, il existe peu de preuves que la direction par le groupe puisse conduire à la productivité, au profit et à la créativité. Plusieurs de ces obstacles diminuent toutefois avec l'apparition de groupes efficaces. L'importance de l'interdépendance dans les organisations modernes rend une forme d'action commune nécessaire.

Notre travail prouve que la *communauté* est beaucoup plus efficace que le groupe et que le groupe est à son tour plus efficace que l'action et la direction individuelles. Nous parlerons de ce concept dans les deux prochains chapitres.

La confiance, c'est créer la simplicité, concentrer ses énergies sur ce qui importe.

Chapitre 8

Simplicité et énergie à l'intérieur de l'organisation

La simplicité est la base de toute organisation efficace. La confiance permet la simplicité. Avec la confiance, nous pouvons rassembler nos énergies.

Le mot « organisation » a pour plusieurs un sens péjoratif. Il évoque une image de peur et de méfiance, reliée au monde de « l'establishment », à sa complexité inutile, paralysante et effrayante, à son formalisme, a sa dépersonnalisation, à ses règles et, enfin, à ses rôles. Les auteurs qui analysent la vie organisationnelle mentionnent fréquemment ces symptômes de l'inefficacité :

— aliénation, hostilité
— apathie, passivité
— manque de respect envers l'autorité
— révolte, malaise
— impuissance

— suspicion, méfiance
— déclin de la moralité
— faiblesse des règles de qualité
— solitude, dépression
— tension, maladies physiques
— déception, malhonnêteté
— dépersonnalisation
— mollesse, superficialité
— manipulation, stratégie cachée
— avidité, égoïsme

Selon moi, chacun de ces symptômes exprime une peur et une méfiance parfois évidentes, mais souvent difficiles à déceler à cause des masques sous lesquels elles se cachent.

De 1954 à 1974, j'ai modifié l'orientation de ma vie : j'ai quitté l'université afin de me consacrer essentiellement à la consultation auprès d'organisations. Je me suis alors aperçu que la vie organisationnelle représentait un aspect fondamental de notre culture. J'ai donc accepté comme clients une grande variété d'organisations, afin de connaître le plus possible la nature de la vie organisationnelle et de vérifier si ma théorie de la peur et de la confiance pouvait s'y appliquer.

Le cycle de la peur et de la méfiance

Les peurs normales que les gens apportent *à l'intérieur* des organisations sont exacerbées par ce qu'ils y trouvent, c'est-à-dire l'ambiguïté, les contrôles, les menaces latentes, les comportements dépersonnalisés et tous les autres symptômes déjà énumérés. On croit cette ambiguïté et ces contrôles nécessaires, mais ils augmentent en fait la peur et l'hostilité qui, à leur tour, poussent la direction à accroître la discipline et le contrôle. Le comportement défensif des directeurs s'appuie sur ce cycle de la défense réciproque. Si la contrainte, la manipulation et la persuasion n'augmentent pas, la direction craint de « perdre le contrôle » et de voir s'installer pour de bon une indiscipline déjà perceptible. On peut donc dire, sans crainte de se tromper, que les théories basées sur la peur engendrent elles-mêmes peur et méfiance. Cette situation alarmante semble confirmer les hypothèses de la théorie de la défense acceptées plus tôt à titre expérimental. On tire donc la conclusion que les choses iraient encore plus mal sans les contrôles et les pratiques d'une direction défensive. Ce mythe cache toutefois la réalité suivante : une faible productivité, une créativité quasi absente et le manque d'énergie *sont les résultats* d'un monde de direction créé dans le but de corriger une situation. Le remède est pire que la maladie ; il *est* la maladie.

Les organisations s'enferment dans ce cercle vicieux surtout dans les moments de peur et d'urgence. Ainsi, un marché défavorable, les pressions de la haute direction, un malaise culturel, un conflit ouvrier, une ambiguïté accrue et d'importants changements encouragent les attitudes défensives. C'est une spirale qui s'alimente elle-même, qui dirige les énergies vers les activités dysfonctionnelles, mobilise les forces de réaction aggravant les problèmes, engendre un climat général de gêne, favorise la dépendance, la passivité et le conformisme chez les gens et, selon le principe de Peter, leur permet d'accaparer les meilleures positions. Enfin, elle met en place les forces et les structures organisationnelles qui entretiennent la défense et la peur.

Tous se trouvent enfermés dans ce cercle *défensif*. Les processus de découverte CORI ne peuvent s'y manifester et les processus de défense s'amplifient. Ce système se caractérise alors par la dépersonnalisation, la dissimulation, la stratégie, l'emploi de techniques, la persuasion, la manipulation, l'évaluation, le contrôle, le pouvoir, les règles et les rôles.

Un cadre d'analyse

Les usagers de la théorie CORI trouvent le cadre d'analyse suivant très utile lorsqu'il s'agit de déterminer les caractéristiques d'une organisation. Selon moi, ces dix points particuliers se situent à la source de l'efficacité, même si beaucoup d'autres facteurs entrent évidemment en ligne de compte.

1. *Précision des rôles*. La théorie classique de la direction se base sur la clarification et la précision des rôles. Plus les obligations sont clairement définies, plus l'organisation est efficace, moins les tâches se recoupent et plus les personnes peuvent concentrer leurs énergies sur un travail précis. Ce processus cause la dépersonnalisation du système, le dépaysement de l'individu, la séparation entre la personne, l'organisation et le travail et, enfin, l'ultime aliénation des membres. Selon moi, la théorie de la gestion a toujours

fondamentalement erré en prônant ce principe. Les organisations ont connu une productivité accrue malgré cette dépersonnalisation et cette précision des rôles mais, toutefois, celles qui savent encourager leurs membres à se dégager de leurs rôles connaissent des augmentations de leur productivité encore plus remarquables.

2. *Emploi systématique de la peur.* Dans les organisations, une faible productivité se relie à l'emploi soit conscient, soit involontaire de la peur. Depuis longtemps on contrôle les troupes au moyen d'un « sain dosage de peur et de respect ». Plusieurs directeurs emploient en effet des tactiques subtiles qui accroissent les peurs. On brandit, par exemple, la menace de la perte de l'emploi, de l'approbation ou de la désapprobation du patron, des chances d'avancement, de bénéfices divers et du soutien affectif. Les gens peuvent aussi craindre les réprimandes, l'isolement et les diminutions de budget. Les effets néfastes de ces tactiques sont souvent difficiles à déceler. De plus, on ne les relie pas facilement aux peurs qui diminuent la productivité.

3. *Emploi de stratégies cachées et de techniques de direction.* La stratégie et les techniques produisent la méfiance, le ressentiment latent et les forces d'opposition qui conduisent à leur tour à une diminution de la productivité et de la créativité. Les énergies se perdent dans l'élaboration de contre-stratégies et dans une activité superficielle et inefficace. Beaucoup se laissent séduire par l'emploi de techniques. Nous connaissons tous au moins un directeur qui se vante de consulter le dossier personnel de son subordonné immédiatement avant une réunion ou une entrevue pour ensuite introduire subtilement dans la conversation le prénom de l'enfant de l'employé afin de paraître profondément préoccupé par la vie personnelle de ce dernier. Ces pratiques comportent de nombreux effets négatifs. Ainsi, les subordonnés découvrent rapidement ces détours et ne les prennent plus au sérieux. Une productivité élevée se relie à l'ouverture, à la sincérité, à l'honnêteté, à l'attitude directe et à la simplicité.

4. *Manipulation et contrôle des processus de communication.* La personne craintive perçoit très rapidement les communications comme dangereuses. Aussi le directeur défensif apprend-il à essayer de les contrôler. Pour leur part, les organisations les plus imposantes mettent sur pied d'importants mécanismes destinés à orienter le mouvement de l'information. Le coût élevé de ces programmes n'en représente d'ailleurs que leur plus petit inconvénient.

Leurs créateurs ont imaginé plusieurs moyens subtils afin de réussir à contrôler la nature et la quantité des informations. Une méfiance accrue est une des conséquences les plus graves de cette manipulation. Nous en avons d'ailleurs des exemples récents. Les présidents de plusieurs pays ont en effet complètement perdu la confiance du public à la suite de la découverte de leur manipulation de l'information. Il est difficile d'apprendre qu'une productivité élevée se relie étroitement au mouvement naturel des sentiments, des perceptions et de l'information, bref, à la libre circulation de *toutes les données*. La personne honnête inspire tout naturellement la confiance, elle n'a nul besoin de vendre son image.

5. *Manipulation des récompenses marginales*. On tente de « motiver les gens » et de contrôler les motivations des subordonnés tout aussi longtemps que le désir de « diriger » les destinées d'autrui existe. La récente popularité de la modification du comportement a accru l'usage des récompenses comme instruments de manipulation. À titre d'exemples, citons les mots d'encouragement, les augmentations de salaire, les divers types de promotions, le droit d'accès aux toilettes réservées aux directeurs, les titres et les privilèges de toutes sortes. Les récompenses conduiront dans l'immédiat à une augmentation de la productivité mais, à plus long terme, elles nuiront à la créativité et à l'efficacité. Le maintien d'une productivité élevée se rattache toujours à une atmosphère où les gens peuvent développer leurs propres récompenses, découvrir leurs propres désirs et leurs propres façons d'orienter leur vie, déterminer des motivations personnelles stables et importantes et, enfin, choisir des activités qui apportent satisfaction par elles-mêmes. Rien ne peut remplacer la motivation profonde.

6. *Importance des résultats, de l'efficacité et du produit*. On se laisse très souvent séduire par l'argument que la productivité se relie à l'importance accordée au produit. Cette affirmation semble évidente à première vue, mais l'organisation qui s'attache à l'efficacité et au produit obtient, en dernière analyse, de moins bons résultats. En contrepartie, l'organisation qui laisse liberté d'action au travailleur tend à être plus efficace. On oublie souvent que les gens créent ce produit, le « résultat » de leur propre efficacité. Les personnes qui aiment leur travail, qui sont fières de leurs réalisations, qui jouent un rôle dans l'ensemble de l'entreprise et qui sont respectées, ont tendance à travailler fort et de manière créatrice. Elles produisent. On rencontre des productivités élevées dans

des atmosphères favorisant le libre épanouissement des processus de « découverte ». Les gens peuvent alors créer leur identité, la dévoiler aux autres, découvrir leurs talents, les appliquer à un travail productif et, enfin, découvrir les liens entre leurs émotions et leur travail.

TABLEAU XVI
CARACTÉRISTIQUES FONDAMENTALES DE L'ORGANISATION EFFICACE

Processus CORI	Productivité élevée	Productivité faible
I (C)	Croissance de la personne	Précision des rôles
II (C)	Confiance accrue	Emploi systématique de la peur
III (O)	Ouverture accrue	Emploi de stratégies cachées et de techniques de direction
IV (O)	Libre mouvement des processus naturels de communication	Manipulation et contrôle des processus de communication
V (R)	Atmosphère favorable aux motivations intérieures	Manipulation des récompenses marginales : salaire, approbation, pouvoir, statut
VI (R)	Épanouissement des processus de découverte CORI	Importance des résultats, de l'efficacité, du produit
VII (I)	Manifestation des interdépendances pertinentes	Usage de règles et de contrôles
VIII (I)	Simplicité des structures et du travail	Manipulation des structures de l'organisation (organisation à outrance)
IX (I)	Perspective holistique, vue d'ensemble de l'organisation	Vision étroite, linéaire et segmentée du travail
X (I)	Émergence de l'être et de la joie	Mécanismes de direction et de contrôle trop nombreux

7. *Usage des règles et des contrôles.* Mes consultations auprès de diverses organisations me prouvent qu'une faible productivité découle de l'emploi diversifié de règles et de systèmes de contrôles. Nous avons déjà compris que les règles créent l'illégalité et la délinquance et que les contrôles sont essentiellement faits pour être contournés. Dans un véritable climat de confiance, ils deviennent inutiles. Leur présence prouve d'ailleurs clairement la prédominance de la peur et de la méfiance, alors qu'on peut atteindre un niveau de productivité et de créativité élevé lorsque les gens

sont profondément motivés à accomplir des tâches librement choisies. Cette motivation peut se vérifier par la question suivante : « Qu'on le paie ou non, le travailleur accomplit-il aussi bien sa tâche ? » Bref, si les gens travaillent uniquement pour un salaire, l'organisation connaît de sérieuses difficultés.

8. *Organisation à outrance : manipulation des structures organisationnelles.* Je me rappelle clairement les paroles du vice-président d'une des plus importantes organisations au monde. Il m'a déclaré, à la suite de la troisième réorganisation des structures de son entreprise : « La structure de l'organisation a, en fait, très peu d'importance pour nous. » Lors d'une rencontre avec des directeurs de différents niveaux, il a ajouté que seules les façons de résoudre un problème et les relations des gens au travail importaient. J'ai observé que la restructuration des organisations conduit à une perte d'énergie et correspond à un processus illusoire. Quelle que soit la structure de l'organisation, une grande énergie, une motivation intérieure, une confiance élevée et une véritable interdépendance amènent toujours une productivité élevée.

9. *Vision étroite, linéaire et segmentée du travail.* Selon moi, il est important de déterminer jusqu'à quel point les membres de l'organisation partagent une vision large de leurs tâches. La productivité, la créativité et la motivation sont toujours plus importantes lorsque la plupart des membres voient les choses selon une perspective plus large, saisissent les liens entre leur travail et les buts de l'organisation, en comprennent la nature et sentent l'importance de leur contribution à ses réalisations. La perspective s'avère une qualité importante non seulement pour le président, mais aussi pour tous les membres de l'organisation. Une vision étroite et un travail sans perspective ne produisent que de la routine, de nombreuses erreurs et une activité de qualité inférieure.

10. *Mécanismes de direction trop nombreux.* Au moment d'écrire ce chapitre, j'essaie en vain de trouver parmi mes clients un seul exemple d'organisation qui se soit libérée de la direction et du contrôle à outrance. Ma connaissance des organisations me prouve qu'elles deviendraient beaucoup plus efficaces si elles diminuaient le nombre de leurs directeurs, de leurs mécanismes de contrôle, de leurs niveaux de direction et de leurs gestes administratifs. Un de mes clients me déclarait d'ailleurs : « Le problème de la plupart des directeurs, c'est qu'ils tentent de diriger. »

Je travaille depuis plusieurs années avec une société qui déplace souvent ses directeurs, les envoie travailler dans de nouvelles villes et leur attribue de nouvelles fonctions. Lors d'un programme de formation, l'un des directeurs disait : « Nous travaillons très efficacement lorsqu'un nouveau patron arrive. Tout se gâte dès qu'il connaît davantage notre travail et commence à nous dire quoi faire. » La direction à outrance représente peut-être le problème le plus grave dans le monde des affaires comme dans celui de l'éducation, du gouvernement et de la religion. Les mécanismes de direction deviennent de moins en moins nécessaires au fur et mesure que la confiance augmente.

Le consultant, le directeur, le surintendant, le prêtre

Ce volume ne se veut pas un manuel de formation à l'intention du praticien. J'aimerais toutefois analyser l'organisation selon le point de vue des personnes responsables de sa « direction » et de sa croissance. Comme ce livre le prouve clairement, la santé organisationnelle existe lorsque chaque membre se sent lui-même responsable de la bonne marche de l'organisation. Toutefois, certains individus se voient attribuer des fonctions particulières faisant partie de leurs « rôles » professionnels. Comment accomplissent-ils ces tâches dont ils acceptent les obligations et pour lesquelles on les paie ? Dans cet ouvrage, je tente de répondre à cette question pour moi et pour ceux qui souhaitent appliquer la théorie CORI.

1. *Chaque organisation est un organisme unique et particulier. Elle croît, apprend, se réalise et existe selon sa propre manière.* L'organisation crée ses défenses, ses peurs et son environnement. Dans mon travail, j'ai appris à voir chaque organisation comme un être unique et je ne tente pas de lui imposer mes façons de penser. J'essaie plutôt d'écouter, de percevoir l'essentiel, de devenir un *participant* et d'apprendre avec les autres membres à vivre pleinement à l'intérieur du groupe. De cette façon, je peux être un participant très efficace.

Si j'arrive en étranger dans une organisation pour imposer mes valeurs et pour la transformer, je trahis son caractère unique. D'ailleurs, selon le même principe, je ne peux adopter ce comportement envers une personne. J'ai vu des directeurs d'école, des personnes haut placées dans le monde des affaires, des prêtres, des consultants internes et des membres d'un gouvernement commettre l'erreur de se placer « au-dessus » de l'organisation et de ses membres et de manifester clairement du mépris et de la méfiance. Leurs tentatives d'effectuer un changement ont d'ailleurs échoué et, de plus, ont mobilisé les énergies des autres essentiellement vers la défensive. Ces directeurs, pourtant bien intentionnés, ont alors cru que ces réactions négatives justifiaient leur mépris et leur méfiance. Je crois que la théorie CORI permet d'éviter ces blocages frustrants et difficiles à percevoir.

2. *L'orientation de tous les efforts vers la création d'un environnement de qualité permet de surmonter ces obstacles.* Chaque personne doit se préoccuper de la qualité de l'environnement. L'évolution vers un environnement de plus en plus fertile représente à long terme le seul changement important. D'autre part, cette progression se rattache étroitement aux buts immédiats de l'organisation, c'est-à-dire le profit, la productivité, la vitalité organisationnelle, un moral excellent, ainsi que tous les autres critères d'efficacité organisationnelle. Le consultant ou le directeur qui concentre ses énergies à la création d'un environnement de qualité ne peut adopter d'attitude plus efficace. Cette *perspective* permet au théoricien-praticien de transcender les comportements défensifs limitant son efficacité et lui traçant minutieusement la voie à suivre. Il s'agit justement là de l'avantage de la théorie du niveau de confiance ; elle n'indique pas les étapes à suivre pour augmenter le profit et elle ne fournit aucun plan de cours « tout fait » pour le lundi matin.

3. *L'organisation efficace manifeste un sens de la communauté.* Dans le chapitre IX, je parlerai du processus de création d'une communauté et de ses conséquences sur les personnes et sur les organisations. La productivité, l'implication, le sens de la collectivité, l'intimité et la participation contribuent à créer le sentiment que « nous vivons dans une communauté ».

Les spécialistes de la vie urbaine pensent que seules les villes de moins de 7500 habitants peuvent créer ce sentiment de communauté. Il s'agit là d'un aspect très peu développé de la théorie organisationnelle. Toutefois, une organisation importante pourrait se constituer d'un ensemble de petites communautés et celles-ci pourraient mettre en commun le plus de ressources possible et se définir comme des unités étroitement reliées les unes aux autres. À l'occasion de mon travail de consultant, mes expériences les plus efficaces ont été de réunir une compagnie, une paroisse ou une école à l'intérieur d'une communauté CORI.

4. *Plusieurs activités rationnelles de l'organisation correspondent en réalité à des réactions défensives et « névrotiques » à la peur et à la méfiance. Elles contribuent très peu, sinon pas du tout, à la productivité de l'organisation.* En fait, ces activités sont très nuisibles si nous considérons leurs conséquences directes et indirectes.

Les administrateurs et les consultants expérimentés reconnaîtront ce principe et ils pourront ajouter plusieurs exemples à cette liste : les demandes répétées de rapports trimestriels qui servent à vérifier les progrès réalisés mais qui en fait détournent les énergies d'un travail productif ; les nombreuses pièces justificatives des dépenses qui favorisent la fraude et le vol ; les contrôles de qualité sophistiqués qui encouragent les travailleurs à minimiser leurs responsabilités personnelles et à attribuer la cause des problèmes aux processus de contrôle ; la guerre des budgets où les subordonnés haussent volontairement leurs demandes en prévision de coupures ; l'habitude défensive de conserver plusieurs exemplaires des dossiers afin de prévenir les inspections gouvernementales ou autres (les trop célèbres classeurs « au cas où ») ; les réunions interminables afin de créer l'illusion de la participation alors que les décisions sont déjà prises selon les techniques propres aux environnements II et III ; le gaspillage volontaire de papier, de matériel et de temps qui sert à « se venger » de « l'organisation » et des supérieurs pour leurs « erreurs » volontaires ou non.

Ces actions défensives viennent d'un climat de peur et de méfiance. On peut résoudre ces problèmes en abolissant les pratiques de direction défensives qui créent une atmosphère favorable à la multiplication de ces comportements névrotiques.

5. *Voici la question fondamentale : « À quoi ressemblerait l'organisation si elle évoluait dans un climat de confiance ? »* La théorie du niveau de confiance est un processus particulier. Elle s'applique différemment à chaque personne et à chaque organisation et se modifie selon les situations. L'application de la théorie relève des usagers et non de principes généraux. Les personnes et les organisations créent leurs propres solutions à chaque problème. La théorie CORI leur fournit *un point de vue plutôt qu'une marche à suivre.*

6. *Le consultant et le directeur expérimentent constamment et contribuent ainsi à la sagesse de l'organisation.* Les consultants et les directeurs les plus efficaces abordent toujours les problèmes d'une manière scientifique. L'organisation apprend. Elle expérimente plusieurs façons de résoudre ses problèmes et crée ainsi sa propre réserve de solutions sages et efficaces. Plus les membres de l'organisation s'impliquent dans chaque expérience informelle, plus le processus de mise à l'essai est efficace. Si l'organisation entière se sent concernée par ces processus, il en résulte un climat d'excitation et d'empirisme lorsqu'il s'agit d'énoncer les premières hypothèses, de planifier la collecte des informations, d'analyser les solutions possibles, de recueillir les données et d'appliquer les solutions découvertes. La direction devient ainsi un processus très professionnel. Les techniciens, les créateurs de règles, les batailleurs et les suiveurs n'y trouvent plus leur place.

7. *Les organisations peuvent changer et s'améliorer de manière radicale.* Je deviens très optimiste lorsque j'observe les organisations contemporaines. J'ai travaillé avec environ trois cents organisations de diverses natures et je crois en connaître plusieurs. J'ai constaté, pendant ces vingt dernières années, que les organisations se basaient davantage sur la confiance, la participation et l'ouverture. Les changements semblent parfois s'effectuer très lentement mais il demeurent réels et importants. Nos connaissances nous permettent maintenant de comprendre et de changer le fonctionnement du monde des affaires et de nos institutions gouvernementales, éducatives et religieuses.

La communauté internationale CORI

Le changement créateur peut emprunter plusieurs voies : les nouvelles théories organisationnelles ; l'action juridique pour les droits des femmes ; les réformes diverses pour l'égalité de tous ; la création de nouvelles structures organisationnelles ; l'utilisation accrue de consultants organisationnels ; la croissance de nouvelles formes organisationnelles à l'intérieur de l'église, de la famille, du monde des affaires et, enfin, la mise sur pied d'organisations pilotes. Toutefois, la question suivante se pose encore : « Jusqu'à quel point ces efforts de changement peuvent-ils réussir sans une réforme fondamentale de notre vie politique, économique et sociale ? »

Nous trouvons des praticiens et des théoriciens CORI dans tous ces domaines. Je crois que la meilleure voie vers le changement organisationnel se trouve dans la création d'organisations pilotes. Il y a plusieurs années, nous avons fondé une organisation qui représente notre meilleur effort d'application de la théorie CORI. Après plusieurs années d'expériences diverses, nous avons finalement créé, en 1974, les Associés CORI, une organisation à but non-lucratif que nous considérons d'ailleurs comme un modèle des organisations à naître dans les prochaines années.

Nous nous sommes d'abord demandé : « À quoi ressemblerait une organisation de bénévoles qui favoriserait le plus possible la confiance ? » Nous avons alors appliqué les dix critères de productivité du tableau XVI et, commençant à zéro, nous avons tenté d'éviter les erreurs commises par les organisations qui se caractériseraient par la peur et la méfiance.

1. L'organisation est *personnelle et dégagée le plus possible de tout rôle*. Elle compte environ 10 000 membres. Elle se caractérise par l'absence d'exigences, de rôles définis, d'attentes formelles, de cotisations, d'obligations, de responsabilités, de titres et de différences hiérarchiques entre les membres. Afin de correspondre aux exigences juridiques, nous avons constitué une association et nous l'avons enregistrée légalement comme un organisme à but non lucratif. Le conseil d'administration se compose de trois volontaires chargés de remplir les obligations juridiques, responsables devant la loi de la cueillette des fonds. Toutefois, ils ne jouissent d'aucun autre pouvoir formel. Aucun membre ne reçoit un salaire et des volontaires effectuent tout le travail nécessaire. Toute personne peut devenir membre, peu importe son âge, sa race, son sexe, son intelligence, etc. Aucune cotisation n'est exigée car il pourrait s'ériger des barrières entre ceux qui peuvent payer et ceux qui ne le peuvent pas.

2. Nous nous efforçons de favoriser toute activité qui pourrait changer le *niveau de confiance*. Bien sûr, nous ne pouvons enfermer le niveau de confiance à l'intérieur de règles. L'accroissement de notre niveau de conscience s'est toutefois révélé très efficace. Nous apprenons beaucoup au contact des autres, nous partageons nos expériences et nous devenons de plus en plus conscients des manifestations subtiles de nos peurs et de nos méfiances.

3. L'organisation *s'ouvre* le plus possible. Nous tentons d'éviter délibérément les stratégies et les techniques de toutes sortes.

Cette caractéristique est particulièrement importante car plusieurs d'entre nous ont déjà travaillé à l'intérieur de centres ou d'organisations fortement orientés vers l'emploi de ces techniques. On sait maintenant que les techniques et les stratégies comptent parmi les principales causes de la méfiance et de la dépersonnalisation.

Les personnes se rencontrent simplement selon leurs désirs. Une fin de semaine, un repas, une soirée, des vacances communes, une vie commune, des familles élargies, des garderies coopératives, des loisirs communs et de petites entreprises servent d'occasion de rencontres. Les activités sont spontanées, émergentes et naturelles. On évite les techniques à moins qu'elles ne surgissent naturellement. Les membres, par exemple, ne s'enseignent pas les techniques de la bioénergie, du massage, de la méditation, de la gestalt, du psychodrame et de l'analyse transactionnelle. Ils apprennent simplement à être *avec* les autres, de manière spontanée et naturelle. Les réunions, la comptabilité, les publications, les inventions, les dossiers, la recherche, bref, toutes les activités demeurent ouvertes à chacun des membres et au public en général. Rien n'est volontairement tenu secret. Chaque personne détermine librement son niveau d'intimité et agit selon ses propres désirs.

4. Nous tentons systématiquement d'apprendre à *communiquer de manière ouverte*. Nous ne pouvons définir les règles de la libre communication mais, cependant, les membres peuvent apprendre à exprimer leurs sentiments et leurs perceptions ouvertement et directement. Nous n'essayons pas de restreindre consciemment la communication. La communication *surgit*. L'ouverture favorise la confiance. Nous tentons d'apprendre à communiquer librement à plusieurs niveaux.

5. *Nous encourageons l'autodétermination, les motivations personnelles et l'expression des désirs*. Nous essayons de créer un environnement où les gens ne réalisent que des activités satisfaisantes en elles-mêmes. Les récompenses et les punitions formelles sont donc inutiles. Personne ne reçoit d'argent, de titre, de statut, de pouvoir, de promotion ou de récompense. Si personne ne se propose pour accomplir une tâche, celle-ci ne s'effectue tout simplement pas. Bien sûr, ces comportements nouveaux exigent un certain apprentissage, car la plupart d'entre nous n'avons jamais vécu de cette façon.

L'organisation ne s'engage dans aucune activité conçue pour influencer les autres. Nous n'utilisons aucune technique de persuasion ou de propagande comme la publicité, les campagnes de financement, les relations publiques, le recrutement, la promotion, la vente, la formation ou l'enseignement. Il arrive que certaines gens ne voient pas les raisons de ces comportements ; ils ne comprennent pas, par exemple, que nous n'organisions aucune campagne de recrutement.

À cause de l'absence de « politiques », de directives et de guides formels, les membres emploient encore parfois la persuasion, mais ces activités disparaissent graduellement au fur et à mesure que la confiance augmente. Par exemple, on informe simplement les membres ou le public de nos activités organisationnelles et on inscrit qui le désire sur une liste d'envois postaux. Notre *intention* est alors d'informer, non de persuader.

6. L'organisation s'attache avant tout aux *processus de découverte* CORI, plutôt qu'au produit, à l'efficacité, à la compétence ou aux résultats. Dans une telle atmosphère, les gens peuvent découvrir leur identité, se dévoiler aux autres, agir selon leurs propres désirs et se joindre aux autres à l'intérieur d'activités interdépendantes. *Seul le processus est important, pas le produit.*

Nous participons à des activités qui nous permettent de percevoir de plus en plus clairement notre environnement et les niveaux subséquents. Plusieurs groupes CORI vivent des expériences intuitives, transcendantes et nourricières qui se situent entre les niveaux VI à IX.

7. L'organisation se veut le plus interdépendante possible. Elle expérimente constamment l'action émergente et sans leader. Au début, certains membres jouaient des rôles « d'organisateurs ». Nous avons graduellement abandonné cette pratique et il n'existe maintenant aucun « leadership » formel. Toutes les activités se situent entre les environnements VI et X. L'organisation se définit, entre autres, par l'absence de contrats, de hiérarchies, de règles, d'accords, de directeurs, de rôles ou de toute forme de structures formelles. Déjà efficace, ce mode de fonctionnement le devient de plus en plus avec l'expérience.

Les peurs et les méfiances se cachent souvent derrière les structures, les normes, les points de vue moralisateurs, les restrictions juridiques, l'évaluation, les règles, les lois, les accords, les contrats, bref, derrière tous les aspects traditionnels de la vie organisationnelle. Nous avons constaté que ce formalisme coûte très cher en argent et en efforts. Notre budget annuel s'élève à 3000$ pour une organisation de 10 000 membres. Si nous adoptions des structures traditionnelles, notre budget s'échelonnerait entre 100 000$ et 300 000$. Il s'agit là d'une intéressante découverte.

8. Notre structure se caractérise par sa *simplicité*. Une de nos découvertes les plus passionnantes est que la simplicité la plus absolue nous permet de progresser. La complexité représente souvent une réaction contre la peur. Elle découle d'ailleurs des attitudes suivantes : la planification, les avertissements, la supervision, la discipline, la vente, la direction, le contrôle, la préparation, la prudence, les priorités, les responsabilités, l'attribution des tâches, l'évaluation, l'enseignement et l'aide. Les gens accomplissent ces activités parce qu'ils *craignent* l'inefficacité. Notre besoin de structures vient de nos peurs et de nos méfiances. *Par les structures, nous nous efforçons de maîtriser nos peurs.*

9. *Tous les membres peuvent toujours voir l'ensemble de l'organisation.* Nous ne favorisons pas les processus qui nuisent à une perspective élargie. Nos peurs restreignent notre vision, mais l'analyse et l'action nous permettent toutefois de détruire plusieurs des éléments organisationnels et structurels qui nous empêchent d'avoir une vue d'ensemble des activités.

10. L'organisation ne comporte *aucun groupe de direction*. À cet égard, nous pourrons vérifier l'hypothèse de la théorie CORI sur l'inutilité et les effets néfastes de la direction. Chez les Associés CORI, les *personnes* ont des idées, proposent des actions, expriment leurs opinions, réagissent, manifestent leurs désirs et agissent en relation étroite avec autrui. Les membres sont très actifs et s'unissent afin de réaliser leurs projets. Personne n'est là comme initiateur et personne n'agit comme coordonnateur.

Cette dernière constatation me rappelle une bande dessinée. Deux enfants jouaient sur leur lit et l'un disait à l'autre : « Si papa ne nous conduit pas à l'école très bientôt,nous serons en retard ! » Chez les Associés CORI, le père n'existe pas. Pour la plupart d'entre nous, il s'agit là d'une étrange façon de vivre. Elle se révèle toutefois passionnante et, même si elle apporte parfois sa part de frustrations, elle conduit vers une simplicité, une liberté et une satisfaction de plus en plus grandes. La perspective d'un monde nouveau est particulièrement vivifiante.

Nous recueillons présentement toutes les informations possibles sur cette nouvelle expérience organisationnelle. Nous remarquons d'ailleurs des résultats très positifs. Nous ne savons pas encore jusqu'à quel point ce modèle pourra s'appliquer à tous les types d'organisations mais nous l'expérimentons dans diverses situations.

La société Astron

Depuis un certain nombre d'années, plusieurs d'entre nous ont travaillé dans le monde des affaires et ont tenté d'appliquer divers modèles d'organisation basés sur la confiance. Selon moi, la compétition qui caractérise notre économie se situe à l'opposé de la confiance et semble être à la fois la cause et la conséquence de la peur et de la méfiance. Tout en attendant le nouveau millénaire, nous pourrions essayer de créer un modèle d'entreprise basé sur la confiance et qui s'avérerait efficace à l'intérieur de la société actuelle. Je crois que nous *pouvons* réaliser ce projet et en retirer certains avantages, même s'il se concrétise dans une culture qui nage dans la méfiance. De plus, ce modèle sera si efficace qu'il dépassera rapidement les autres types d'entreprises. De toute façon, nous n'aurions pas à le créer si une grande confiance dominait déjà le monde.

Les Associés CORI existent depuis environ trois ans. Par ailleurs, quatre-vingt-dix théoriciens-praticiens CORI travaillent présentement à la formation de la société Astron. Je décrirai donc ici ses premiers pas et je publierai dans un ouvrage subséquent une analyse détaillée de son évolution.

Pour cette description, j'utiliserai les dix caractéristiques de l'organisation efficace énumérées dans le tableau XVI.

1. Nous mettons l'accent sur la *personne*, non sur le rôle. La société Astron se compose d'environ quatre-vingt-dix spécialistes de divers domaines qui se sont réunis afin de fonder une entreprise de publication, de formation et de consultation. Il s'agit donc pour eux d'appliquer la théorie CORI à ces domaines, de publier divers documents ainsi que des volumes sur la théorie CORI, de travailler en collaboration avec les organisations qui appliquent cette théorie, de s'occuper de formation dans les domaines de la direction et des relations humaines et, enfin, de mettre peut-être sur pied de petites entreprises fabriquant des produits intéressants pour les membres

de l'organisation. Nous tentons d'abord de travailler selon nos véritables désirs et, ensuite, de réaliser cet objectif avec une efficacité qui justifiera un salaire suffisamment élevé pour nous assurer une vie au moins confortable.

En fait, nous avons constitué une fédération de petites entreprises réunies dans le but de nous fournir soutien affectif, stimulation et synergie. Au fur et à mesure que les interdépendances se développeront, nous établirons des relations financières et économiques, mais nous conserverons toujours des structures minimales.

Lors de l'expansion de l'entreprise, nous offrirons à chaque nouvelle personne les mêmes possibilités et la même liberté *d'agir selon ses véritables désirs*. Il nous faudra encore inventer le processus qui permettra l'application de ce principe fondamental. Il s'agit là pour nous, d'un défi à relever. Nous tenterons aussi de travailler sans les exigences inhérentes aux rôles, sans contrats, sans titres et sans catégories de membres. Chaque personne sera considérée, justement, *comme une personne*.

2. Nous nous efforçons consciemment de maintenir une grande confiance. Ce principe demeurera d'une importance cruciale.

3. Nous créons un *système ouvert*. Nous essayons de travailler sans tactiques, sans stratégies cachées. Les réunions, les dossiers, les découvertes, les salaires, les accords, les processus, tout demeure ouvert aux membres, aux clients et au public. Habituellement, les hypothèses défensives conduisent à la « stratégie et à la planification ». Nous croyons pouvoir diminuer considérablement les énergies et les frais que la plupart des entreprises consacrent maintenant à l'application de politiques défensives.

4. Nous créons un *système ouvert de communication*. Nous avons tous vécu plusieurs expériences de communautés CORI et nous avons adopté des attitudes et des comportements qui encouragent l'expression ouverte des sentiments, des perceptions, des idées, des différences et même des désaccords.

5. Nous encourageons *l'autodétermination, les motivations intérieures et l'expression des désirs*. Pour chaque personne, le plaisir d'accomplir un travail librement choisi à l'intérieur de l'organisation constitue sa motivation fondamentale. Par conséquent, nous ne cherchons pas à créer une motivation basée sur les titres, les grades, les statuts et les récompenses financières. Pour le moment, chaque personne s'entend avec le client et fixe ses honoraires. La société Astron ne verse donc aucun salaire. Lorsque l'orga-

nisation mettra sur pied des programmes plus complexes, nous paierons le même salaire à tous, ou nous inventerons une forme de rémunération qui ne s'inspirera pas d'un esprit compétitif. En fait, le travail créatif représente la première source de motivation et la raison d'être de l'organisation.

Toutes les activités de la société sont conçues afin de favoriser les processus de découverte CORI. Nous croyons en effet que cette façon d'être permet à l'entreprise d'atteindre son plus haut niveau d'efficacité. Par conséquent, nous n'employons aucune forme de persuasion, d'influence ou de propagande comme les études de marché, la vente, la promotion et les relations publiques. Nous nous efforçons de fournir une information claire et directe sur nos services et sur nos produits. Les différences entre, d'une part, l'information et la consultation et, d'autre part, la publicité et la promotion sont subtiles mais fondamentales. *Nous ne voulons pas persuader ou influencer mais bien apprendre, informer et consulter.*

6. Nous nous rattachons aux joies de *vivre un processus*, non aux résultats, à l'efficacité ou au produit. Nous croyons que nous trouverons satisfaction et stimulation dans les joies d'un travail créatif qui permet de résoudre les problèmes et de vivre des expériences d'interdépendance et de transcendance. Nous croyons aussi que ces processus produisent des résultats tangibles, par exemple des livres, des documents ou des clients satisfaits. Les processus sains sont à l'origine des bons produits. Chez Astron, les processus représentent notre principale préoccupation, et une telle orientation conduit à une plus grande humanisation. Nous savons bien qu'au contraire l'organisation qui se préoccupe avant tout du produit est profondément déshumanisante.

7. L'organisation se veut *interdépendante*. Bien sûr, nous laissons surgir l'interdépendance, nous ne pouvons la créer. Ainsi, les membres forment des équipes et réalisent des projets lorsque leurs intérêts et leurs désirs se rejoignent. Ce processus se manifeste maintenant avec de plus en plus de rapidité.

La hiérarchie, les règles, les accords, les contrats et les restrictions légales n'existent presque plus. Nous n'employons aucun mécanisme de « direction » tels la supervision, les rapports, les contrôles formels, etc. Nos dossiers correspondent aux exigences gouvernementales et nous n'utilisons aucun subterfuge se situant à la limite de la légalité. Les contrôles et la tenue de dossiers sont presque toujours dispendieux, inutiles et « défensifs » ; de concert avec d'autres entreprises, nous tentons de réduire ce coûteux fardeau.

8. Notre structure se caractérise par sa *simplicité*. Nous pouvons faire ici d'énormes progrès. Le « professionnalisme » dans la direction d'une entreprise conduit à l'emploi d'une technologie complexe et tend à se justifier lui-même. De plus, il favorise la création d'une terminologie compliquée, d'un processus mystique, d'une méthodologie sophistiquée et d'un esprit de clan parmi les spécialistes des différents domaines. La présence de ces processus de stratification, de mystification, de bureaucratisation et de structuration à outrance se manifeste très subtilement dans nos institutions scolaires, gouvernementales et religieuses. Les leaders du monde religieux et éducatif s'inspirent du monde des affaires et justifient cette maladie de la complexité par les paroles suivantes : « L'église devient maintenant une entreprise d'envergure » et « Nos écoles sont tellement grandes que nous devons nous baser sur le mode de fonctionnement du monde des affaires. » Chez Astron, nous analyserons l'apparition de toute forme de complexité et nous nous demanderons si elle représente une réelle amélioration. Le problème, bien sûr, est complexe ! La centralisation, la technologie informatique et les méthodologies complexes comportent certains avantages. Toutefois, les progrès dans ces domaines éloignent de plus en plus les gens des joies simples de l'interdépendance et du travail créateur. Le progrès conduit-il nécessairement à la dépersonnalisation ? Augmente-t-il vraiment la productivité et la créativité ? Il s'agit là de questions fondamentales pour notre organisation pilote.

9. Nous prenons le temps d'élargir notre perspective, d'explorer diverses solutions, d'analyser nos hypothèses et d'agir selon des objectifs clairs.

10. Nous espérons progresser vers les environnements VI à VIII. Nous croyons que nous n'aurons alors besoin *d'aucune forme de direction*. Nous mettrons l'accent sur la joie de la créativité et du travail. Il en résultera un mouvement vers la transcendance, l'intuition et les états de conscience modifiée. De plus, nous pourrons intégrer dans notre travail conscient des niveaux d'être précédemment inconscients. Nous croyons que l'entreprise doit servir de moyen pour atteindre la transcendance et la créativité organique. Malheureusement, en partie à cause du salaire, le travail est devenu désa-

Lorsque nous nous touchons réellement, *la communauté naît et avec elle surgit le merveilleux.*

Chapitre 9

Merveille et puissance de la communauté

Le sens de la communauté : voilà donc ce qui me manque dans notre monde moderne. On ne peut dissocier *communauté* et liens étroits. Avec une communion authentique surgit le merveilleux de la découverte réciproque à l'intérieur d'une atmosphère de profonde confiance.

Notre vie moderne aliénée, décousue et superficielle nous pousse à rechercher la communauté. Cette quête a connu à travers les âges ses espoirs et ses échecs. Les utopistes, les chefs religieux, les philosophes de l'éducation, les théoriciens des sciences politiques, les réformistes du monde industriel et diverses institutions y ont consacré leurs énergies.

Trois espoirs romantiques ou utopiques ont inspiré cette recherche d'un sentiment de communauté :

— l'espoir d'une vie *davantage basée sur la sollicitude, l'affection et l'amour* ; le désir de voir diminuer l'aliénation de notre vie sociale ;

— l'espoir d'une vie *plus intime*, semblable à l'esprit familial que chacun idéalise mais ne réalise que rarement, et où des liens étroits remplacent la solitude aujourd'hui si répandue ;

— l'espoir d'une vie *plus profonde* où chacun se sent intéressé aux autres ; le souhait de remplacer l'aspect futile et superficiel de la plupart de nos relations sociales par une profondeur partagée.

Selon les théoriciens et les praticiens CORI, une confiance plus grande à l'intérieur de la communauté augmente la sollicitude, l'intimité et la profondeur. Nous avons tenté à cet égard plusieurs expériences auprès de diverses institutions. D'ailleurs, nous avons conçu la communauté CORI afin de vérifier nos hypothèses et d'expérimenter un certain nombre de façons d'augmenter la confiance.

Les communautés CORI

Nos premières expériences reliées à la création de communautés remontent à 1965. Nous nous sommes alors appuyés sur une hypothèse très simple : que les gens seraient en mesure de créer leur communauté, vivre une expérience très satisfaisante et atteindre leurs objectifs si on pouvait les réunir suffisamment longtemps et leur fournir le gîte, le couvert et un environnement libre et agréable. Nos expériences des dix années précédentes nous avaient déjà donné un aperçu des problèmes pratiques qui pourraient alors surgir. De plus, nous connaissions les caractéristiques des environnements qui détermineraient l'efficacité de notre projet.

Pendant les premières années, nous avons mis à la disposition des gens une grande chambre d'hôtel, un gymnase recouvert de tapis, un studio de danse ou tout autre espace ouvert que nous aménagions le plus confortablement possible. Nous demandions aux participants de nous donner la somme nécessaire pour défrayer le coût des repas, du matériel, de l'inscription, etc. Nous voulions réunir assez de personnes durant deux ou trois jours pour simuler les « communautés » du monde des affaires, de l'église ou de l'école. Il fallait donc regrouper au moins quatre-vingt-dix personnes, soit un groupe suffisamment important pour connaître les problèmes de direction habituels aux groupes, aux compagnies ou au quartier. Toutefois, afin de favoriser la communication sans l'utilisation de moyens complexes, chaque communauté ne pouvait compter plus de cent quatre-vingt membres. Nous fournissions un volontaire compétent qui « convoquait » la communauté, assurait un leadership lors des premières heures, aidait à résoudre les premiers problèmes d'organisation matérielle et structurait certaines expériences non verbales utiles lors des étapes initiales de la vie communautaire. Nous croyions que ces expériences pouvaient aider les professionnels qui désiraient créer des communautés dans le monde des affaires, dans leur quartier, dans leur école ou dans leur église.

Nous remettions à tous les participants un document qu'ils devaient lire avant leur arrivée. Celui-ci leur indiquait qu'ils seraient responsables de la définition des objectifs, de la prise de décision, de la direction du groupe et de ses activités. On mettait à leur disposition une structure minimale, mais on ne leur proposait aucune règle, aucun agenda, aucune limite de temps, aucun leadership formel, aucune ligne de conduite et même aucun meuble. Au début, nous leur proposions l'horaire suivant : de 20 heures à 23 heures le vendredi, de 9 heures à 23 heures le samedi et de 9 heures à 19 heures le dimanche. Nous souhaitions pouvoir utiliser le plus de temps possible à l'intérieur d'une seule fin de semaine.

Nos peurs initiales nous ont poussés à prendre ces décisions. Nous sentions que nous devions proposer une structure minimale afin de pouvoir réunir suffisamment de gens. Entre 1965 et 1975, nous avons graduellement diminué la structure alors que nos peurs diminuaient et que nos découvertes sur la nature de la communauté s'accumulaient.

Leadership. Lors des premières étapes de l'expérience, il était probablement utile qu'une personne réunisse d'abord les gens, mais, pendant ces dix années, le besoin de « convocation » a diminué peu à peu. En fait, la plupart des expériences vécues présentement se passent aisément d'une personne ayant à remplir ce rôle. Les communautés regroupent simplement des gens intéressés, créant leurs propres expériences.

Au début, nous avons constaté l'émergence de leaders informels qui remplaçaient les personnes-ressources professionnelles. Toutefois, un environnement émergent authentique a suivi cette époque de transition. L'absence de leaders a alors caractérisé les processus de la communauté. Pendant ces dix ans, un total de douze mille participants se sont joints à ces communautés de fins de semaine. Un grand nombre d'entre eux apportent leur collaboration aux communautés internationales CORI dont nous avons déjà parlé dans le chapitre précédent.

Composition des communautés. Lors des premières étapes, les communautés se composaient d'hommes et de femmes adultes. Des étudiants du niveau universitaire assistaient parfois aux séances. Les membres appartenaient à la population blanche de classe moyenne qui fréquente habituellement les centres de croissance. Plusieurs viennent maintenant en famille et certaines communautés comprennent environ cinquante pour cent d'enfants. Les membres appartiennent à différentes ethnies et à des milieux socio-économiques plus diversifiés. Nous avons vu s'organiser des fins de semaine à l'intention des enfants, des femmes, des personnes âgées,des Noirs, des membres de certaines minorités, des directeurs, des congrégations religieuses, des adeptes de la drogue, des psychotiques, des enfants perturbés, etc. En réalité, toute personne peut vivre cette expérience, quelle que soit sa culture.

Conception de l'environnement. Un espace circulaire, octogonal ou presque carré crée un mouvement central et favorise une grande interaction, élément fondamental du succès d'une communauté. Ce mouvement se manifeste particulièrement lorsqu'il n'y a aucun meuble pour empêcher la liberté et la spontanéité des gestes, lorsque les membres se voient presque constamment, qu'une forme de frontière visuelle définit l'espace de la communauté, que l'interaction se manifeste de manière continue, sans arrêt, pour prendre le café ou pour se rendre dormir ailleurs et, enfin, lorsque les événements importants surviennent dans un espace que la communauté perçoit comme central. Dans ces conditions, la communauté prend forme, entre en mouvement, développe ses rythmes et ses tendances, assume son identité et devient pour les membres un organisme vivant.

Cette découverte est d'une importance considérable pour les personnes qui désirent créer une communauté. Celle-ci croît lorsque les membres peuvent percevoir le mouvement central des activités et lorsque l'interaction surgit à l'intérieur du cours normal des événements de la journée. Si, par exemple, nous ne pouvons recouvrir de tapis qu'une partie de la pièce, nous le plaçons alors au centre et nous laissons un espace libre pour marcher autour de la salle. L'interaction des membres se manifeste lorsqu'ils s'assoient librement au centre de l'espace ou qu'ils circulent autour de la pièce. Les rencontres se révèlent plus efficaces en l'absence, par exemple, de piscines, de plages, de bars ou de centres commerciaux. Passé une certaine étape, les gens sont davantage attirés les uns par les autres et ces distractions perdent de leur importance. Leur présence lors de la naissance de la communauté conduit à un gaspillage d'énergie.

Durée. Puisque nous mettons l'accent sur l'absence de leaders et sur la création d'un environnement, le temps acquiert une grande importance, surtout lorsque peu de membres ont déjà vécu à l'intérieur de tels groupes. Les vingt-quatre heures d'interaction intense contenues dans une fin de semaine représentent le temps minimum nécessaire à la communauté pour devenir un organisme confiant et intégral. Les groupes ont constaté que des périodes de cinq à dix-sept jours se révèlent beaucoup plus satisfaisantes et permettent l'émergence d'événements transcendants et enrichissants qui ne peuvent survenir normalement lors d'une seule fin de semaine.

Importance des processus naturels de la vie. Les participants se joignent à la communauté afin d'agir selon leurs désirs, d'apprécier le plus possible la présence d'autrui et de vivre à l'intérieur d'une communauté enrichissante. Seule la « vie » importe dans cette expérience. Toute autre classification tend à fixer des limites et à créer des attentes. Dans notre culture, les techniques servent à atteindre des buts. On n'a pas à les employer pour vivre pleinement et pour laisser surgir les processus naturels de l'interaction.

Continuité de l'action. À l'intérieur d'un tel environnement, la communauté se crée dans un mouvement continu. Il n'existe pas d'horaires, de pauses café, d'heures de repas ou de périodes de repos. La plupart des expériences de fin de semaine ont lieu où les participants peuvent apporter leur sac de couchage. Ainsi, les gens demeurent ensemble pendant toute la durée de l'expérience. Cette formule contribue à la création de liens entre les personnes et au renforcement du sentiment de « communauté ».

Importance des sentiments et de l'énergie. Tous les aspects de l'expérience prennent une importance de plus en plus grande. Ce phénomène prend forme au moment où les participants sentent et saisissent leur liberté : les peurs initiales diminuent ; les personnes commencent à se découvrir mutuellement ; une interaction profonde surgit ; les personnes partagent alors leurs peines, leurs colères, leurs joies, leur ennui, leur aliénation, leurs intérêts, leur chaleur, leur amour, leur extase, bref, toute la réalité de l'expérience. En l'absence de leaders ou de techniques, les événements se produisent plus spontanément et plus librement et les participants les vivent plus intensément qu'à l'intérieur d'un atelier d'expérience de croissance ou d'un groupe de rencontre. Les expériences et les interactions deviennent plus naturelles et authentiques que lorsqu'on emploie, par exemple, diverses techniques, le jeu de rôle ou la simulation.

Caractère unique. Les participants agissent selon leurs impulsions. Le développement de la communauté suit le déroulement des processus. Chaque personne tentera à un moment donné d'orienter la communauté selon ses attentes ou ses théories personnelles. Chaque communauté acquiert un caractère unique grâce à l'interaction qui surgit. J'ai été membre de plus de deux cents communautés et toutes sont différentes les unes des autres dans leur façon de croître et de s'épanouir.

Conséquences de la vie en communauté

L'environnement global influence les sous-systèmes de manière transcendante. Entre 1937 et 1947, j'ai enseigné à l'université et j'ai mené des thérapies individuelles. Je m'attachais toujours à l'individu, aux dynamiques intrapersonnelles de l'étudiant et du client ainsi qu'aux conséquences de l'enseignement et de la thérapie sur la vie personnelle. J'ai travaillé ensuite pendant vingt ans avec des groupes. J'analysais alors les événements selon le point de vue des dynamiques de groupe et j'ai pris conscience de l'énorme influence du groupe sur les participants. Ensuite, pendant un autre dix ans, je me suis intéressé aux communautés et j'ai constaté chez elles une puissance de beaucoup supérieure aux dynamiques personnelles et de groupes.

J'étudie maintenant les environnements socio-économiques nationaux et mondiaux et je réalise à quel point ils transcendent les sous-systèmes qui les composent. Chaque personne peut créer son propre environnement lorsqu'elle agit sur le système à un niveau interpersonnel. Plus le système est vaste, moins l'individu arrive à l'influencer, malgré qu'il soit possible, à l'occasion, qu'une simple personne influence et change un large système.

Ainsi, notre économie basée sur la compétition affecte tous les systèmes sociaux et influence les valeurs, les opinions, les attitudes, les comportements et les sentiments individuels et institutionnels. Des forces puissantes s'opposent à la création de groupes et de communautés s'inspirant d'un esprit de coopération. Toutefois, tout changement permanent des individus et des systèmes agira d'une manière ou d'une autre sur l'environnement global.

Les gens peuvent créer des communautés basées sur la sollicitude, l'intimité et la profondeur. Ces communautés diffèrent donc radicalement des institutions présentes dans notre vie quotidienne. Nos peurs et nos méfiances nous poussent à percevoir la plupart des communautés comme insécurisantes et immuables. Quand le niveau de confiance augmente véritablement, notre point de vue se transforme et notre communauté s'en ressent radicalement. Nous pouvons créer des communautés qui vont vraiment diminuer l'aliénation, la solitude et la futilité de notre vie moderne. Notre peur des groupes imposants s'appuie sur peu de faits réels. Nous pouvons détruire ces barrières et créer ainsi une société nouvelle.

Malgré les difficultés de toutes sortes, on peut beaucoup augmenter le niveau de confiance. Notre culture ne changera qu'avec l'accroissement important et permanent du niveau de confiance. La communauté CORI peut devenir l'instrument d'un changement social profond. Nous avons agi jusqu'ici à titre expérimental, mais nous pouvons affirmer que ce type de communauté permet de réaliser un changement social sans employer la manipulation ou l'intervention.

La vie holistique conduit plus sûrement à la communauté que les façons d'être plus restrictives. Celles-ci atteignent à court terme des résultats spectaculaires, mais se révèlent moins efficaces que les attitudes holistiques, libres et « naturelles ». Certaines techniques se basent essentiellement sur la restriction et proposent une formation à tendance curative. Nommons, par exemple, les processus d'intervention, l'expression des sentiments, l'affirmation de soi, la méditation, la pensée positive, la catharsis, etc. Dans le futur, nous connaîtrons probablement une formation et une action sociale naturelle et holistique. Certaines formations segmentées conduisent souvent à la division de l'être.

Le comportement naturel et intégral se caractérise par la spontanéité et l'absence de contraintes. Les systèmes éducatifs et sociaux qui s'appuient sur la création de contraintes démontrent des effets secondaires malsains et comportent peu de valeurs permanentes et organiques. Les systèmes juridiques, moraux et éducatifs ayant permis l'élaboration de tabous et de défenses se sont révélés particulièrement inefficaces. Voici quelques-uns de ces tabous : la danse, le vol, la trahison, l'impolitesse, la vitesse, les crachats, la nudité, le désordre, la flânerie et le rire trop bruyant. Les systèmes sociaux qui favorisent l'émergence de la confiance sont en fait beaucoup plus efficaces. Aussi, les communautés CORI tentent-elles, dans notre cadre culturel, de se libérer le plus possible des contraintes. Ces personnes apprennent à vivre dans cet environnement et, plus elles y restent longtemps, plus la douceur, l'amour, la bonté, la sollicitude, la collaboration, les liens avec autrui, la non-violence et, bien sûr, la confiance, envahissent leur vie. N'est-il pas à la fois ironique et encourageant de constater que les gens font naturellement et spontanément ce que les moralistes et les justiciers veulent les forcer à faire par contraintes et entraînements ?

Le contact physique représente un moyen efficace d'établir des relations et de créer la confiance à l'intérieur de la communauté. Avez-vous déjà remarqué le comportement des animaux se touchant entre eux ? Ne semblent-ils pas apprécier cette activité ? Nous, humains, caressons et chouchoutons les bébés, mais les adultes entre eux craignent et s'interdisent ce mode de communication. Toutes les communautés CORI découvrent la joie et les aspects authentiques du toucher. Le contact physique représente pour les adultes une sorte de soif, un besoin très fort souvent contrecarré. Le toucher peut correspondre au départ à une façon d'éviter de parler ou de regarder quelqu'un droit dans les yeux, à des salutations rituelles, à une forme de stimulation sexuelle, à un moyen de manipulation, à une sorte de jeu ou à un geste sans signification. Après plusieurs jours d'interaction authentique à l'intérieur d'une communauté CORI, le toucher devient une manière intime et efficace d'exprimer la douceur, la sollicitude, l'amour et l'intimité.

Communauté et religion

Certains membres actifs de divers groupes religieux s'intéressent aux communautés CORI, qu'ils appuient et auxquels ils participent. À son meilleur, le propre de la religion est de remplir une fonction d'intégration. Peut-être un processus semblable d'intégration constitue-t-il l'apport le plus important des expériences CORI. Après sa première expérience CORI qui avait suivi vingt ans de ministère, un prêtre déclara : « Il s'agit là de ma première véritable expérience religieuse. » En effet, le point central de l'expérience religieuse, pour la plupart des gens, est l'éveil d'une profonde confiance en soi, en Dieu et aux processus de la nature.

De retour dans leur milieu, plusieurs animateurs religieux perçoivent pour la première fois l'assemblée de leurs fidèles comme une communauté. Ils comprennent les conséquences de ce nouveau point de vue et tentent d'appliquer les principes CORI. Parfois, pour certains, une expérience d'une fin de semaine suffit pour saisir cette nouvelle façon d'exercer un ministère, alors que d'autres sentent le besoin d'en vivre plusieurs ou encore fréquentent des séances d'une durée de cinq à huit jours et même plus.

Les praticiens CORI proposent plusieurs façons de créer une communauté religieuse. L'une d'entre elles consiste à demander à tous les membres ou à une grande partie d'entre eux de participer à une expérience CORI d'une fin de semaine. Il est toutefois préférable de ne pas tenter cette expérience sans le véritable consentement de tous. De plus, les participants doivent savoir à quoi s'attendre. Ces expériences se sont révélées très efficaces pour plusieurs groupes religieux, mais il est préférable, afin d'assurer leur succès, que plusieurs membres importants du groupe aient déjà vécu une expérience CORI positive, comprennent bien la théorie et en reconnaissent le bien-fondé. De plus, ces gens doivent être confiants, ouverts, spontanés et expressifs.

Bien sûr, certains problèmes surgissent. Plusieurs prêtres, éducateurs et personnages religieux importants éprouvent certaines difficultés à être personnels et à sortir de leur rôle. Leur formation leur a appris à bien jouer leur rôle, c'est-à-dire à participer aux cérémonies d'une manière formelle, à réconforter leurs paroissiens lors d'un décès ou d'un événement douloureux, à incarner la force en tout temps et à délaisser leurs préoccupations personnelles au profit des besoins d'autrui. Il est souvent difficile de trouver — et d'être — la personne réelle qui se cache derrière cette façade. Cependant, certaines églises changent radicalement et plusieurs chefs religieux adoptent la théorie de la confiance.

L'union entre la religion et les principes CORI se caractérise souvent par la félicité. Les deux accordent en effet beaucoup d'importance à l'honnêteté, à la sincérité, à l'intégrité des motivations et à la vie intérieure. Plusieurs religions mettent surtout l'accent sur le devoir et sur l'autorité, et les valeurs d'obéissance, de négation de soi et de punition sous-tendent souvent clairement l'enseignement de certaines églises et de certains chefs religieux. De telles attitudes se concilient difficilement avec la théorie et la pratique CORI. Toutefois, il existe un dialogue constant et chaleureux entre les chefs religieux et les praticiens CORI. Nous apprenons d'ailleurs beaucoup sur les environnements religieux et la nature de l'expérience religieuse.

L'expression de l'amour et de la chaleur se révèle ici encore fondamentale. Nos peurs non résolues nous en éloignent, quelles que soient nos croyances religieuses et ainsi, plusieurs personnes profondément religieuses trouvent très difficile d'exprimer de l'amour et de la sollicitude physiquement ou même verbalement. Les communautés CORI en ont aidé plusieurs à comprendre leurs peurs et leurs inhibitions et à exprimer leurs sentiments à l'intérieur de leur famille ou de leur groupe religieux.

Les diverses églises et les communautés CORI se rejoignent aussi dans leur intérêt pour la prière, la méditation, les expériences mystiques, la transcendance, la vieillesse, la mort, la guérison, la paix intérieure, etc. Notre société accorde de plus en plus d'importance à ces phénomènes et, selon moi, il s'agit là d'un signe de santé et de renouveau. Il existe un lien étroit et évident entre ces expériences et l'émergence de la confiance.

La communauté de formation et de développement

La communauté CORI représente un moyen efficace pour vivre une expérience de croissance personnelle et faire l'apprentissage des relations humaines et des techniques de direction. Depuis 1951, j'ai agi comme participant, observateur et leader de plusieurs activités de formation et de croissance, et ce, à l'intérieur d'environnements très divers ; j'ai, de plus, constaté mon évolution personnelle et celle d'autrui à l'intérieur de communautés CORI : toutes ces expériences me prouvent la plus grande efficacité de la communauté CORI. Celle-ci prend une forme très expérimentale et change avec rapidité. D'ailleurs, elle évoluera sans doute vers de nouvelles formes au fur et à mesure que notre culture se modifiera, culture à laquelle, en vérité, elle se relie *très étroitement* et dont elle suit la même progression.

La communauté CORI favorise les processus d'apprentissage. Elle fournit à cet égard un environnement idéal :

1. Elle propose la forme d'apprentissage la plus efficace. Dans la communauté libre, chaque personne peut fixer ses objectifs per-

sonnels, faire des choix, créer les solutions possibles, réagir aux événements, créer son environnement et voir tous les aspects du processus.

2. Il s'offre une multitude de choix. Toutes les expériences deviennent possibles à l'intérieur d'un environnement réaliste, naturel et semblable à la vie. Ces personnes acceptent l'importance de la communauté et ces expériences se rattachent à la réalité.

3. Ce climat émotif est positif. Il constitue un appui et présente peu de risques. Bien qu'il ressemble au réel, il ne comporte pas autant de risques que les situations de la vie quotidienne. Les gens adoptent une attitude expérimentale. Ils vérifient leurs capacités, leurs comportements et leurs réactions.

4. Les réactions peuvent venir de l'ensemble de la communauté. Une personne peut recevoir les réactions les plus diverses à son comportement social. Les gens réagissent avec sollicitude, ouverture et honnêteté.

5. Une communauté ouverte et qui comporte beaucoup de membres favorise un comportement plus authentique que les petits groupes ou les amitiés à deux ne peuvent le faire. Les réactions sont alors plus directes et plus claires.

6. Dans les meilleurs moments de la communauté, les événements surgissent avec rapidité, l'action se trouve accélérée, les sentiments deviennent plus forts et le rythme de la vie s'intensifie. On croit qu'il devient possible de vivre les apprentissages, les choix, les dilemmes et les comportements de toute une vie dans un temps relativement court.

7. Plusieurs forces encouragent les gens à la participation active. Les membres doivent se joindre aux autres d'une manière interdépendante lorsqu'il s'agit de résoudre les problèmes de la communauté. Seuls les comportements interdépendants et actifs se révèlent fonctionnels. Tout ceci s'insère dans les dynamiques complexes de la communauté. Les environnements démocratiques qui se situent à partir du cinquième niveau ne sauraient se passer de ce type d'apprentissage.

8. Les personnes vivent de multiples expériences à l'intérieur de ces communautés libres. Par conséquent, de plus en plus de comportements transcendants apparaissent et de plus en plus d'états propres aux environnements VII et IX deviennent possibles. Les états transcendants qui émergent dans la communauté sont plus stables, plus compréhensibles et plus faciles à intégrer dans la vie

que lorsque des techniques artificielles en provoquent l'apparition.

9. Les apprentissages s'appliquent à l'enseignement, à la gestion, à la thérapie, à l'éducation des enfants et à tout rôle social. La formation est donc pratique et pertinente.

La communauté d'apprentissage

Plusieurs systèmes éducatifs expérimentent des communautés d'apprentissage de diverses grandeurs. Les écoles s'approchent alors des processus d'apprentissage plus expérimentaux, plus holistiques et plus près de la communauté.

La communauté d'apprentissage sans leader comporte des avantages évidents. La présence de professeurs devient superflue puisque la communauté apprend à employer les ressources de chaque membre. Les participants évaluent leurs besoins, définissent les problèmes, proposent des solutions, définissent l'aide nécessaire, apprennent à recueillir les informations pertinentes et orientent leurs impulsions et leurs sentiments vers l'action et vers la résolution des problèmes.

La communauté crée une atmosphère qui encourage le risque, l'expérimentation, les choix, l'appui sur des ressources personnelles, la confiance en soi, le courage de suivre ses impulsions, la libre expression des sentiments et des différences, l'intégration de l'émotivité à l'intérieur du travail et de la résolution des problèmes, la spontanéité, le comportement ouvert, l'action déterminée par les désirs et l'interdépendance.

Lorsqu'on emploie la communauté CORI à des fins éducatives, l'essence de l'éducation devient un processus de création, de recherche commune et d'émergence de la connaissance. La relation professeur-élève disparaît et la personne qui apprend possède le droit de penser, d'agir et de prendre des responsabilités. La motivation provient de l'individu et du processus. Le mouvement de l'interaction fournit ses propres récompenses et ses propres punitions. La personne fixe elle-même le programme et les exigences de la recherche.

Dans une communauté d'apprentissage, la vie est un processus constamment en mouvement. Toutes les activités viennent enrichir le moment, le processus et les objectifs. On voit habituellement l'éducation classique comme une préparation à une vie plus significative, longue étape de contraintes et de discipline. Dans la communauté d'apprentissage, la personne fixe elle-même ses objectifs dès qu'ils surgissent du processus. Les rôles, les autorités et les systèmes n'interviennent pas. Les récompenses et les punitions deviennent informelles et émergentes. Elles font partie intégrante du processus d'interaction. Elles ne comportent aucun caractère formel et extérieur . Personne ne les prescrit ou ne les emploie comme contrôles.

Lorsque nous avons aidé à la création d'une communauté d'apprentissage à l'aide d'une expérience CORI d'une fin de semaine, nous avons mis l'accent sur la participation de tous, c'est-à-dire des professeurs, des administrateurs, des secrétaires, du personnel d'entretien, des étudiants, de tous les membres de l'institution scolaire. À une autre occasion, nous avons réuni les parents, les professeurs et les étudiants. Les adultes éprouvent souvent plus de difficultés à devenir personnels et ouverts, hésitant à agir selon leurs désirs, tandis que les étudiants se joignent facilement à la communauté si l'éducation conventionnelle ne les a pas trop éloignés de la participation.

La communauté d'apprentissage est plus efficace lorsque les conditions suivantes sont réunies :

1. *Le système dans son ensemble se place à l'écoute* de la philosophie, des méthodes, des valeurs et des objectifs de la communauté. Les parents doivent connaître la philosophie et les activités de la communauté et ils doivent participer à l'élaboration de ses politiques éducatives, à la définition de ses buts et à l'organisation de ses activités, et se joindre aux étudiants lors du déroulement de tous ces processus. Malheureusement, même les communautés les plus axées vers la participation négligent souvent l'apport des étudiants lors de la planification et de l'élaboration des politiques.

2. Lorsque cette communauté d'apprentissage *fait partie d'un vaste programme* de changement du système scolaire, le système entier doit apprendre la coopération. Il doit aussi connaître les attitudes, les techniques et les sentiments propres à la vie communautaire. Le système vient alors appuyer la nouvelle communauté et consacre toutes ses énergies au succès de l'expérience.

3. Les enseignants doivent *voir clairement* les objectifs du système, *partager des valeurs communes* semblables aux principes CORI et se joindre aux étudiants à l'intérieur du processus de recherche. Les distinctions conventionnelles entre parents, administrateurs, concierges, professeurs et étudiants disparaissent graduel-

lement et chaque personne participe à l'apprentissage sur une base égalitaire. On partage tout : les responsabilités, le travail, le plaisir, la définiton des objectifs, les peines et les frustrations. Le professeur issu du système scolaire traditionnel éprouvera parfois certaines difficultés à participer à ce changement ; il doit en effet apprendre des valeurs, des méthodes et des attitudes qui lui apparaîtront entièrement étrangères à sa formation.

4. La recherche et l'évaluation font partie du *processus d'apprentissage.* Elles ne sont pas imposées par des forces extérieures au système. La meilleure évaluation est toujours intérieure.

Les communautés récréatives, professionnelles et sociales

Les gens deviennent membres d'associations professionnelles, de clubs sportifs, de clubs de voyages, de centres de loisirs familiaux et de groupes de vacances en grande partie parce qu'ils recherchent de plus grands niveaux de profondeur, d'intimité et de sollicitude. Ce besoin peut être très conscient et s'exprimer clairement ou, au contraire, se manifester sous la forme d'une vague inquiétude face à l'éclatement et la solitude de notre vie moderne. Malheureusement, la plupart des groupes arrivent rarement à satisfaire ces aspirations.

Toutefois, on reconnaît de plus en plus l'importance du sentiment de la communauté. La vie correspond à un mouvement et à un rythme : on peut, à certains moments, désirer la solitude et le retrait, mais on souhaite aussi souvent des instants d'intimité et de communion avec les autres. Toutes les activités, que ce soit le jeu, le travail, le culte religieux, l'apprentissage ou la création, peuvent prendre une toute autre dimension si on les réalise avec des gens aimés et dans un esprit de sollicitude.

L'artiste aime montrer son oeuvre à d'autres artistes. Le chimiste ou l'ingénieur désire partager les joies de la création avec des collègues. Un concert ou un coucher de soleil apportent souvent plus de satisfaction si on y assiste avec des personnes aimées. En fait, cette recherche de l'intimité et de la communauté domine notre monde.

J'ai été membre et j'ai travaillé auprès de nombreux groupes et organisations, ces expériences me prouvant chaque fois que notre culture connaît très peu de *véritables communautés*. Il s'agit là d'une grave lacune.

Nos peurs nous isolent et nous empêchent même de prendre conscience de notre besoin des autres. Je conserve le souvenir très vivace d'une rencontre avec une importante communauté de célibataires. J'avais naïvement cru en la chaleur et en l'intimité de cette expérience. Je pensais, en effet, que des célibataires, ayant choisi de vivre en communauté, communiqueraient profondément les uns avec les autres. Malheureusement, je n'ai trouvé qu'un groupe de personnes désespérément seules, incapables de contacts physiques, incapables d'exprimer de la chaleur verbalement ou autrement, incapables de se tendre la main et surtout très dépendantes d'un leader qui organisait leurs activités et qui devait les soutenir émotivement. En même temps, les membres du groupe semblaient souhaiter désespérément une forme quelconque de contact. Malheureusement, la plupart des expériences que j'ai vécues auprès d'organisations diffèrent très peu de celle-ci.

Divers groupes m'ont souvent demandé d'illustrer pour eux la théorie CORI. Ces personnes reconnaissent habituellement l'importance d'une communication plus profonde et d'une plus grande cordialité, mais espèrent souvent atteindre cet objectif plus rapidement avec l'aide d'un leader compétent qui, grâce à quelque technique magique, leur permettra de mieux communiquer entre eux. Lorsque j'accepte une tâche semblable et que je ne dispose que de quelques heures, j'emploie des exercices très peu structurés, non verbaux et faciles d'accès pour les groupes de tout âge. Il s'agit souvent pour eux de leur expérience la plus satisfaisante. Même une simple intuition d'une plus grande intimité peut se révéler passionnante et positive. Cependant, il leur faut comprendre que la véritable intimité ne s'atteint pas aussi facilement et qu'il n'existe aucun moyen facile et rapide de connaître la sollicitude et la profondeur.

L'environnement de ces groupes récréatifs, sociaux et professionnels peut changer radicalement. Il s'agit alors de modifier la conception des réunions autocratiques, cognitives et dépersonnalisées. Il faut créer un environnement matériel flexible et versatile afin de permettre un regroupement spontané et fluide. Il faut aussi repenser les horaires qui empêchent les événements de surgir spontanément et qui enferment les gens dans un programme pensé par d'autres, longtemps à l'avance. Enfin, il faut changer les normes, les habitudes et les politiques des groupes eux-mêmes.

La création d'un environnement favorable à l'intimité présente, pour toutes les organisations, un problème fondamental. Dans tous les domaines, il est possible de concevoir des organisations et des activités favorisant la sollicitude, la chaleur, l'intimité et la communication. Nous désirons tous vivre de cette façon, mais malheureusement, le « comment » créer des formes sociales nous permettant d'atteindre ces objectifs nous est encore inconnu. Il est inutile de remettre la fonction de communication à un directeur des communications. De la même façon, il est inutile à une organisation professionnelle et sociale de confier le problème de l'intimité à un directeur social ou à un coordonnateur des activités. L'intimité et la sollicitude se situent au coeur même de l'être organisationnel. On ne peut en remettre la réalisation à une personne en particulier.

La communauté de guérison, de croissance et de thérapie

L'intérêt nouveau qu'on porte envers la guérison holistique et la santé organique a encouragé la création de communautés orientées vers la santé. Il s'agit d'ailleurs là d'une initiative très prometteuse. On attache en effet beaucoup plus d'importance à la croissance, au diagnostic et au traitement intégral qu'au traitement correctif et curatif.

Les nouvelles possibilités offertes par la guérison holistique vont révolutionner la pratique médicale et psychiatrique, mais nous connaissons peu de choses toutefois sur les facteurs qui favorisent la guérison et la croissance à l'intérieur de la communauté. Les communautés holistiques s'inspirent trop souvent des principes de direction propres aux environnements II à IV. Au pire, la direction et l'organisation de la communauté se caractérisent par l'autocratie et par la bienveillance, et on se fie plutôt à des techniques ésotériques afin de créer les états transcendants qui accompagnent la santé holistique. Heureusement, quelques-unes des meilleures communautés vivent vraiment d'une manière holistique et organique.

Nous nous dirigeons vers l'union de la technique, dans le meilleur sens du terme, et de la direction organisationnelle. Je crois que la guérison, la transcendance et la santé se trouvent dans *l'environnement lui-même*. L'atmosphère favorise l'émergence d'une énergie et d'une communication, sources d'intuition, de sollicitude, d'intégralité, de transformation et de guérison. Ceux qui apprennent à se joindre aux autres de cette manière créent la communauté pour leurs propres besoins. *La guérison se situe à l'intérieur du processus lui-même*, elle n'est pas le résultat d'un processus quelconque.

La communauté du travail et des affaires

On a souvent tenté, nous apprend l'histoire, de créer des communautés basées sur les joies et les défis du travail. On suppose que le travail peut être honorable, rédempteur, passionnant, humain, axé sur la coopération et source de satisfaction intérieure. Travailler ensemble à des tâches choisies ou conçues en collaboration avec des collègues appréciés et dans des conditions créées par l'équipe *peut* devenir une expérience organique et intégrale.

Heureusement, nous pouvons tenter de créer des communautés de travail de plusieurs façons. Certaines petites entreprises s'inspirent de principes humanistes et adoptent l'une ou l'autre théorie favorisant le plus possible une relation étroite entre les gens et leur travail. Les sociétés plus importantes créent de nouvelles formules de décentralisation, d'horaire flexible, de collaboration au niveau de la planification, de projets pilotes et d'expériences nouvelles.

Les urbanistes songent à d'ingénieux modes de construction. Le lieu de travail deviendrait ainsi plus accessible, son environnement serait plus agréable et il s'intégrerait dans une vie holistique et humaine. Ainsi, le mouvement moderne de retour à la nature est une tentative de vie près de la terre, afin de redécouvrir les joies simples du travail librement choisi, d'unir le travail à l'environnement naturel et de développer les aspects créateurs du travail.

De nombreux facteurs favorisent l'efficacité de ces expériences :

1. Les gens veulent découvrir et créer leurs propres tâches.

2. En général, ils apprécient un travail qu'ils n'auront aucune difficulté à relier directement à leurs objectifs personnels, à leurs talents et à leurs intérêts. Le travailleur doit *voir* la signification de son travail.

3. Les gens aiment travailler avec des collègues qu'ils apprécient, qui se préoccupent des autres, qui partagent avec eux différents aspects de la vie et qui forment une communauté unie.

4. Si la direction participe à l'organisation du travail, elle doit adopter un niveau d'environnement qui corresponde au niveau

de développement du travailleur. La plupart des gens veulent participer davantage à tous les aspects du travail. Il s'agit d'ailleurs là d'un problème complexe. La fausse participation, l'« implication » selon un rite précis et les pseudo-choix sont vraisemblablement moins humains que l'autocratie réelle, honnête et ouverte.

5. Si on consacre la plus grande partie du temps au travail lui-même plutôt qu'à la direction, à la coordination et au contrôle, la communauté de travail devient plus efficace. Le travail librement choisi contient sa propre motivation.

6. La présence d'un sentiment de communauté est fondamentale. Le meilleur environnement de travail permet le libre mouvement de l'interaction, l'union du besoin d'intimité et du contact avec autrui, le choix des coéquipiers et des tâches ainsi que de multiples possibilités d'interaction personnelle. La plupart des gens aiment travailler *avec* les autres à un moment ou à un autre.

8. La compétition est habituellement plus destructrice qu'efficace, et on cède facilement à la tentation de l'utiliser dans le but d'augmenter la productivité. Les résultats positifs de la compétition sont toutefois illusoires et temporaires, alors que les aspects négatifs l'emportent de beaucoup. Une coopération authentique et interdépendante présente au contraire une base tellement plus solide pour l'organisation du travail.

9. Tous les aspects du travail comportent de nombreuses différences individuelles : le besoin d'intimité, le besoin d'aide, le désir d'accomplir des tâches diversifiées, la disposition à réaliser des tâches routinières, le besoin de créativité, le niveau de compétence, la tolérance de l'ordre ou du désordre, le besoin de perfection, le désir d'apprendre, la volonté de se plier aux pressions du groupe, etc. La communauté de travail doit accepter cette diversité et surtout ne pas tenter de la détruire.

10. La vitesse et l'efficacité jouissent d'un grand prestige. La communauté de travail qui leur accorde trop d'importance doit repenser son organisation et laisser place à d'autres facteurs plus importants. La liberté d'action permet aux gens de travailler plus rapidement et plus efficacement lorsqu'ils en sentent l'importance pour eux et que les conditions leur semblent favorables. Plusieurs travailleurs sont fiers de leur efficacité et de leur rapidité et créent alors leurs propres méthodes et leurs propres rythmes.

11. Les valeurs des gens doivent aussi se relier étroitement au travail à accomplir. Les gens manifestent une énergie et une créati-

vité considérable lorsque leurs tâches correspondent à leurs valeurs : la protection des animaux, la diminution du taux de natalité, la conservation des ressources naturelles, l'amélioration de la nature, la conservation des objets historiques, l'aide aux pauvres, etc.

12. Le salaire et le profit ne sont pas les aspects les plus importants du travail. Les facteurs énumérés plus haut se révèlent à long terme beaucoup plus fondamentaux. La manipulation du salaire et du profit, afin de créer la motivation et une productivité accrue, n'est qu'une illusion. En présence de la confiance et de la sollicitude, des salaires semblables pour tous élimineront progressivement certains facteurs qui paralysent l'efficacité. Ainsi, nous assisterons à la disparition de la jalousie envers ceux qui reçoivent un meilleur salaire, du ressentiment envers ceux qui feignent de travailler et qui sont mieux rémunérés, des sentiments d'incompétence surgissant lorsque ce sont les autres qui jouissent des augmentations et des bonis et, enfin, du ressentiment envers les administrateurs qui modifient les salaires et tentent ainsi de manipuler les travailleurs.

Les communautés résidentielles

Le changement rapide des valeurs dans notre société en transition permet de multiples expériences. Les communes, les familles élargies, les communautés d'adultes, les communautés de plusieurs familles, les immeubles réservés aux célibataires, les communautés de retraités, les colonies de nudistes, les quartiers sous étroite surveillance de gardes de sécurité, les couples non mariés, les mariages ouverts, les communautés d'homosexuels : plusieurs formes de vie émergent et offrent choix et diversité.

Il est heureux que cette diversité existe : nous connaissons en effet si peu de choses sur la vie partagée et nous nous sommes pourtant contentés d'hypothèses confortables sur les avantages universels de la monogamie et de la famille traditionnelle. Notre culture actuelle encourage l'expérimentation de plusieurs autres modèles. Ainsi, nous pourrons peut-être en arriver à créer une plus grande diversité de styles de vie et de plus grandes possibilités de choix pour ceux qui cherchent à mener une existence essentiellement bâtie sur la confiance.

La création d'un heureux mélange d'intimité et d'union avec les autres demeure un problème crucial. Plusieurs expériences entreprises afin de créer des communautés de vingt à quarante familles me semblent remplies de promesses. Dès le départ, on a prévu des espaces réservés aux familles individuelles et on les a répartis autour d'une vaste pièce commune servant aux repas, aux loisirs, aux réunions, aux activités d'apprentissage des enfants et des adultes et enfin, à tout autre type d'activité communautaire. Chaque famille pourra ainsi choisir, selon ses désirs, entre l'intimité ou les activités à caractère de partage.

Des communes de diverses grandeurs ont greffé à leur travail, à leur religion ou à leur retour à la nature, des préférences idéologiques et sociales. Nous retrouvons des groupes de trois à vingt personnes qui achètent ou louent une grande maison et tentent de trouver l'épanouissement dans la vie collective.

Tous ces groupes connaissent des problèmes d'organisation : la répartition des tâches ménagères, le partage de l'argent, la préparation des repas, la prise de conscience, l'expression des griefs, la résolution des conflits, etc. Selon moi, la plupart des membres de ces communes nourrissent des espoirs romantiques et libéraux et voient très difficilement la contradiction entre les techniques de direction et les environnements de qualité. Ils recherchent une vie propre aux environnements VI à X, mais appliquent des modèles de direction traditionnels, héritage de leurs familles autocratiques et bienveillantes ainsi que des usines, des écoles et des institutions religieuses contre lesquelles ils s'insurgent. Ils espèrent atteindre un haut niveau de confiance et par là transcender leurs peurs, mais ils emploient parfois les pratiques nocives de leurs environnements précédents, c'est-à-dire les règles, les restrictions, les punitions, les horaires fixes, le secret, les contrats formels, la précision des rôles, les structures hiérarchiques, ainsi que toute autre forme de protection contre la peur.

On résout difficilement ces problèmes pratiques. Toutefois, plusieurs groupes projetant une vie commune se basent sur la théorie CORI ; l'analyse des niveaux d'environnement leur permet de mieux réfléchir au milieu qu'ils souhaitent créer.

La création d'une théorie commune et le partage d'un ensemble de valeurs comportent certains avantages. On peut ainsi éviter les tensions nuisant à la productivité et préserver les différences qui ajoutent au défi de l'expérience.

La présence de la confiance est plus importante au sein d'une commune qu'à l'intérieur d'organisations formelles. L'apprentissage de la confiance et le processus de vie commune font qu'un : il s'agit essentiellement d'un problème d'*apprentissage*. Tout comme la personne, *le système doit apprendre à être*. C'est là la base de son développement.

Une véritable communauté ne se crée pas du jour au lendemain. Les gens les mieux intentionnés et dont les idées sont semblables connaissent tout autant de problèmes que les membres d'écoles ou d'entreprises s'unissant pour atteindre des objectifs formels très peu reliés en apparence à la formation d'une communauté. Quels que soient la nature de l'organisation, les buts institutionnels et les tâches formelles, *les processus personnels* représentent le point critique. Le comportement personnel, ouvert, guidé par les désirs et interdépendant est le plus fonctionnel et il se situe à la source de la confiance. Au contraire, le comportement impersonnel, bâti sur la manipulation, la stratégie et le contrôle, engendre inefficacité et peur.

La communauté internationale CORI

Dans le chapitre précédent, nous avons présenté la communauté internationale CORI comme un modèle d'organisation basée sur le bénévolat. Nous allons maintenant la voir comme une *communauté*.

De dix à onze mille personnes participent occasionnellement aux activités de la communauté ; environ mille autres y travaillent constamment et se considèrent plus ou moins comme membres permanents.

D'une région à une autre, les membres se sentent unis par des liens étroits. Ainsi, ils se rendent souvent visite, même s'ils ne se sont jamais rencontrés personnellement. Ils partagent des valeurs et des aspirations semblables, issues de la théorie CORI.

Plusieurs groupes de membres vivent ensemble à l'intérieur de diverses formes de communes. Toutefois, l'interaction se produit surtout lors de vacances, de repas, de visites et de fins de semaine. Certaines communautés organisent des célébrations communes lors de longs congés comme ceux du Nouvel An et de Pâques. Les membres ont ainsi l'occasion de se rencontrer, accompagnés de leur famille. Ils partagent la nourriture, participent aux dépenses sur une base volontaire, amènent des amis qui souhaitent faire l'essai de la vie CORI, cuisinent des repas communautaires, inventent des jeux de groupe, etc. Une communauté a d'ailleurs créé un jeu non structuré appelé le « jeu CORI » qui ne comprend aucune règle. On emploie habituellement une balle qu'on peut faire rouler, porter, lancer, passer, pousser du pied ou ne pas jouer. Le but du jeu est simplement de participer à une activité, à un processus partagé, à un jeu spontané et à la joie du mouvement.

La communauté crée un ensemble de plus en plus important d'histoires, de poésies, de chansons, de jeux de groupes et même de certains rituels. Ces activités se caractérisent cependant par l'absence de structures, d'organisation planifiée et de techniques. De plus, la communauté compte très peu de rituels et de traditions formelles. Elle favorise plutôt spontanéité et liberté.

L'organisation formelle, « les Associés CORI », est très peu reliée aux activités de la communauté qui se situent souvent dans les environnements VI et VII. Nous constatons qu'un très haut niveau de profondeur et de sollicitude peut être atteint sans le recours à une organisation, à un leadership ou à une direction formels. Les communes qui se créent présentement vont sûrement se développer et devenir des communautés basées sur la confiance et le partage des valeurs, alors que les gens décident de vivre ensemble après avoir appris à être ensemble dans la profondeur et l'intimité.

La communauté a aussi connu sa part de frustrations et de problèmes. Un nombre assez important de membres désiraient des procédures plus formelles, des cotisations, des règles d'appartenance au groupe, de la publicité autour des réunions de la communauté, des frais de participation aux ateliers de travail, l'engagement d'un personnel administratif et l'application de diverses procédures caractéristiques d'une faible confiance. Les membres n'ont pas tous la même conception des conditions nécessaires à une vie essentiellement confiante. Cependant, la communauté accepte les différences de comportements et d'opinions. On discute périodiquement de certains problèmes probablement communs à tous les groupes : la cigarette, l'alcool, la marijuana, les drogues, la musique trop bruyante, les animaux domestiques qu'on amène lors des rencontres de fins de semaine, ceux qui évitent de partager les frais, qui ne participent pas aux réunions de la communauté, les multiples formes de relations avec les enfants, etc. La plupart des membres apprécient l'expression ouverte des sentiments, la diversité, l'interdépendance profonde, l'expression des désirs et la réflexion sur les problèmes au fur et à mesure qu'ils apparaissent.

Certaines de mes observations personnelles sont ici pertinentes. Celles et ceux qui participent activement aux communautés se transforment et croissent de manière surprenante ; d'ailleurs, chacun sent chez soi cette évolution. D'autre part, je constate la présence d'une théorie qui s'applique dans le comportement et les pratiques des gens et qui se communique par l'interaction plutôt que par la parole ou l'imprimé. Ce volume est le premier ouvrage consacré à la théorie. Il tente d'articuler les apprentissages qui émergent de la communauté et est une forme de communication d'abord destinée aux membres de cette communauté. Il peut aussi intéresser le nombre croissant de gens qui aimeraient connaître davantage la communauté CORI et participer à l'évolution de sa théorie et de sa pratique.

Si j'ai tant attendu pour écrire ce livre, c'est que je voulais, entre autres, me rendre compte du niveau d'efficacité et de satisfaction de la communauté internationale CORI. Celle-ci constitue le test le plus probant qui permet de vérifier les possibilités d'application de la théorie. Je constate heureusement un succès spectaculaire et je suis sûr que nos applications de la théorie se rattachent à *toutes* les phases de l'interaction humaine. La force de la communauté internationale prouve clairement l'applicabilité de la théorie.

La direction d'une organisation consiste à laisser surgir le mouvement et à se libérer des contraintes.

Chapitre 10

Le processus de direction et la disparition des contraintes

Une direction basée sur la confiance consiste à se joindre aux autres afin de voir disparaître les contraintes qui nous empêchent d'agir selon nos désirs. Nous souhaitons *profondément* trouver un sens à notre vie, être productifs et créateurs et, enfin, nous joindre aux autres dans la joie du travail et l'extase d'être. En présence de la peur, nous créons des contraintes. La confiance nous amène à les détruire.

Processus de direction

Malheureusement, le mot « direction » est devenu synonyme de contraintes et, à cet égard, nos expériences malheureuses commencent très tôt dans la vie. Il y a plusieurs années, on m'a demandé en ma qualité de consultant professionnel de présider un congrès sur la pratique des sports de compétition chez les enfants de moins de douze ans. J'ai vécu là une magnifique expérience.

Après trois jours de débats intenses et de partage d'information, les cent représentants de diverses organisations se sont prononcés sur une importante proposition qui recommandait l'abolition de tous les sports de compétition pour les enfants de moins de douze ans.

Plusieurs groupes étaient représentés : des associations de parents et d'enseignants, des groupes de défense des droits de l'enfant, des psychologues, des psychiatres, des organisations de loisirs et d'éducation physique, des orthopédistes, etc. Tous ces professionnels, sans exception, ont appuyé la proposition après avoir constaté l'influence néfaste de la compétition sur les jeunes enfants. Toutefois, seule ombre au tableau, les représentants des fabricants d'équipement sportif et de la presse sportive étaient eux aussi présents. Comme on s'y attend, tous ont voté contre la proposition et ont ainsi contribué à son rejet, puisque les délégations des groupes commerciaux étaient plus importantes que celles des associations professionnelles.

Ces dernières avaient très clairement illustré et prouvé sans un doute les côtés très négatifs de la compétition chez l'enfant. Malgré cela, l'aspect commercial et l'importance des profits réalisés l'ont emporté. On comprend alors que le macroenvironnement est très puissant : nous sommes enfoncés dans un système basé sur la compétition et sur le profit. Je reparlerai d'ailleurs de ce problème dans le prochain chapitre.

Il importe cependant de s'attarder ici sur les pratiques de direction nocives et primitives des gérants, des comités, des parents, des media et des autres groupes d'adultes qui s'occupent d'athlétisme chez les enfants. De multiples témoignages ont prouvé la présence de processus de direction nuisibles et propres aux environnements I, II et III. Ils ont souligné l'emploi fréquent de la punition comme source de motivation, la présence d'une discipline irrationnelle, d'un esprit de compétition néfaste et du désir de la victoire à tout prix chez les directeurs d'équipes, le nombre de décisions sans la participation des enfants, leur exploitation au profit des objectifs des adultes, une dépersonnalisation et un professionnalisme prématurés et, enfin, la manipulation de la part des fabricants d'équipement sportif.

Malgré toutes leurs prétentions et leur grande réputation, ces programmes sportifs ne peuvent développer la volonté de l'enfant. Ils lui offrent plutôt l'occasion d'apprendre les pires pratiques de direction. Ainsi, les règlements et les moyens de les détourner prévalent constamment. Un directeur connu a par exemple annoncé à un imposant groupe de parents et d'enfants : « Comme vous le savez, les règlements de la ligue défendent l'entraînement de l'équipe d'étoiles avant le 20 juin. J'aimerais toutefois que les vingt-quatre joueurs suivants se présentent le 6 juin. » Toute l'assistance a souri devant cette entorse flagrante au règlement ; il était en effet évident que les vingt-quatre jeunes allaient s'entraîner avant la date réglementaire.

Lors de ce congrès, les professionnels qui travaillaient auprès des jeunes étaient tellement convaincus des effets néfastes de ces pratiques qu'ils ont recommandé l'abolition des sports de compétition chez les enfants. Selon moi, nous sommes en présence de groupes d'adultes soucieux de servir les intérêts des enfants, de leur organiser des loisirs et de « les tenir loin de la rue ». Malheureusement, ils se trouvent coincés dans un cercle de mauvaises habitudes parentales, de styles de direction traditionnels et mal analysés, d'hypothèses de méfiance au sujet des enfants et de leur apprentissage et, enfin, de pratiques et de règles institutionnelles complexes. Toutes ces attitudes viennent d'ailleurs de nos peurs et de nos méfiances. Les parents, les enseignants, les directeurs de ligues sportives *n'ont pas l'intention* d'enseigner le mensonge, la manipulation, la stratégie, la peur ou la méfiance, mais leurs attitudes de méfiance et leurs fausses théories produisent invariablement ces effets néfastes et ce, malgré toute leur bonne volonté.

Les enseignants, les administrateurs, les parents, les conseillers, les religieux, les directeurs et les cadres se trouvent souvent placés dans de telles situations : tous se trouvent prisonniers de leurs hypothèses de méfiance. Aussi devrions-nous réfléchir au message CORI contenu dans ce livre.

Nous supposons souvent que les pratiques de direction déterminent la qualité de notre environnement. J'aimerais donc m'attarder sur les liens entre la théorie CORI et la direction. Nos organisations apprendront sans doute à vivre au-delà de l'environnement V. Toutefois, notre vie organisationnelle se déroulera d'ici là dans des environnements déterminés par nos leaders et par nos attitudes envers eux. La plupart d'entre vous jouez ou allez jouer un rôle de directeur. Or nous nous perdons de plus en plus dans les méandres de la peur, de la déception et de la manipulation. J'aimerais donc partager avec vous mes impressions et ma théorie à ce sujet.

Importance capitale de la confiance

Mon niveau de confiance me sert de régulateur interne. Mes gestes de directeur ou de parent s'y relient donc étroitement. La croissance de la confiance ne relève pas simplement de la volonté, d'un choix rationnel ou de la perspicacité. Elle correspond plutôt à un processus de mon être entier, à une « re-naissance » continuelle et à un mouvement profondément organique. Mon niveau de confiance de base se révèle étonnamment stable. Je *peux* néanmoins le changer par la création d'un environnement qui me permet de *découvrir* qu'on peut se fier aux gens et à leurs démarches. Tout comme la grâce, la confiance est un don. Nous devons toutefois nous préparer à recevoir celui-ci, à ouvrir notre esprit et à l'accepter. Il s'agit en fait d'un processus fondamental constamment en évolution. Même le Christ, souvent cité comme un modèle de confiance, a apparemment perdu la foi lors d'un instant de crise. Son cri : « Père, pourquoi m'as-tu abandonné ? » a surgi au moment où sa confiance a vacillé.

Structure fondamentale de la théorie de la direction

La théorie CORI appliquée à la direction se base sur les quatre principes fondamentaux suivants :

C : le comportement personnel produit la *confiance* ; les rôles et la dépersonnalisation engendrent la défensive ;

O : l'*ouverture* authentique conduit à l'intégration du processus de la vie ; la stratégie secrète crée la stratégie d'opposition et la ruse ;

R : la *réalisation* intérieure se manifeste dans une productivité élevée ; la persuasion mène à la résistance et à la désintégration ;

I : l'*interdépendance* engendre la synergie ; le contrôle produit la dépendance et la révolte.

En d'autres termes, les personnes qui dirigent désirent vivre les processus suivants d'une manière épanouissante et non contraignante :

C : *confiance* intérieure, émotivité, acceptation, sentiment d'appartenance au groupe, croissance de l'être ;

O : *ouverture à la communication*, libre circulation de l'information, expression des perceptions et des sentiments ;

R : *réalisation* de ses possibilités, participation à la définition des objectifs, travail productif, créativité, efficacité, motivation, capacité de résoudre les problèmes ;

I : *interdépendance*, contrôle, organisation, structure, mouvement, relations personnelles profondes.

L'enseignant ou le directeur relativement confiant tentera « d'orienter » l'émotivité, la définition des objectifs et l'organisation, par le biais d'attitudes plus personnelles, plus ouvertes, plus permissives et plus interdépendantes, alors que le directeur moins confiant emploiera davantage la dépersonnalisation, la stratégie, le secret, la persuasion et le contrôle.

Les parents et les directeurs peuvent appliquer la théorie CORI à l'aide de mini-expériences. Ils peuvent ainsi, dans une situation réelle, essayer d'être le plus souvent possible personnels, ouverts, permissifs et interdépendants. Évidemment, ils doivent percevoir leurs peurs et les risques de cette expérience.

Pour le directeur qui applique la théorie CORI, la vie devient une découverte constante, un processus d'apprentissage, une expérimentation et une tentative de création de la confiance. La réponse à la question suivante sert à déterminer l'efficacité d'un système : « Les directeurs apprennent-ils grâce à leur action ? »

Tous les problèmes de direction peuvent se relier à l'un des quatre processus énumérés plus haut. Les aspects techniques de ces problèmes, soit l'espace, l'achat de matériaux, la fabrication, la distribution et le financement, ne sont pas à négliger. Toutefois, *le problème administratif fondamental* se trouve dans *la qualité des relations du directeur avec ses employés*, lesquels auront à résoudre ces problèmes techniques. Aussi faut-il avant tout analyser l'attitude du directeur face à l'émotivité (C), à la communication (O), à la motivation (R) et à l'interdépendance (I).

Création de la qualité de l'environnement

La plupart des églises, des familles, des entreprises, des écoles et des organisations évoluent dans les environnements II, III et IV. Selon moi, le directeur doit se situer à un niveau plus élevé afin d'apporter une réponse à la question : « Comment puis-je apprendre à vivre et à me réaliser dans mon environnement institutionnel ? » Il est important pour moi de vivre en paix avec moi-même *dans mon monde*. Si je peux apprendre à m'y retrouver de manière authentique, personnelle, ouverte et interdépendante, ce monde ainsi que ma personne changeront.

Si je veux me servir de la théorie CORI pour analyser mon organisation et mon travail, je dois réfléchir sur les manifestations de la peur, de la méfiance et de la confiance dans le système. Par exemple, deux attitudes contradictoires s'affrontent souvent dans notre culture contemporaine. Une majorité de gens croient en la supériorité des styles de direction propres aux environnements II et III. La présence d'un autoritarisme clair, direct et responsable représente pour eux le mode de vie le plus efficace et le plus réaliste. Ce groupe autocratique croit aussi que l'exercice d'un pouvoir raisonnable par une élite compétente, qualifiée et intelligente protège le monde contre les fantaisies et l'inconstance des événements.

Cependant, une minorité de gens préfèrent les styles de direction propres aux environnements V et VI. Ils pensent que les individus peuvent prendre leurs propres décisions, créer leur propre vie, faire des choix responsables, s'engager dans un travail productif et créateur et, enfin, se joindre aux autres afin de créer eux-mêmes des écoles, des familles, des entreprises et des institutions religieuses.

Bien sûr, il s'agit ici d'une représentation simpliste de l'opposition entre ces deux groupes. Toutefois, nous touchons du doigt un des plus importants problèmes de notre époque. *Comment des institutions essentiellement autocratiques et paternalistes peuvent-elles évoluer vers des environnements participants et émergents* ?

Les deux tableaux suivants représentent une analyse schématique de ces deux conceptions. Le tableau XVII illustre les environnements *autocratiques et paternalistes*, leur caractère défensif et leurs conséquences sur le système et sur les personnes. Les rôles sont structurés, délimités et clairement définis. Ils produisent la défensive, une atmosphère générale de paranoïa et diverses formes de collusion. Les stratégies cachées soigneusement planifiées conduisent au secret, à l'opposition et à la tromperie. Dans de telles conditions, le processus de prise de décision se confond aux directives « venues d'en haut ». Des systèmes de récompenses marginales servent à manipuler les motivations et nuisent ainsi au travail productif et créateur. Les règlements, les lois et le pouvoir dominent et engendrent la dépendance et diverses formes de contre-dépendance.

Le tableau XVIII présente les environnements *participants et émergents*. Ils permettent l'apparition des processus de découverte et créent ainsi une atmosphère non défensive. Le comportement personnel produit la confiance et la sollicitude. L'ouverture permet l'intégration de l'émotivité dans le travail plutôt que dans la ruse. Le comportement permissif favorise l'union des objectifs personnels et institutionnels par l'intermédiaire des motivations intérieures. Enfin, l'interdépendance conduit à la synergie et à la collaboration.

Le niveau IV, de nature consultative, correspond à une transition relativement neutre entre ces deux grandes oppositions. L'information y circule mieux, les nouvelles relations entre la direction et les employés modifient les processus défensifs issus des pratiques autoritaires et permettent ainsi l'évolution vers une collaboration et une participation authentiques. La direction « scientifique » se situe entre l'autocratie et l'émergence créatrice.

Création de son environnement intérieur

Comme nous l'avons déjà expliqué dans le chapitre III, les niveaux d'environnement décrivent la croissance personnelle et organisationnelle. Selon moi, la plupart des personnes et des institutions vivent à la fois dans trois environnements, soit celui dont elles s'éloignent, celui où elles se situent surtout et celui qu'elles souhaitent bientôt atteindre.

Il existe de même divers niveaux d'expérience. Une personne peut avoir expérimenté diverses possibilités d'environnements et s'en faire ainsi une image réelle, claire et communicable. Par contre, si elle n'a jamais connu de groupes sans leaders, les environnements VI à X correspondront à des concepts vagues et irréalisables. D'autre part, certains enfants élevés dans des familles et des écoles progressistes peuvent n'avoir jamais vécu dans les environnements I et II et ne les connaître que par ouï-dire. Plusieurs étudiants en administration ne croient réalisables que les environnements II à V qui correspondent généralement aux styles de direction I, II, III et IV proposés par Likert. Les niveaux IX et X ainsi que les phénomènes transcendants et cosmiques demeurent inconnus à plusieurs personnes, car ils semblent correspondre à une menace ou à de la science-fiction et il est impossible de les prendre au sérieux.

TABLEAU XVII

DIRECTION AUTOCRATIQUE ET PATERNALISTE (I, II, III)
(directeurs, professeurs, conseillers, parents, prêtres)

Processus de défense	**Comportement**	**Conséquences sur la personne, le groupe, la communauté ou le pays**
Dépersonnalisation	Peur, méfiance	Énergie vitale consacrée à la défensive
Catégories	Adoption d'un rôle	Augmentation des peurs et de la méfiance
Rôles	Exigences du rôle	Sentiments accrus de suspicion, paranoïa
Observation	Précision des règles	Divisions, sous-groupes, collusion
Détachement	Punitions	Peur de la thérapie, de l'ouverture, du danger
Évaluation	Défenses	Perceptions déformées
Masque	Stratégie cachée	Énergie consacrée à la stratégie défensive, à la ruse
Fermeture	Création de façades	Importance du secret, besoin de huis-clos
Secret	Emploi de techniques	Information déformée
Distance	Communication planifiée	Sentiments d'aliénation, de tristesse, d'éloignement
Éloignement	Information filtrée	Difficulté de la prise de décision par consensus
Filtrage	Secret	Suppression des sentiments négatifs

Devoir	Persuasion	Résistance, apathie, passivité, désintérêt
Négation de soi, de ses désirs	Manipulation de récompenses marginales	Travail inutile, mal orienté, «névrotique »
Importance des valeurs	Évaluation du rendement	Éloignement, fonctionnement à contre-courant
Protection	Importance de la compétence	Énergie gaspillée à la réalisation des attentes des autres
	Importance des responsabilités	Importance de l'autorité et des responsabilités
		Manque de réalisme des objectifs
Dépendance	Importance du pouvoir et du contrôle	Bataille symbolique et mal orientée
Contrôle	Élaboration de règles	Résistance à l'autorité, hostilité latente
Soumission	Création de limites	Ambivalence, impuissance, blâme jeté sur autrui
Domination	Paternalisme ou abdication, absence de direction	Marchandage du pouvoir
Direction	Légalisme	Conformisme face au pouvoir et à ses attentes
Révolte		Besoin d'ordre, de structures, de règles

TABLEAU XVIII

DIRECTION PARTICIPANTE ET ÉMERGENTE (E V, VI) (directeurs, professeurs, conseillers, parents, prêtres)

Processus de découverte	Comportement	Conséquences sur la personne, le groupe, la communauté ou le pays
Confiance-être	Confiance	Comportement personnel, dégagé d'un rôle
Chaleur	Être une personne	Perception du caractère unique de chaque personne
Unité	Abandon du rôle	Enthousiasme, élan, vision claire
Individualité	Sollicitude	Sollicitude accrue envers soi et envers les autres
Acceptation	Spontanéité	Confiance en son propre travail
Considération envers soi-même	Activité	Diversité, exploration, absence d'ordre
Ouverture	Manifestation des sentiments	Importance du mouvement de l'être
Rapprochement		Rétroaction réciproque, ouverture, dévoilement
Communion	Dévoilement de soi	Intégration de l'émotivité et du travail
Écoute	Comportement authentique	Unanimité facilement atteinte ou inutile
Manifestation de son identité	Sympathie	Liberté des sentiments négatifs
	Impulsivité	
Liberté	Absence de prudence	

Réalisation	Permissivité	Motivations intérieures
Actualisation	Réalisation de l'être	Intégration des objectifs et de l'action
Désir	Manifestation de ses désirs	Importance de l'énergie personnelle, efficacité de ses propres normes
Affirmation	Solution des problèmes	Empressement au travail, prise de possession de ses tâches
Croissance	Activité	Liens étroits entre le travail et le jeu
Exploration	Recherche	Diminution du pouvoir et de la compétition
Interdépendance	Union	Interdépendance et collaboration accrues
Union	Rapprochement	Émergence de règles et de contrôles intérieurs
Partage	Apprentissage commun	Effort commun afin de résoudre les conflits
Intégration	Attitudes informelles	Quasi inutilité des structures
Synergie	Absence du contrôle	Attribution des tâches selon les intérêts, unanimité
Liens étroits	Importance du moi	Souplesse, mouvement vers l'union

Toute personne qui tente d'appliquer la théorie CORI doit connaître à fond son propre niveau d'environnement, son mode préféré d'interaction, identifier précisément ses peurs et ses anxiétés face à certains niveaux de développement, les lacunes de ses expériences, ses valeurs et ses diverses représentations de la réalité. Selon moi, nous pouvons tous atteindre nos objectifs personnels. Nous pouvons à un certain degré choisir notre style de direction. De la même façon, chaque personne s'épanouit davantage dans un environnement en accord avec ses valeurs, son comportement, ses attitudes, ses habitudes et ses tendances profondes.

Les personnes et les institutions évoluent naturellement vers de nouveaux environnements. Plus nous réduisons nos défenses, plus nous progressons vers un environnement satisfaisant. Toutefois, les individus et les organisations doivent d'abord comprendre et accepter leur identité afin de diminuer les défenses et ainsi, augmenter la confiance. Par exemple, lorsque l'autocratie devient un mode de vie et que la confiance des gens s'accroît envers elle, le système tend vers la bienveillance. Au niveau de qualité d'environnement organique, quand la sympathie et l'intuition s'intègrent à la vie et deviennent familiers, l'intégration surgit à d'autres niveaux. De plus, les sources de l'énergie quasi consciente et de la créativité s'incorporent à la vie.

Une conscience accrue accompagne ce processus. Les gens actualisent et réalisent leurs perceptions au fur et à mesure qu'ils atteignent d'autres environnements et qu'ils connaissent des libertés, des possibilités et des tendances nouvelles.

En fait, je peux réaliser tout ce que je m'imagine clairement.

Une image claire et vivante d'un nouvel environnement me permettra de l'atteindre.

Intériorité de la direction

La croissance correspond à un mouvement de l'intérieur vers l'extérieur. Chez les personnes et les organisations efficaces, les orientations, les motivations, les mouvements et les sentiments surgissent du centre de leur être pour ensuite s'extérioriser.

Certains directeurs font fausse route lorsqu'ils croient « diriger » le système, en définir les objectifs, en créer le processus et prendre les décisions. En fait, il ne s'agit là que d'un mythe. Les quatre variables CORI (être, circulation de l'information, formation des objectifs et interdépendance) émergent de l'intérieur de tout système et correspondent à des besoins. Le directeur doué de sensibilité perçoit les désirs des gens, les objectifs émergents, le processus dans son ensemble et il contribue le plus possible à leur réalisation. Ce processus de direction produit des organisations fortes, dynamiques et dirigées de l'intérieur. Il crée aussi des personnes interdépendantes et orientées vers le centre de leur être.

Les directeurs, les prêtres, les thérapeutes, les enseignants et les parents efficaces se débarrassent constamment de leurs rôles. Ils vivent et travaillent afin de renforcer le système. Ils permettent aux interdépendances de se manifester ouvertement et de devenir de moins en moins essentielles au sein de l'organisation ou de la famille. Les directeurs ou les parents inexpérimentés, défensifs et marqués par l'insécurité ne reconnaissent pas ce processus et se comportent souvent de façon à se rendre indispensables. En fait, les nouveaux directeurs essaient souvent d'agir selon leur rôle afin de justifier leur salaire et leur statut.

Système de contrôle

Le directeur, le parent ou toute personne qui joue un rôle commettent une erreur fondamentale lorsqu'ils s'enferment dans un système de contrôle. La tentative de contrôler une autre personne donne naissance à des forces d'opposition nuisibles pour le système. Les directeurs *peuvent* aider à mettre en place des processus qui contrôlent *d'autres processus*. On peut contrôler le mouvement des marchandises, le traitement des données et l'utilisation de l'espace. Toutefois, les personnes et les systèmes sont plus sains lorsque ce sont les buts, les situations, l'information et les autres besoins du système qui contrôlent les gens.

On peut exercer un contrôle d'une manière consciente ou inconsciente, volontaire ou involontaire. Un parent ou un enseignant qui expriment une opinion, formulent une suggestion ou font une remarque spontanée, peuvent contrôler subtilement l'enfant ou l'étudiant.

Défensive et régression vers des environnements moins fertiles

La défensive empêche l'émergence de la confiance. Tout directeur peut accroître l'efficacité du système en essayant de détruire les forces qui nourrissent la défensive. Voici les facteurs les plus fréquents qui créent les attitudes de défense et les forces improductives des rôles, de la fermeture, du devoir et du contrôle :

1. *Les peurs* de toutes sortes. Elles représentent la force générique des systèmes de défense. Le fait de « diriger » produit la peur de la désapprobation, de l'évaluation, de la dépersonnalisation, de l'incompétence et de l'échec. Une foule de sentiments négatifs surgissent alors.

2. *Les pressions et les tensions*. Les directeurs craintifs et inexpérimentés peuvent délibérément augmenter les pressions. Ils s'appuient alors sur l'hypothèse fausse, mais largement acceptée, que cette attitude fera naître des motivations plus grandes. Les pressions exercées par les directeurs de tous les niveaux créent, aux échelons inférieurs, une activité basée essentiellement sur la peur et sur la tension.

3. *La compétition*. Dans une atmosphère de compétition, on doute constamment de la compétence des gens. Il en résulte d'ailleurs un besoin de défense.

4. *L'évaluation*. Les enfants, les étudiants, les travailleurs, les membres d'un groupe religieux et les patients, tous réagissent par la défensive lorsqu'ils sentent qu'ils sont ou seront évalués. Les conséquences positives de la menace de l'évaluation ne peuvent compenser pour les effets négatifs qui en découlent inévitablement.

5. La *stratégie*. Les gens qui vivent dans une atmosphère ambiguë, marquée par la stratégie et le secret, consacrent toutes leurs forces à élaborer des contre-stratégies. L'énergie dépensée à la mise en place de stratégies et de contre-stratégies est probablement le facteur qui contribue le plus à diminuer la productivité.

6. Le *danger physique*. Les dangers physiques imaginaires ou réels contribuent à créer des attitudes défensives. Les enfants qui ont été punis craignent particulièrement les menaces physiques. Les directions adoptent des comportements particulièrement défensifs en présence de poisons dans les hôpitaux, de prisonniers violents dans la cour de récréation, d'eaux profondes près du camp de vacances et d'outils dangereux à l'usine.

Lorsque la défensive se manifeste, les directeurs régressent vers des environnements moins fertiles. Plus la peur et la défensive augmentent, plus les personnes retournent vers les environnements les plus bas. Quelle que soit notre théorie, nous nous rejetons presque tous, en présence de peurs intenses, vers le pouvoir et la punition.

Cette *régression* apparaît surtout si le directeur n'a pas vraiment intériorisé et intégré la théorie. La mère effrayée qui doute de sa manière d'éduquer son enfant aura aisément recours à la fessée. Le contremaître menacé, dont la théorie est inefficace dans les cas d'urgence, emploiera facilement les représailles.

La régression diminue lorsque l'environnement s'intègre dans une théorie bien articulée et qu'il se base sur des hypothèses solides, sur des valeurs congruentes, sur un appui émotif et sur des choix clairs.

Dilemme de la direction dans une société en transition

Plusieurs directeurs, prêtres, parents et administrateurs se voient pris au piège de pressions et de forces contradictoires. Les attentes des patrons, des subordonnés, des voisins, des clients et du groupe religieux s'opposent avec force. Les ouvrages traitant de direction, d'éducation des enfants, d'animation religieuse et d'administration, pullulent et présentent des théories complètement opposées. Un parent ou un directeur trouvera certainement une publication dont la théorie justifiera l'action qu'il aura choisie.

Malgré toute sa bonne volonté, le directeur ne peut accéder à toutes les demandes légitimes, mais contradictoires, des parents, des amis, des supérieurs et des travailleurs.

Pour résoudre ce problème, plusieurs praticiens CORI ont appliqué les principes suivants :

1. Comme directeur, parent ou prêtre, je regarde d'abord en moi, je crée ma théorie et je trouve le niveau d'environnement qui convient à ma vie et à mon travail. Je me préoccupe de ma personne et de mes besoins émotifs et psychologiques. J'établis les meilleures relations possibles avec ma famille, mon équipe de travail et mon organisation.

2. Je m'efforce de créer un climat de confiance et de liberté dans ma famille ou dans mon groupe. Nous devons tous, en effet, partager ouvertement nos peurs et nos confiances, parler de nos désirs, être le plus personnels possible et découvrir nos façons de devenir interdépendants. Ma famille ou mon équipe me considèrent comme un leader et m'attribuent certaines responsabilités. Je

dois alors discuter ouvertement de ce problème et créer une solution acceptable pour mes coéquipiers et pour mes supérieurs. Les relations à l'intérieur du groupe facilitent le travail. Toutefois, si mon supérieur tient à me rendre, en tant que leader, responsable d'un retard de la production, mon équipe et moi devrons régler ce problème entre nous et avec ce supérieur. Si les autorités scolaires m'attribuent à moi, parent, la responsabilité de la ponctualité et de la fréquentation scolaire régulière de mes enfants, je devrai discuter de ce problème avec ma famille et avec les autorités scolaires.

Le parent ou le directeur qui a appliqué la théorie CORI et qui s'est appuyé plus ou moins sur les processus énumérés dans le tableau X, arrivera assez aisément à franchir ces deux premières étapes. Il pourra ainsi élaborer une théorie et créer un groupe confiant. Ce processus se révèle passionnant et stimulant.

Tout groupe authentique peut atteindre l'environnement désiré s'il s'en construit une représentation claire. Je ne prétends pas cependant qu'aucun problème ne se présentera jamais. Ainsi, la colère, les divergences, les conflits, les rivalités, la jalousie, la rancune et divers sentiments négatifs apparaîtront vraisemblablement. Toutefois, le groupe connaîtra *aussi* l'amour, le soutien, la compréhension, la sympathie, l'encouragement, la joie et plusieurs autres sentiments positifs. La vie et l'être authentiques ne sauraient se passer de la découverte, de conflits, d'amour, de sollicitude, de célébration et de transcendance des différences et, enfin, de la confiance. Tous ces processus se situent au coeur de la famille, de la communauté religieuse, de l'entreprise et de l'école. Il faut donc se fier au merveilleux des processus de découverte.

3. Lors de l'élaboration de ma théorie et de la création de l'équipe ou de la famille, je tente d'établir une relation de confiance avec l'organisation ou la communauté. Je dois alors conserver mon courage et ma vision et préserver ma foi. Une famille ou une équipe confiante est un appui solide pour ses membres, y compris pour les parents et le directeur. L'intimité et le rapprochement augmentent la confiance et cet environnement contraste souvent avec l'attitude distante et impersonnelle de l'ensemble de l'organisation ou du voisinage. La haute direction, les autres équipes, les voisins ne comprendront peut-être pas vraiment nos motivations, notre style de vie et nos rythmes quotidiens. L'équipe ou la famille seront en fait certainement plus personnelles et plus libres que leur entourage immédiat.

Selon moi, les relations entre l'équipe ou la famille CORI et leur milieu seront positives si les membres sont vraiment ouverts, personnels, orientés vers la réalisation de leurs désirs et interdépendants dans leurs contacts avec l'entourage. Tous les membres de l'équipe vivent avec les autres membres de l'organisation et peuvent contribuer à la création d'un climat de confiance générale. En fait, les relations ne deviennent difficiles que si ce sont les attitudes autoritaires qui dominent. Je ne connais pas de formule magique, mais j'ai remarqué que les usagers CORI se fient aux autres et augmentent ainsi le niveau de confiance du monde extérieur.

4. Lorsque je remplis les fonctions exigées par l'organisation, le gouvernement ou le public, je tente néanmoins le plus possible *de me joindre au groupe en ma qualité de membre et de personne*. J'accomplis dans cet esprit toutes les tâches définies par le groupe et par la fonction elle-même. Ce processus n'est pas une démission. Il ne se caractérise pas par la passivité et par l'absence de direction mais bien par des liens étroits et par un partage fondamentalement actif.

Lorsque j'ai parlé des rôles et de la direction dans les chapitres précédents, je me suis prononcé en faveur de l'absence de leaders et de l'émergence. Nous, directeurs, prêtres, administrateurs, parents et thérapeutes ne sommes utiles que si les gens dépendants ont besoin de nous. Ces personnes ne peuvent percevoir leur liberté, leur action et leur être organique. Lorsqu'enfin elles reconnaîtront leurs possibilités, elles n'auront plus besoin de nous. Nous nous devons de hâter ce processus de prise de conscience. Notre fonction n'est-elle pas en effet de diminuer la dépendance ? Lorsque la famille et le groupe évolueront vers de nouveaux environnements et lorsque notre culture se situera au niveau de l'émergence, les rôles de directeur, de parent, de prêtre et d'administrateur disparaîtront graduellement. En cette période de transition, nous devons être conscients de la présence de ce processus et participer à l'évolution de la société vers une vie émergente.

Pourquoi être un directeur ?

Dans notre culture orientée vers la promotion, les gens qui désirent avancer semblent s'éloigner de l'action pour plutôt se consacrer à la direction des personnes qui agissent. Ceux qui retournent à la terre, à la nature ou à l'artisanat représentent une tendance opposée inspirée par la reconnaissance des joies du « travail » dans le sens le plus large du terme.

Le désir du prestige, du pouvoir, de l'argent, du contrôle, de l'influence et du statut, ajouté à la prétendue bassesse du « travail », pousse les gens à devenir directeur, thérapeute, prêtre, administrateur, enseignant ou cadre. Notre analyse démontre que ces motivations appartiennent aux plus bas niveaux d'environnement En fait, elles sont autant d'illusions, ne permettent pas l'épanouissement des gens et disparaissent avec l'ascension vers des environnements plus évolués.

Les gens jouent aussi ces rôles pour plusieurs autres raisons, soit l'intérêt, la créativité, le besoin de participer au progrès social, le désir d'aider les autres, etc. Toutefois, ils doivent comprendre que les rôles ne sont pas nécessaires à la réalisation de leurs objectifs.

Plus notre société deviendra holistique, moins nous aurons besoin de motivations à caractère défensif. La soif du pouvoir, du contrôle, de l'influence et du statut est en réalité une réaction contre la peur de l'incompétence, de l'insignifiance, de l'infériorité ou du pouvoir arbitraire d'autrui. Selon moi, ces réflexes diminuent et même disparaissent complètement lorsque les gens atteignent des états holistiques et transcendants.

Les gens peuvent créer une vie personnelle et organisationnelle profondément satisfaisante lorsqu'ils connaissent les motivations intérieures de l'action, de la création, de la découverte, de l'expérience, de la transcendance, du don et de la communication. En voici d'ailleurs les conséquences :

1. Ces personnes trouvent une véritable satisfaction dans leur travail, apportent peu de problèmes à leur organisation et n'ont nul besoin de directeurs ou de thérapeutes .

2. Ce mode de vie leur permet de connaître des états holistiques et transcendants sans l'aide de techniques ou de méthodes artificielles. Ces personnes créent leur propre transcendance.

Évolution des hypothèses

Dans les premiers niveaux d'environnement, le directeur défensif s'appuie sur un ensemble d'hypothèses qu'il modifie toutefois dès qu'il place sa confiance en ses subordonnés. Plus le parent, l'enseignant, le directeur, le prêtre ou l'administrateur adoptent des attitudes défensives, plus les hypothèses suivantes acquièrent de l'importance :

1. les gens ne connaissent pas vraiment ce qui leur convient ;

2. la plupart des personnes ne connaissent pas leurs désirs. On doit donc leur aider à les voir ;

3. laissés à eux-mêmes et sans l'aide de personnes compétentes, la plupart des gens connaissent une vie désorganisée, immorale, médiocre, peu créatrice et peu productive ;

4. une élite motivée, compétente et intelligente doit assurer l'avènement d'une société meilleure, la direction d'une usine et la définition d'objectifs adéquats. Elle doit aussi servir d'exemple moral ;

5. des individus compétents doivent apprendre aux gens à communiquer car ces derniers s'expriment pauvrement, ne savent pas écouter et se placent ainsi dans des situations délicates ;

6. la plupart des gens ne sont pas vraiment motivés. Si des leaders ne leur fournissent pas cette motivation, ils seront paresseux et rechercheront les tâches les plus faciles ;

7. la majorité des gens ne tiennent pas à apprendre. On doit donc les aider à développer un intérêt pour l'étude et pour l'acquisition de compétences précises.

Ces hypothèses se perpétuent d'elles-mêmes. Plus le directeur y croit, plus ses gestes contribuent à les confirmer. Plusieurs parents, enseignants ou directeurs agissent ainsi envers les enfants, les étudiants ou les travailleurs. Malheureusement, ces derniers entretiennent souvent les mêmes idées envers eux-mêmes et envers leur entourage.

Pourtant, ces hypothèses sont complètement *fausses*. Selon moi, le monde ressemble plutôt à la description suivante :

1. la plupart des gens *connaissent* ce qui leur convient. En fait, on ne peut trouver dans ce domaine de meilleur expert que soi-même. Les personnes ne découvrent cette vérité que dans un environnement de confiance ;

2. la plupart des gens *connaissent* vraiment leurs désirs. Toutefois, la peur et la méfiance les empêchent souvent de les *exprimer* et de les réaliser ;

3. lorsqu'ils sont *entièrement* responsables d'eux-mêmes, la majorité des gens vivent d'une manière morale, créatrice et productive. Ils orientent leur travail vers la réalisation de leurs buts. De nombreuses expériences auprès de groupes soi-disant irresponsables, tels des prisonniers, des malades mentaux et des jeunes

délinquants, ont confirmé cette hypothèse lorsque ces individus se sont trouvés en présence d'un *véritable* climat de confiance. Beaucoup de parents, d'enseignants et de directeurs n'accordent à leur entourage qu'une pseudo-confiance qui se révèle en fait une source de peur ;

4. la plupart des personnes trouvent en elles la compétence, l'intelligence et la motivation dont elles ont besoin. Elles se passent fort bien de leaders pour agir, pour fixer leurs règles morales et pour mener leur vie ;

5. la plupart des gens savent communiquer. Seule la peur et la méfiance les empêchent de s'exprimer ou d'écouter les autres ;

6. la plupart des gens apprécient un travail librement choisi et relèvent dans ce cas les plus grands défis. Leurs gestes sont efficaces car ils aiment les poser et ils accomplissent alors très bien les tâches les plus difficiles. Malheureusement, les climats défensifs présents dans plusieurs familles, écoles ou usines nous cachent souvent cette réalité. Comme Maslow l'a démontré, un travail qui n'en vaut pas la peine ne peut être bien fait. Nous reculons presque tous devant un travail assigné de manière arbitraire ou punitive, insignifiant, sans pertinence et sans liens avec nos objectifs personnels. C'est ce qui fait paraître les étudiants, les enfants et les travailleurs paresseux ou incompétents. Dans de telles conditions, le manque de motivation est fort compréhensible ;

7. la majorité des gens sont curieux et apprécient l'expérimentation. Ils aiment apprendre, avoir des intérêts diversifiés, se fixer des buts « réels » plutôt qu'artificiels et étudier lorsqu'ils sont à l'origine et responsables de leurs propres processus d'apprentissage.

Toutes ces hypothèses font partie de nos théories sur les gens et sur la vie. Chaque personne trouve en elle un réseau complexe d'attitudes, de sentiments, de perceptions, d'hypothèses, de croyances et d'habitudes, éléments qui forment une « théorie » personnelle évoluant avec l'expérience et le passage vers d'autres environnements. Nous créons d'ailleurs un environnement qui correspond le plus intimement possible à notre nature profonde. Ce processus de changement est un des principaux sujets de ce livre et exige une conception nouvelle des rôles de parent, d'enseignant et de directeur.

Évolution de la théorie de la direction

Nos théories de la direction émergent de nos environnements. Ainsi, dans un environnement punitif, on punira subtilement les gens lorsque leurs hypothèses se révéleront mauvaises et on mettra en place des programmes de modifications du comportement. Dans un environnement essentiellement autocratique, on demandera aux gens d'appliquer une autre théorie de la direction, on leur indiquera les bonnes hypothèses ou on leur montrera comment les appliquer.

Dans un environnement bienveillant, on approuvera de diverses manières les hypothèses et le comportement correct des nouveaux directeurs. On les protégera contre les expériences non pertinentes et on les aidera à apprendre de nouvelles attitudes. L'environnement IV proposera une formation basée sur la raison, la persuasion et l'information. On enseignera aux gens les nouvelles hypothèses.

Un programme de participation pourrait mettre sur pied une communauté d'apprentissage où les futurs ou nouveaux directeurs créeraient ensemble des expériences d'apprentissage, fixeraient leurs objectifs et tenteraient de découvrir leurs propres théories et hypothèses.

Entre les niveaux VI à X, il n'y aurait plus aucun besoin d'élaborer des programmes de formation destinés aux directeurs. Les fonctions de directeurs, d'enseignants et de parents disparaîtraient graduellement. Les gens sauraient créer de nouvelles expériences et de nouvelles façons d'être. L'environnement lui-même deviendrait un moyen d'apprentissage et de croissance.

L'univers autour de nous se recrée constamment.

Chapitre 11

Changement social : découverte et création d'un monde nouveau

Découverte et création vont de pair. Ce sont deux processus de changement social indissociables, universels et continus. Les individus, les groupes et les sociétés évoluent plus rapidement vers des environnements plus fertiles lorsque règne la confiance. Celle-ci permet en effet de nous unir dans la création d'un monde meilleur.

Le même principe peut servir à expliquer les changements culturels globaux et toutes les autres activités humaines : *le niveau de confiance est le facteur clef pour la transformation du monde.* Les transformations incessantes de la société sont fonction directe de son évolution vers des environnements meilleurs et vers des niveaux de confiance de plus en plus élevés. Ces niveaux de confiance proviennent d'importants changements dans les quatre processus de découverte CORI. Ces derniers sont essentiels tant pour les transformations d'ordre politique, économique ou social que pour celles au sein de la famille, de l'école et de l'entreprise.

Le diagnostic

Considéré du point de vue de l'analyse des niveaux d'environnement, le monde est plus fluide, plus en mouvement qu'il ne l'a jamais été. Dans la plupart des pays industrialisés, la majorité des institutions se situent entre les environnements III et VI. Elles sont donc bienveillantes, consultatives, participantes et émergentes. Il reste toutefois encore, dans certaines familles, écoles, prisons et programmes d'athlétisme, ainsi que dans la majorité de nos institutions, des traces d'éléments appartenant aux niveaux I et II. Pourtant, au cours de nos lectures, de nos rencontres avec des individus ou des groupes, nous avons tous eu connaissance des niveaux d'environnement VII, VIII, IX et X. Dans la vie quotidienne, la plupart d'entre nous vivons nos relations personnelles entre les niveaux III et VI.

Plusieurs analystes ont souligné que diverses formes de méfiance et de mécanismes de défense dominent notre époque. Au cours de notre histoire récente, nous avons traversé des périodes axées sur les niveaux I et II. Par conséquent, les récompenses, le pouvoir, l'oppression, l'obéissance et la révolte formaient les éléments clefs des institutions dans lesquelles et avec lesquelles nous vivions.

Or, à mesure qu'évolue notre prise de conscience, nous accédons à des niveaux supérieurs de confiance, ce qui réduit notre besoin de mécanismes de défense et augmente d'autant notre insatisfaction vis-à-vis un monde marqué par la quête du pouvoir, par les sanctions disciplinaires et par la contrainte. Le développement spirituel, le partage réciproque, la communication profonde et la recherche commune de liberté sont aujourd'hui de plus en plus fréquents. Ces manifestations appartiennent aux niveaux d'environnement III, IV, V et VI.

Toutefois, aujourd'hui, la méfiance et les mécanismes de défense se manifestent, jusqu'à un certain point, avec beaucoup moins d'évidence et prennent souvent des formes méconnaissables. La peur, la méfiance, la tyrannie, la contrainte, la répression et l'esclavage se sont réincarnés sous la forme des quatre péchés capitaux modernes : le rôle, la stratégie dissimulée, la persuasion et l'autorité.

Les maux d'aujourd'hui s'incarnent dans ces quatre procédés « défensifs » et dans leurs variantes. Cette affirmation vous choque ? Examinons le problème de plus près.

Dans notre culture, *les rôles* et *la dépersonnalisation* sont endémiques. L'être unique chaleureux-froid, affectueux-haineux, disparaît lorsqu'il joue un rôle. Quand j'agis en « parent » avec un « enfant », je ne suis plus une personne face à une autre personne. Mes fonctions de directeur n'exigent pourtant pas que j'adopte une *attitude* de directeur. Un instituteur qui joue les instituteurs ne peut être efficace. La tragédie de la corruption politique réside dans le fait que *les personnes* qui occupent des postes au gouvernement se confondent avec *les rôles* de « chefs omnipotents ». La « morale » de ces scandales, ce n'est pas que des hommes mauvais nous y aient entraînés ; c'est que nous avons créé une société où nous nous dépersonnalisons les uns les autres. Nous jouons à un jeu d'aliénation où les rapports s'établissent entre les rôles et non entre les personnes. Ces scandales sont l'image de notre époque. Ils illustrent notre propos et représentent le signal d'alarme suivant : « Voyez comme nous nous traitons entre nous ! ». Les élections de politiciens pourris ne sont pas le fruit du hasard !

Ce processus du rôle est puissant et séducteur. Il y a quelques années, lors d'une expérience dans une grande université, les étudiants qui jouaient les gardes sont devenus si hostiles et répressifs à l'égard de ceux que assumaient le rôle des prisonniers qu'il a fallu mettre un terme à l'expérience. Les rôles que nous nous donnons et que nous prêtent les autres tendent à nous enfermer dans un comportement dépersonnalisé. Un patient classé comme schizophrène paranoïaque dans un hôpital psychiatrique aura tendance à agir selon sa représentation de cette maladie. Le personnel de l'hôpital aura lui aussi tendance à agir de façon préconçue. La maladie n'en sera ainsi que plus renforcée.

Le mouvement de libération de la femme s'attaque particulièrement aux rôles stéréotypés, à leur stabilité et à leur préservation. Se voir ou être perçue comme une femme commence tôt dans la vie. Selon une étude récente, les enfants du sexe féminin de moins de deux ans reçoivent plus de 50 pour cent de plus de médicaments sans ordonnance que les enfants du même âge de sexe masculin. L'étude a aussi démontré que le fait d'assumer et d'inculquer un rôle se prolongeait à l'âge adulte : les femmes prenaient plus de médicaments que les hommes, même lorsque le taux de maladie était identique.

La stratégie dissimulée se rattache à une vie fermée. La personne effrayée et méfiante tente d'élaborer une stratégie afin d'affronter ses peurs, soit la peur de dévoiler ses sentiments et ses opinions par crainte de choquer ou de s'exposer à des représailles et la peur que des gestes impulsifs l'empêchent de se « faire des amis ». Plus on craint, plus il faut inventer des stratagèmes qui faciliteront les rapports avec les autres. Plus on prend son rôle au sérieux, plus il devient nécessaire d'inventer une stratégie, un plan, une technique, un truc ou quelque outil d'exploitation. Or, plus on pratique ces méthodes, plus on fait naître la méfiance.

Certains rôles sont reconnus par tous pour leurs stratégies et la méfiance qu'ils inspirent. Ce sont ceux des psychologues, des avocats, des représentants des ventes, des agents de publicité et des experts en relations publiques. Lorsque j'ai demandé à des gens de me dire ce que signifiait pour eux la « pratique de la psychologie », beaucoup m'ont répondu que cela équivalait à « induire les gens en erreur » ou à les manipuler. Deux études récentes sur la profession juridique démontrent que plus les gens côtoient les avocats, plus ils deviennent sceptiques face au système judiciaire. Un des porte-parole de ces groupes d'étude a proposé aux avocats d'engager des experts en relations publiques afin d'améliorer leur image !

La montée de la méfiance est directement liée à celle de la stratégie. Ici encore, les scandales politiques sont significatifs. Les politiciens conspirateurs ont coutume d'élaborer des stratégies secrètes à l'intérieur de réunions interminables. Le fait pertinent pour notre analyse de la société contemporaine se trouve dans ce commentaire fréquent : « Ils auraient dû détruire les documents » ou « Ces enregistrements étaient une erreur de tactique ». Ces stratégies dissimulées sont un malaise propre à notre société. Elles ralentissent l'évolution culturelle et sociale vers de nouveaux horizons.

Par la *persuasion*, nous tentons d'influencer les motivations de notre entourage. C'est un malaise symptomatique des sociétés qui se situent aux niveaux III, IV et V. La publicité, les relations publiques, l'évaluation du rendement, la prime d'assiduité et d'autres formes conventionnelles de manipulation des motivations font à ce point partie de notre société qu'elles sont devenues un mode de vie. Elles occupent une place de choix dans notre sens des valeurs, au même titre que la maternité, le patriotisme ou la compétition. La plupart des entreprises publiques ou privées ont recours à des conseillers en relations publiques ou en publicité, à des propagandistes et à divers moyens de pression pour tenter d'influencer les gens. Ainsi, on leur fait désirer des choses nouvelles, on les incite à adopter une religion, à voter pour un candidat ou à s'enrôler dans l'armée. Ces experts sont maintenant passés maîtres dans l'art subtil de la manipulation adroite des symboles, dans le trucage des données, dans la déformation de la vérité, dans l'envoi incessant d'annonces destinées aux cinq sens et dans l'utilisation massive de messages qui visent à manipuler nos besoins.

La persuasion se situe aux antipodes de la recherche. Notre système judiciaire, par exemple, a toujours reposé sur l'opposition des parties impliquées, dans le seul but de gagner le jury à sa propre cause, la « vraie ». Pourtant on ne tente pas là de découvrir la « vérité ». Les règles de l'inculpation et de la défense s'opposent à celles de la découverte. Cette façon de voir les choses se retrouve facilement dans toutes sortes d'institutions avec, en tête de liste, la politique, la religion, la médecine et l'éducation. La médecine légale connaît une popularité grandissante. Les candidats au doctorat doivent « défendre » leur thèse. Certains prêcheurs tentent à tout prix de faire passer leur message évangélique. Le chef d'État pense qu'il doit « persuader » la population qu'il y a pénurie d'énergie.

La présence constante d'un tel climat de persuasion conduit au scepticisme généralisé à l'égard de ce genre de messages. On doute de la bonne foi des manipulateurs. On croit que les prêtres, les enseignants, les conseillers, les avocats, les psychologues, les vendeurs et les concessionnaires de voitures d'occasion sont mûs par des motifs secrets. Cette névrose sociale vendeur/acheteur accélère la montée du cynisme et de la paranoïa. Nous vivons dans un contexte malsain où les rapports satisfaisants entre personnes sont difficiles à établir et à entretenir.

L'autorité, voilà le quatrième processus propre à notre société défensive. Elle se définit, dans la plupart des livres, comme une faculté permettant de diriger le comportement des autres. L'autorité d'une élite repose sur la confiance qu'on lui accorde. On lui confie alors la réalisation des fonctions vitales de la société. Ces attitudes appartiennent aux environnements I à V. Pour accéder à des niveaux de conscience supérieurs et connaître ainsi un plus grand épanouissement spirituel et une productivité accrue, il faudra cesser de s'en remettre strictement à l'autorité. Cette libération représente une étape critique de la croissance personnelle. L'émergence de groupes sans leaders dans les domaines de l'éducation, du travail et de la psychothérapie offre une perspective prometteuse. Une confiance grandissante en nous-mêmes en tant qu'individus, groupes ou collectivité est l'instrument essentiel à notre changement d'environnement. Je me souviens qu'un directeur blanc avait déclaré, en parlant d'une manifestation noire à Washington et en présence d'un directeur noir, qu'il était « surprenant » de voir la conduite digne et ordonnée des manifestants. Il sous-entendait que les Noirs devaient posséder de bons dirigeants. Ces paroles soulevèrent l'indignation du directeur noir. Ce commentaire signifiait, en effet, que les Noirs ne sauraient comment bien se tenir de leur propre chef. Un des plus grands obstacles à l'épanouissement de notre société réside dans notre besoin de croire qu'il nous est essentiel de trouver des chefs pour nous motiver, nous protéger, nous encourager, nous soutenir et nous organiser. En adoptant une telle attitude, nous abandonnons notre sentiment de dignité et de valeur personnelle, tout en permettant au même moment aux « autorités » d'exercer sur nous leur influence et leur force dominatrice.

Pourtant, les quatre mécanismes de défense cachés dont nous venons de discuter se justifient facilement et ils prennent de telles allures innocentes et vertueuses ! Ils sont l'étoffe même de notre culture et nous les retrouvons à la maison, à l'école, à l'église et jusque dans les cliniques d'hygiène mentale. Il est donc très difficile de voir en eux ce poison qui détruit peu à peu notre niveau de confiance.

Les procédés peu efficaces de changement social

Les moyens qu'utilisent les gens pour obtenir une amélioration sociale quelconque sont tout naturellement tributaires de leur niveau d'environnement. Ceci présente un problème, car la méthode utilisée appartient surtout à un niveau d'environnement déjà dépassé ou en voie de l'être plutôt qu'au *niveau vers lequel nous nous dirigeons*. Ainsi, nous avons plutôt tendance à *préserver* des structures, des approches et des formes d'environnements devenus désuets et stériles. Nos modes de création d'un monde meilleur seront d'autant plus fructueux qu'ils seront appropriés à l'environnement que nous souhaitons atteindre plutôt qu'à celui dont nous voulons nous détacher.

1. *Le châtiment.* Il s'agit peut-être là du moyen le moins efficace pour effectuer un changement. Si l'on considère les piètres résultats de cette méthode, il est surprenant qu'elle jouisse encore d'une si grande popularité dans nos institutions. On la retrouve en effet à la maison, à l'école et dans les sports. On gronde et on frappe les enfants, on leur retire certains de leurs privilèges, on punit les erreurs et les écarts de conduite par des amendes ou d'autres formes de sanctions. Les enfants subissent non seulement la colère des parents mais aussi la froide démonstration de leur autorité.

L'appareil judiciaire et le système pénal reposent sur le châtiment et aggravent ainsi les problèmes qu'ils veulent résoudre. Il est intéressant, à ce propos, de s'arrêter sur les supplices variés qu'on emploie en prison. On y a recours pour faire expier un nombre de crimes graves mais plusieurs études en ont démontré l'inefficacité et ces méthodes disparaissent lentement.

De telles sanctions comportent de graves conséquences. Une étude, commandée par une organisation de changement social, a analysé le comportement d'enfants noirs et blancs dans une colonie de vacances. Les résultats furent catégoriques. Les enfants qui avaient de l'aversion pour ceux de l'autre race étaient issus de familles où les punitions étaient monnaie courante, tandis que le contraire se vérifiait chez les enfants issus de familles où l'on punissait peu.

2. *Le pouvoir.* Le pouvoir représente une forme de répression utilisée avant tout dans le niveau d'environnement II. Son efficacité repose sur l'inégalité de sa distribution. Ainsi, les parents autoritaires parviennent à changer certains comportements chez leurs enfants, et les enseignants arrivent à obtenir les mêmes résultats avec leurs élèves. Pourtant, les conséquences d'une telle conduite se révèlent si néfastes qu'elles paralysent littéralement l'évolution sociale bénéfique qu'on tentait d'instaurer. La guerre, même la guerre froide, est une mesure de dernière instance, une réaction paranoïaque qui ne sert qu'à consolider l'autocratie dans sa forme et dans sa réalité. Il en découle des maux souvent plus terribles que la guerre elle-même.

L'efficacité du recours en justice se rattache au pouvoir et à la confiance. À l'étape primaire, il existe un tel manque de confiance qu'il est impossible de vivre avec un système légal. À mesure que la confiance s'installe, les besoins de la société se définissent clairement et les lois deviennent les symboles d'une confiance mutuelle. On peut prévoir que le cheminement vers des environnements plus élevés rendra probablement les lois inutiles. Dans notre société actuelle, le respect des lois dépend de la puissance de la majorité, de la cour, de la police et du système pénal.

Les mouvements pour la libération de la femme ou des minorités représentent des réactions contre notre société qui, tout comme ceux qui cherchent le pouvoir, se situent au deuxième niveau d'environnement. Les groupes de rencontre, d'affirmation de soi et d'épanouissement de l'individu par l'agressivité utilisent souvent un vocabulaire emprunté aux militaires. Ils emprisonnent ainsi leurs membres et la société dans des environnements inférieurs. Notre style de vie où tout se résume par des jeux de pouvoir rend peut-être ces manifestations nécessaires, mais toutefois, nous sommes ici encore en présence d'obstacles qui empêchent notre société de connaître une confiance plus grande et un meilleur niveau d'environnement.

3. *La stratégie dissimulée.* La stratégie : voilà un des leitmotivs de notre lutte pour le changement. Dans la vraie guerre, comme dans la guerre froide, l'utilisation d'une stratégie dissimulée est essentielle. Moins la confiance règnera à l'occasion de négociations collectives, d'une cause de divorce, d'une poursuite judiciaire ou d'une conférence réunissant deux groupes religieux, plus les parties opposées seront vulnérables aux manipulations stratégiques. Plus on fait confiance à la partie adverse, moins on ressent le besoin de planifier le moindre de nos actes lorsqu'il s'agit de demander un service, de faire une demande en mariage, d'obtenir un prêt bancaire ou de réclamer une augmentation à son patron. Moins on est sûr de soi, plus on doit adopter une stratégie savante, détournée ou implacable. Les termes « stratégie » et « tactique » ne viennent pas du vocabulaire militaire par simple hasard.

L'utilisation d'une stratégie relève des environnements II, III et IV. Pourtant, bien des méthodes utilisées pour atteindre les environnements VI, VII, VIII et IX sont aussi essentiellement de nature stratégique. Elles font appel à des techniques cachées et trompeuses. Quand on emploie un *plan d'action* appartenant aux niveaux II et III et que *l'objectif visé* se situe à des niveaux plus élevés, les résultats obtenus sont presque inévitablement peu convaincants. Les tactiques malhonnêtes utilisées par « *est* » ou par Ringer, dans son livre *Vaincre par l'intimidation*, ne peuvent réellement atteindre leurs prétendus objectifs. De plus, elles ne pourront conduire, de manière durable, vers un niveau de confiance supérieur.

Lorsqu'on étudie les divers guides pratiques (plans d'action) et les tactiques de certains groupes militants qui visent une transformation sociale, on se rend compte immédiatement de leur très bas niveau de confiance. Ces groupes sont souvent enclins au paternalisme car ils « connaissent » les besoins du peuple. Ils manquent de franchise et témoignent de méfiance : « Ceux qui veulent parvenir à leurs fins doivent être formés par nous. » De plus ils sont avides de pouvoir : « Il faut élaborer une stratégie qui attaque en premier lieu ceux qui détiennent le pouvoir. » Ils sont dépersonnalisés et accordent plus d'importance à leurs objectifs qu'aux gens qui les entourent.

4. *L'utilisation de méthodes moralisatrices et évangéliques.* Voici des méthodes de choix pour ceux qui aspirent au changement social en utilisant la peur comme moyen de pression. Les techniques moralisatrices servent à faire naître ou à raviver chez les autres les sentiments de culpabilité. Elles créent chez l'individu de faux dilemmes face au bien et au mal et une sensation générale d'inaptitude à vivre. Elles découlent d'une volonté de transformation teintée de prosélytisme et d'autorité absolue. La morale naît de l'expérience et se rattache de très près au niveau d'environnement prédominant dans une société. Le sens des valeurs change selon le niveau d'environnement. Ces différentes valeurs apparaissent suivant le rythme de notre croissance et sont reliées à notre niveau de confiance. Toutes les valeurs durables renvoient aux étapes du processus de découverte CORI et suivent le même déroulement que celui des niveaux d'environnement. Les quatre vertus CORI sont l'amour, l'honnêteté, l'intégrité et l'interdépendance, qu'on retrouve dans la plupart des systèmes religieux et psychologiques. La théorie CORI n'est en fait qu'une description de ces qualités essentielles.

Les procédés efficaces de changement social

Le changement social et l'évolution vers des environnements plus fertiles ne font qu'un. Les transformations permanentes importantes découlent d'ailleurs d'éléments inhérents à la société et à son niveau d'environnement.

Il est plus facile de repérer les nombreuses imperfections des méthodes inefficaces que de découvrir une méthode de changement vraiment adéquate. Notre expérience se trouve nécessairement limitée aux niveaux d'environnement des institutions sociales auxquelles nous avons participé. Toutefois, il n'en est pas de même pour nos aspirations. Il serait bon ici d'expliciter les caractéristiques CORI d'une initiative de changement fructueuse.

1. *Cette initiative devra offrir à la société une nouvelle voie et de nouvelles aspirations*. Selon moi, le principal apport de l'analyse des niveaux d'environnement est la création de nouvelles perspectives. Si j'extrapole à partir des événements actuels de ma vie, je peux *voir* ma vie sous un jour nouveau et agir à la lumière de cette vision plus large. Si je considère ma vie dans une perspective temporelle plus grande, les choix qui se présentent apparaissent plus clairement. Je sais ce que je veux en retirer. J'ai conscience de mon identité et je sais où je vais. Au contraire, en présence de la peur, je me trouve face à d'innombrables possibilités toutes plus mal définies les unes que les autres. Si je sais qu'il faut vivre pleinement à tout instant, je suis conscient également des rythmes et des courants de ma vie. Je saisis souvent toutes les occasions du moment tout en me « laissant porter » vers certains choix ! À d'autres moments pourtant, *j'ai pleine conscience de mes rêves* et j'ai l'impression de vivre dans l'éternité ou du moins dans ma représentation de l'éternité et de l'intemporalité. Je savoure chacune de ces expériences. Il est important pour moi de considérer ma vie dans une perspective temporelle élargie.

Je crois qu'une culture doit évoluer en harmonie avec ses rythmes de base, sinon, c'est l'aliénation que cette culture va vivre. La théorie CORI offre un cadre permettant d'intégrer les multiples aspects de la vie dans un mouvement homogène. Lorsque j'expose à différents groupes le cadre de référence de l'analyse des niveaux d'environnement, tous s'entendent sur les changements sociaux désirés.

Par exemple, la plupart des gens n'aiment pas participer à une opération de vente ou de publicité, qu'ils soient acheteurs ou même vendeurs. Personne n'apprécie les réclames qui interrompent continuellement les films ou les nouvelles à la télévision. Je suis sûr que vous avez, comme moi, entendu des commentaires comme : « Je ne le supporte pas, pourtant il faut bien que quelqu'un le fasse si nous voulons maintenir le système de la libre entreprise », ou « J'ai horreur qu'un vendeur me téléphone ou vienne à ma porte mais il faut bien qu'il gagne sa vie », ou encore « Les gens aiment sûrement les réclames, sinon il n'y en aurait pas autant ! » Je n'ai encore trouvé personne qui, saisissant le problème dans un contexte plus large, comprenne que le procédé de la vente est *en soi* utile. La majorité des gens perçoivent le châtiment, la stratégie dissimulée, la persuasion et l'autorité comme des maux nécessaires lorsqu'ils les situent dans leur contexte social immédiat. Toutefois, si on les considère selon une optique à long terme de développement de l'humanité, ils devront un jour disparaître et faire partie de notre passé.

Le procédé, la forme et le fond de la théorie des niveaux de confiance participent tous d'une perspective unique de l'évolution sociale. Plus la confiance domine, plus la perspective de l'observateur-théoricien s'élargit. Pour qu'elle puisse apporter des résultats, l'initiative qui vise le progrès de la société doit s'inscrire dans une perspective à long terme. La plupart des programmes d'amélioration sociale n'atteignent jamais leur but pour plusieurs raisons, dont l'absence de fondements théoriques, les craintes qui naissent face à l'urgence de la situation, le statu quo et le financement à court terme. Tous ces facteurs restreignent leurs perspectives, conduisent à l'opportunisme et donnent de piètres résultats.

2. *L'initiative doit être axée vers la découverte.* La vie est une perpétuelle découverte. Toute tentative de transformation sociale doit se traduire par une volonté de découverte et non par un besoin de prouver quelque chose. Elle doit correspondre à une recherche au sens propre du terme. Le changement est *en soi* une recherche, une quête. Voici une des conclusions des études de Hawthorne : lorsque les gens participent à une découverte, ils manifestent une créativité et une productivité plus grandes et ils sont plus épanouis. Ce processus de découverte entraîne la productivité.

Pour étudier l'évolution sociale de façon simple, il suffit de comparer deux méthodes. L'une, qu'on dirait « conventionnelle », et l'autre, qu'on dirait « nouvelle ». L'une et l'autre diffèrent par l'efficacité qu'on leur attribue. Si « l'expérience » est bien conçue, bien contrôlée et que les diverses méthodes sont bien définies, les différences entre les deux méthodes sont alors responsables des différences entre les résultats. Il existe heureusement de meilleures façons d'effectuer cette recherche !

Toute initiative visant une transformation doit se baser sur la *découverte* d'un procédé permettant, par exemple, de construire des voitures non-polluantes, de créer un milieu urbain équilibré, de trouver un environnement social plus salutaire pour les gens du troisième âge, de mettre sur pied une école stimulante sur le plan intellectuel et de créer un système social plus satisfaisant.

La qualité du processus de découverte est plus importante que *le résultat* de l'initiative de transformation sociale, et cette démarche doit se préoccuper avant tout des gens. Toute transformation sociale durable ne peut provenir d'un processus d'aliénation.

Le directeur d'une des sociétés qui a recours à mes services m'a demandé un jour de l'aider à convaincre ses employés des multiples avantages du nouvel édifice construit pour abriter le siège social. Je lui ai répondu que la cause de son problème se trouvait dans *la démarche* de changement social qu'il avait suivie et qu'il voulait maintenant m'y impliquer à un moment inopportun. C'était un édifice vraiment très fonctionnel, à aires ouvertes et avec un mobilier diversifié. Il représentait ce qui se faisait de mieux en architecture.

J'ai expliqué à mon client qu'on ne peut parler de progrès si on ne tient pas compte des gens et de leur interdépendance. Son procédé de transformation ne satisfaisait aucune des normes CORI. Les individus n'avaient, dans son projet, aucune importance. Les espaces intérieurs de l'édifice étaient ouverts mais leur planification était restée secrète. Seul un groupe d'experts avait pris les décisions. On avait très peu consulté les personnes destinées à travailler dans cet édifice qui correspondait aux dernières normes organisationnelles. On avait étudié en détail les principes de l'interdépendance des différentes fonctions administratives, mais, cependant, cela s'appliquait mal aux personnes qui y travailleraient quotidiennement.

La haute direction de l'entreprise avait voulu créer un système de gestion propre aux environnements III et IV. Or, les employés n'y voyaient que le niveau II. La méthode utilisée comportait une étape destinée à convaincre les employés des avantages de ce nouvel établissement. Ces derniers se sont opposés au changement pendant des années, non parce qu'ils étaient contre ces changements mais parce qu'ils n'acceptaient pas la façon de les présenter. On les avait tenus à l'écart du projet et ils se sentaient manipulés par les dirigeants de l'entreprise.

Dès le départ, on aurait dû diriger l'effort de changement vers *la découverte* d'un processus efficace à tous les points de vue. De cette façon, on aurait appliqué davantage les critères d'un changement efficace. De plus, ce procédé aurait mobilisé beaucoup moins de temps et d'argent.

Si l'on doit convaincre les gens de la nécessité d'une transformation, c'est que cette démarche est mauvaise. Un changement bien mené n'a aucun besoin d'être justifié.

3. *Le processus de changement doit se rattacher au niveau d'environnement auquel on aspire.* Ce principe vaut pour toutes les formes de transformation, qu'il s'agisse d'une méthode de production ou de la nature propre d'une société.

La révolution russe, qui a eu recours à des procédés des niveaux I et II tout en voulant instaurer une société de niveau V, a affronté un demi-siècle d'opposition. Le système américain de la libre entreprise, du fait qu'il utilise des méthodes de niveaux II et III pour s'acheminer vers les niveaux IV et V, conduit à des incohérences et entraîne la désapprobation. Les scientifiques commettent la même erreur. Ils ont l'habitude de récolter et d'étudier des données avant de demander aux personnes intéressées de participer à la mise en oeuvre de leurs projets.

Certains centres de croissance utilisent des méthodes de niveaux III, IV et V pour en arriver à des niveaux VIII et IX. Les résultats se révèlent souvent transitoires et très peu reliés à la vie quotidienne des participants. Le style de direction de ces centres appartient d'ailleurs souvent aux niveaux II, III, IV et V, même si l'objectif visé se situe entre les niveaux VI et X.

Si certaines églises ne peuvent dépasser l'environnement III, elles ne pourront jamais créer la spiritualité souhaitée. Les élans spirituels qui naissent pendant la liturgie dominicale ne se retrouveront probablement plus, passé les portes de l'église, dans la vie quotidienne des pratiquants.

L'école moderne doit relever un défi, celui d'atteindre des environnements supérieurs aux niveaux III et IV, afin de transmettre des idées, des valeurs et un enseignement propres aux niveaux V à X. Il se trouve heureusement quelques enseignants et administrateurs qui peuvent faire fonctionner leurs écoles entre les niveaux V à VII.

Les programmes de formation destinés aux psychanalystes ont très peu d'influence sur le comportement des stagiaires, car ils se situent encore aux niveaux II et III, alors que, par ailleurs, on tente de leur communiquer un message propre au niveau VIII, où l'inconscient doit s'intégrer aux rapports sociaux et institutionnels dans la vie quotidienne. Les néo-freudiens élaborent à l'heure actuelle des méthodes éducatives et thérapeutiques mieux adaptées à leurs buts, et ce pour le plus grand bien de leurs patients.

4. *L'effort est plus efficace s'il comporte un projet pilote initial.* Les théories et les idées, si brillantes soient-elles, demandent à être implantées dans la réalité concrète. Plusieurs projets échouent avant de pouvoir être appliqués à l'école ou à l'usine. L'idée ou la théorie seront peut-être mal comprises. Certaines actions seront fortuites, d'autres auront des conséquences imprévues. Les points de vue et les intentions de ceux qui doivent exécuter le projet diffèrent peut-être des intentions de ceux qui l'ont conçu. D'autres facteurs peuvent aussi entrer en jeu.

La mise en place d'études pilotes permettra de récolter des données utiles sur les éléments pouvant influencer les plans de transformation.

La Société des nations a été en quelque sorte le projet pilote des Nations Unies qui deviendront peut-être à leur tour le projet pilote d'un autre organisme plus efficace. Nos théories socio-politico-économiques actuelles ne peuvent à ce jour mettre en place un nouveau système mondial fonctionnel, les études portant sur une si grande échelle étant difficiles à réaliser. L'application de la théorie de la confiance au plan international fera l'objet d'un ouvrage à venir. Tous les pays se craignent davantage qu'ils ne se font confiance. Il faut donc des théories plus nuancées et mieux éprouvées pour déterminer comment on pourrait hausser le niveau de confiance mondial de façon pratique. Je crois que nous sommes sur la bonne voie et que nous possédons au moins un élément théorique.

La Théorie Y de Douglas McGregor peut être considéré comme une théorie générale de transformation sociale orientée vers la confiance. Comme pour la plupart des théories, il faut que l'on étudie ses possibilités d'application dans divers environnements organisationnels.

De telles expériences sont difficiles mais nécessaires. Alors que McGregor était recteur au Antioch College, il eut le courage d'apporter des innovations qui devaient, dans un certain sens, constituer un essai de la Théorie Y. Bien des facteurs avaient rendu les résultats ambigus et difficiles à interpréter correctement. Plus tard, une grande société subventionna un test, au coût de millions de dollars, dans un vaste secteur géographique de l'entreprise, mais le conseil administratif jugea bon de confier l'application de la théorie Y à un cadre convaincu du bien-fondé de la Théorie X !

Après plusieurs déboires, Douglas, Peter Drucker et moi sommes devenus les conseillers d'une grande entreprise qui voulait expérimenter la Théorie Y à une grande échelle. Douglas et moi avons passé neuf mois à mener des entrevues en profondeur avec le personnel clef, à tous les niveaux et à travers le pays. Les entrevues portaient sur des questions essentielles. Nous voulions mettre sur pied une usine pilote qui éprouverait l'efficacité de la Théorie Y. Nous avons soumis la théorie à plusieurs tests de moindre envergure, mais le climat ambiant nous a empêché de mettre en oeuvre les éléments théoriques de la méthode McGregor. Nous croyons que notre tentative a été efficace mais qu'elle devait être nécessairement non concluante. Les bons essais pour les théories même puissantes ne sont pas chose commune.

Le programme de formation professionnelle CORI a créé, à partir de 1977, une série de tests qui se sont poursuivis pendant trois ans et qui se penchaient sur la théorie des niveaux de confiance dans une grande variété de milieux : familiaux, thérapeutiques, éducatifs, commerciaux et gouvernementaux. Toutes ces initiatives étaient reliées à la théorie CORI et entreprises dans les organismes membres. Les résultats sont encore à compiler et à évaluer, mais je crois que ce programme promet beaucoup.

Tel que je le conçois, les expériences historiques en innovation sociale peuvent être considérées comme des projets pilotes non formels dans la recherche d'une théorie organisationnelle adéquate. En fait, nous avons besoin d'une « théorie » adéquate qui nous permettra de vivre et de travailler ensemble de manière épanouissante tout en évoluant toujours vers un meilleur environnement.

Pensez à tous ces « projets pilote », bons ou mauvais, qui nous fournissent de la matière à penser dans notre recherche pour un meilleur mode de vie : nommons, par exemple, les nouvelles écoles, les communautés utopistes, les cliniques de planification familiale, les camps nudistes, les associations de libération sexuelle, le mouvement pour la libération de la femme, le plan de crédit social de l'Alberta, l'Ordre mormon uni, les kibboutz, la prohibition, la polygamie, les prisons et les camps de concentration, les scandales du Teapot Dome et du Watergate, le divorce par consentement mutuel, le bombardement d'Hiroshima, les coopératives de consommateurs et toute une multitude de petits tests des « théories » sociales.

À la vue de ces diverses expériences, j'avance le point suivant :

5. *L'effort efficace favorise la diversité et l'émergence.* Il existe d'innombrables expériences de découverte sociale apparemment conçues par Dieu ou par un processus cosmique, et nous en vivons une sur notre bonne vieille terre. Il s'agit d'une expérience apparemment sans chef, sans structure, émergente, aveugle (du point de vue des participants) et multidimensionnelle. Pour les participants à l'étude pilote, tout reste indéterminé : les buts, la démarche, les hypothèses et les aspirations. Le participant ne peut que constater qu'il existe une peur globale et une confiance globale. Malgré la présence de la peur, ce projet pilote émergent offre aussi l'expérience d'une confiance grandiose. Sans la peur, on peut présumer que nous ne connaîtrions peut-être pas la confiance.

Cette peur massive, du point de vue du participant et non du point de vue cosmique de l'expérimentateur, rendra peut-être possible la création-découverte d'une confiance transcendante. En tant que participant à cette expérience, j'en déduis que les niveaux d'environnement I à X ne sont que la première étape d'une gradation cosmique. Peut-être que mon niveau d'environnement X contient une richesse et des expériences de confiance d'une envergure insoupçonnée, ou encore qu'il fait appel à un monde spirituel complètement différent de ce que nous connaissons.

La confiance transcendante, encore imperceptible pour nous, est peut-être l'élément le plus significatif de notre expérience terrestre. *La découverte* et *l'émergence* dans la diversité constituent peut-être les seuls instruments capables de nous mener à de telles réalisations.

Laissons de côté cette spéculation cosmique pour nous tourner vers un contexte plus immédiat. La diversité et l'émergence me semblent être des conditions stimulant toute transformation sociale. Nous avons besoin de toute la gamme des expériences, des modèles, des études pilotes et des données découlant de notre vie diversifiée. En fait, il nous faut des expériences et des modèles plus variés. À ce stade, les gens croient qu'ils possèdent l'énergie, l'imagination, le courage et les ressources nécessaires. A-t-on le droit de dire qu'il nous fallait les mouvements racistes, les camps de concentration, les scandales politiques et toutes les guerres pour se convaincre des méfaits de la peur sur nos modèles sociaux ? À mesure que nous apprenons à faire confiance aux processus humains de la diversification et de l'émergence, nous nous acheminons vers des modèles de société plus confiants. Je crois profondément en ce principe. Nous vivons présentement un état de transitions rapides et, au même moment, des états de peur et de confiance grandissante. C'est un rythme auquel nous nous adaptons bien.

Une plus grande diversité dans les modèles sociaux et dans les études pilotes, surtout au niveau d'une confiance accrue, nous entraînera à la limite du changement social. Nous connaîtrons ainsi, par exemple, des programmes de santé améliorés, l'émancipation des groupes minoritaires et une économie humanitaire et holistique. Tout cela nous conduira à la transcendance et à l'extase.

L'application des principes de diversification à la vie quotidienne signifie que les transformations à apporter dans les écoles, les usines et les institutions religieuses seront mieux servies par une grande variété dans les essais, les méthodes et les théories visant à favoriser toutes les formes d'innovation. Dans mon travail de conseiller auprès d'écoles, d'institutions religieuses, d'entreprises et de certains organismes gouvernementaux, j'ai découvert avec plaisir certaines tendances novatrices. Pourtant, la normalisation, le manque d'imagination, l'utilisation permanente de méthodes et de procédés réputés inefficaces et, enfin, l'absence de spontanéité et d'émergence m'ont déçu.

Dans une société libre, dans un milieu de travail émergent, dans une école ouverte, la diversification optimale des initiatives de changement est fonctionnelle. Les modèles alternatifs réussissent ou échouent dans la pratique, non pas au niveau de leur conception. Il est difficile, voire impossible, d'élaborer dans la pratique des modèles adéquats de transformation à partir de la pure théorie. Au stade actuel de nos recherches, la mise au point de nouveaux modèles de vie ne se fera pas sans un certain nombre d'erreurs.

6. *Tout changement naît d'une tranformation de l'individu.* Chaque personne est importante à l'intérieur d'un processus de changement. Celui qui connaît l'expérience profonde de la confiance peut penser en ces termes : « Je crée mon propre environnement et je peux le changer à volonté. Seule ma peur me limite, mais je dois m'en dégager. Je peux changer mon environnement au travail, à la maison, avec mes amis, dans mes loisirs et dans mes rapports avec autrui. Je peux me joindre aux autres pour transformer les organismes auxquels j'appartiens et le monde qui m'en-

toure. Je ne prétends pas changer les autres, mais je peux modifier mon environnement en me transformant moi-même. Si je veux changer, il me suffit de me laisser aller, d'être moi-même, de découvrir et de créer l'être auquel j'aspire. Plus je me laisse aller, plus je me rapproche de la personne que je peux devenir.

« Je peux choisir de vivre dans l'immédiat, ou je peux opter de vivre selon une perspective plus vaste. Je peux influencer à souhait le monde et les processus sociaux.

« À mesure que s'élargissent mes horizons et que croît mon courage, les actions que je dois entreprendre m'apparaissent plus clairement :

« 1. je peux rester égal à moi-même ou assumer des rôles au gré de ma fantaisie ;

« 2. je peux choisir de mener une vie ouverte ou une vie cachée derrière une façade et sous diverses manipulations ;

« 3. je peux choisir de vivre selon mes désirs ou selon mes devoirs ;

« 4. je peux *me rapprocher* des autres ou je peux tenter de les dominer ou de me soumettre à eux. »

Ces attitudes définissent pour moi un mode de vie apte à transformer toute personne et à changer tous les aspects du monde dans lequel nous vivons.

Au cours de ma démarche pour comprendre la confiance et la peur, je me suis intéressé à certaines personnalités historiques qui, de par leur confiance et de par certains processus que je nomme la théorie CORI, ont contribué à une transformation du monde vers des niveaux de confiance supérieurs, tout en ayant des expériences personnelles épanouissantes.

Quelles sont les personnes qui illustrent le mieux ce propos ? Ne s'appelaient-elles pas Jésus-Christ, Abraham Lincoln, Mahatma Gandhi et Martin Luther King Jr ? Chacun de ces personnages a vécu une vie CORI. Ils ont tous eu un effet bénéfique profond sur le monde. Ils possédaient tous une conscience profonde de la vie, et ils s'étaient créé une mission qui a donné à leur vie toute sa signification. Ils partageaient les processus de la vie et de l'interdépendance. Il serait difficile de leur attribuer des rôles, aucun d'entre eux ne s'est servi d'une stratégie dissimulée et aucun d'entre eux n'a été dominateur.

Le point à souligner : chacun de ces individus avait un sens de la personne. Quand je pense à eux, j'ai le sentiment d'un rapport personnel. La douce simplicité du Christ est une image vivante de confiance et d'ouverture. Il m'est impossible de me trouver en présence de la statue de Lincoln à Washington sans ressentir une grande confiance. J'y suis allé plusieurs fois et j'ai remarqué les mêmes réactions chez les gens, surtout chez les enfants. Gandhi vécut selon son crédo de non-violence. Le fait que Martin Luther King soit sorti sur le balcon, après avoir été prévenu du danger par ses amis, témoigne de la nature transcendante de sa confiance.

Lorsque nos rapports avec les autres se situent à des niveaux d'environnement inférieurs, on risque de faire preuve d'égoïsme, voire de narcissisme, et de manque d'égards envers eux. Toutefois, en nous développant, en étant moins sur la défensive, il est possible d'avoir envers les autres autant de sollicitude qu'envers soi-même. La vie des personnages mentionnés plus haut rend parfaitement compte de cela. Pour se sentir entière, il se peut qu'une personne doive être tout à fait elle-même et en même temps manifester un grand altruisme. L'un n'exclut pas nécessairement l'autre.

L'équilibre entre la sollicitude envers soi et envers les autres est probablement de nature individuelle. Cependant, toute personne qui s'épanouit développe aussi sa générosité, sentiment qui avait peut-être été refoulé par des expériences traumatisantes mais qui réapparaît avec la confiance.

Ceci signifie que toute initiative communautaire ou organisationnelle doit offrir à ses participants des activités menant à la découverte d'enrichissements personnels, tout en ayant une signification sociale d'aide envers le prochain.

L'agent de change, le conseiller, le directeur, le parent ou le prêtre en proie à la peur cherchent avant tout à changer les gens ou la situation menaçante. Au contraire, les gens confiants se tournent vers eux-mêmes, car ils savent que toute transformation permanente commence avec la sollicitude envers soi.

7. *Transformation efficace et niveau de confiance vont de pair.* La transformation efficace est personnelle, ouverte, autodéterminante et interdépendante. Les processus qui expriment la confiance entraînent la confiance. Tout changement efficace se traduira par une évolution vers des environnements nouveaux.

Les initiatives de changement se heurtent à une résistance grandissante lorsqu'elles ont recours à des méthodes qui font naître la peur. En fait, le changement est passionnant, enrichissant et inhérent à la vie. Ce sont les mauvais procédés utilisés par certains « militants » qui créent la peur. Toute méthode dépersonnalisante, persuasive et manipulatrice produira une résistance et des mouvements d'opposition. Ce trait commun à ce genre de méthodes se situe à l'origine du mythe qui dit que tout changement est une menace.

La confiance sert de principal instrument à la transformation sociale. C'est l'aptitude inhérente à tout individu et à toute institution que d'être ce qu'ils vont devenir. Tout processus de changement part de l'intérieur vers l'extérieur et aboutit à l'interdépendance. Tout procédé contraire est un outrage à la nature humaine. L'agent extérieur peut être une force qui s'impose aux gens ou qui leur apporte un appui.

Ce principe vaut pour les enfants dans une garderie, pour les élèves dans une école, pour les équipes d'une ligue, pour les divisions d'une entreprise, pour les états d'une fédération, pour les pays du monde. Les parents s'entendront avec leur enfant s'ils lui font confiance. C'est aussi simple que cela. Le directeur s'entendra avec l'ouvrier s'il lui fait confiance. Nous nous entendrons avec l'URSS lorsque nous aurons confiance en l'URSS. Il ne me semble pas y avoir d'autres solutions aux dilemmes qu'affronte constamment notre étude pilote cosmique.

J'ai confiance en l'avenir car je sais que je peux réaliser mes images.

Chapitre 12
Images du futur

La confiance nous procure vision et courage. La vision sert à nous orienter clairement vers nos images et nous apporte une perspective nous permettant de voir le futur dans son ensemble. Le courage nous donne la volonté de continuer notre recherche par delà les peurs et les barrières.

On peut voir le futur de l'humanité selon la perspective offerte par l'analyse des niveaux d'environnement. La qualité de l'environnement dépend du niveau de confiance. Aussi, la formation de la confiance a-t-elle été une tendance importante de l'histoire. Nous avons, en effet, de plus en plus confiance en nous-mêmes et nous nous fions de plus en plus aux autres, aux institutions sociales que nous créons et aux processus de la nature.

Réfléchissons encore sur les environnements décrits dans les tableaux V et VI. J'espère présenter dans un volume à venir une analyse de notre histoire passée et de notre futur, m'appuyant alors sur les principes d'évolution vers des environnements plus fertiles. Même un examen psycho-historique rapide nous démontre une grande lutte entre le niveau de confiance et celui de la peur. Toutefois, on s'aperçoit que la confiance a quand même augmenté graduellement à travers les siècles.

D'une certaine façon, nous avons aussi assisté à une augmentation de nos peurs et, de plus, leur qualité et leur nature ont certainement changé. Une expérience et une connaissance accrues nous rendent plus globalement *conscients* de possibilités terrifiantes telles une grave explosion démographique, une guerre atomique, une technologie déshumanisante et la pollution de notre environnement naturel. Heureusement, notre niveau de confiance croît plus rapidement que notre peur de dangers apparents.

Mouvement culturel vers une confiance plus grande

Pour la première fois dans l'histoire de l'humanité, nous assistons à une prise de conscience à l'échelle mondiale. Nous croyons que de vastes actions peuvent émerger d'une confiance globale, tout en l'augmentant. Nous assistons à la mise au point de diverses formes de communication et nous développons une conscience accrue de notre interdépendance économique et matérielle. Les divers gouvernements collaborent de plus en plus à des projets de planification des naissances, de stabilisation monétaire et de voyages dans l'espace. Tous ces éléments rendent possible et même nécessaire notre évolution vers l'environnement V, vers une interdépendance et une confiance internationales. La libération de la femme, le commerce international, la lutte contre la pollution, le désarmement, la disparition de certaines maladies, le partage d'informations scientifiques, toutes ces questions peuvent se résoudre à l'échelle mondiale et selon un mode de participation.

Une telle confiance et une telle collaboration ne sont toutefois possibles que si nous arrivons à répandre largement les quatre processus de confiance et de découverte. Cet espoir est-il réaliste ?

1. *Personnalisation.* Les femmes, par l'intermédiaire d'un mouvement important, veulent se départir des rôles qu'elles s'étaient donnés et que les institutions dominées par les hommes leur avaient attribués. De plus, elles refusent qu'on les considère comme membres d'une classe et comme des objets. La leçon est claire : nous devons tous apprendre à voir en chacun un être unique.

Tous les courants actuels ne visent pas l'abolition des rôles. Ainsi, l'importance grandissante du professionnalisme est une force dépersonnalisante. Être un physicien, un athlète, un enseignant ou un directeur « professionnel » signifie devenir objectif (négliger constamment ses sentiments personnels dans l'exercice de ses fonctions), remplir un rôle (accomplir sa tâche de manière compétente, tout comme les autres professionnels), accorder toute l'importance au travail et à ses fonctions plutôt qu'aux personnes. En ce sens, être professionnel et être personnel sont deux attitudes diamétralement opposées. Être personnel veut dire en effet que nous exprimons nos sentiments subjectifs, que nous nous libérons de notre rôle et que nous attachons plus d'importance aux personnes qu'aux fonctions. Cette tendance à la professionnalisation correspond d'une part à une recherche de la dignité, du pouvoir et du respect d'autrui et d'autre part à une réaction défensive contre la peur d'être perçu comme incompétent. Quand la peur et la défensive disparaissent, le besoin du statut et de la déférence disparaît aussi.

Nous sommes de plus témoins de batailles constantes menées afin de créer un monde où les gens pourront trouver un travail épanouissant tout en recevant un salaire convenable. La discrimination, la faim, le manque de soins médicaux, le chômage et les prestations d'aide sociale empêchent encore beaucoup d'individus de devenir vraiment des personnes à part entière. Le travail dirigé par un supérieur et la difficulté pour le travailleur de s'autodéterminer et de contrôler sa destinée provoquent la même conséquence néfaste. L'épanouissement personnel est avant tout spirituel et psychologique et on ne peut l'atteindre sans une confiance profonde. Il s'agit là de conditions internes, mais les injustices fondamentales sont externes. Elles sont issues de notre système économique, politique et social et représentent autant de contraintes qui nous empêchent d'évoluer vers des environnements plus fertiles.

2. *Ouverture*. Nous prenons de plus en plus *conscience* de l'importance fondamentale de l'ouverture dans une vie organique. De plus, nous tentons de *l'appliquer* à la plupart des facettes de notre vie. L'ouverture, et par le fait même la confiance, augmentent de plus en plus dans notre société.

Une société ouverte permet la libre circulation de toutes les informations. L'ouverture exige le libre mouvement des sentiments, des perceptions et des opinions à l'intérieur de la vie personnelle, organisationnelle et gouvernementale. De plus, elle exige que nous puissions consulter les dossiers gouvernementaux, les résultats des tests, les dossiers criminels, les échelles de salaire, le coût véritable des emprunts, la composition des aliments, bref, toutes les informations qui affectent d'une manière ou d'une autre notre vie.

L'ouverture est aussi de plus en plus reliée à la santé mentale, à la confiance interpersonnelle, à la force d'un groupe, au bien-être de la communauté et à l'efficacité des parents, des enseignants ou des directeurs.

3. *Autodétermination.* L'autodétermination devient de plus en plus importante dans notre société. Nous découvrons la profonde sagesse de notre être entier et nous commençons à accepter la responsabilité de notre santé, de nos préférences sexuelles, de notre jugement, de notre satisfaction au travail, de notre environnement, de nos sentiments, de nos joies, de nos peines et de notre salut. Dans les domaines de la médecine, de la psychiatrie, de la justice, du gouvernement, de l'éducation et de la religion, il existe maintenant des normes institutionnelles bien établies qui encouragent la responsabilité personnelle à chacun des niveaux de la vie.

Les recherches de la *biofeed-back* et la vulgarisation de ses concepts et de ses techniques nous prouvent à quel point nous sommes responsables des processus soi-disant involontaires de notre corps. Le mouvement vers la direction intégrale de tous nos processus représente une révolution fondamentale. D'ailleurs, ces conséquences ne font que commencer à apparaître.

Les nouvelles théories et méthodes concernant la transcendance et les états modifiés nous promettent une transformation encore plus profonde de notre culture. Nous savons maintenant que nous pouvons « diriger » notre propre spiritualité, nos états cosmiques et nirvaniques et les fondements inconscients de notre créativité.

Nous n'avons nul besoin d'opposer les besoins des individus à ceux de la société, malgré que certains théoriciens croient ce conflit inévitable et essentiel au développement social. Nous réalisons maintenant que nous pouvons vivre dans une société où de tels conflits sont réduits et même éliminés. Nous pouvons créer des institutions où les membres peuvent combler leurs besoins sans recourir au sacrifice, au compromis ou à la négation de soi. Les individus et les institutions *peuvent* évoluer vers des environnements de plus en plus fertiles. D'ailleurs, plus nous progressons, moins les besoins individuels et sociaux ont tendance à s'opposer.

4. *Interdépendance.* Nous savons maintenant que l'interdépendance signifie non pas le compromis, la négation de soi ou l'abandon de ses valeurs, mais bien la collaboration, l'épanouissement de notre vie personnelle et la transcendance. De plus, ce processus détruit à tout jamais la peur du groupe, de la société et de la *dépendance* face aux autres. En fait, *interdépendance* n'est pas un terme idéal, mais j'ai été incapable d'expliquer le processus autrement. Peut-être devrait-on plutôt employer l'expression « relation profonde ».

La relation profonde dans la famille, à l'usine, à l'école ou dans le quartier signifie que les gens s'aident les uns les autres. Ils peuvent enrichir la vie d'autrui et s'apporter mutuellement stimulation, intérêt et énergie créatrice.

Lorsqu'une population dense se situe dans les environnements I, II et III, nous retrouvons la bureaucratie, les contrôles étroits, la concentration de la propriété et du pouvoir, la centralisation des fonctions importantes, la hiérarchie, la compétition, bref, une faible confiance et des peurs innombrables. Avec l'évolution de notre société vers de meilleurs environnements, nous apprenons à créer et à découvrir de nouvelles formes d'interdépendance créatrice, soit de nouvelles expériences de communauté, de nouvelles formes de coopération et de transcendance et de nouveaux niveaux de relations profondes.

Tendances importantes qui influenceront l'avenir

Je crois que nous assistons maintenant aux débuts d'une révolution sociale et que les tendances actuelles de notre culture influenceront beaucoup la civilisation de l'avenir. Voici ces grands courants importants :

1. L'environnement émergent

Ce modèle supplantera l'environnement participant et deviendra pour les groupes et les institutions une forme de vie nouvelle. Jusqu'ici, les praticiens, les consultants en développement organisationnel et les théoriciens ont voulu atteindre le niveau V et favoriser le rapprochement de leaders compétents et de participants actifs. Toutefois, on reconnaît de plus en plus le caractère transitoire de ce modèle participant et on constate plutôt le succès grandissant des groupes sans leaders et émergents qui jettent les bases d'une nouvelle vie sociale. Une fois la transition franchie entre les niveaux V et VI, une expérimentation des niveaux VI à X deviendra possible et leurs avantages nous seront plus apparent. Ce progrès favorisera l'avènement d'une nouvelle ère de créativité, de productivité, d'extase et d'épanouissement. Beaucoup de gens croient encore que le leadership est essentiel au progrès social, et cela est peut-être le plus grand obstacle à la croissance culturelle et institutionnelle.

2. La nouvelle spiritualité

Une spiritualité nouvelle et émergente deviendra la force intégratrice de toute vie humaine. Nous sommes de plus en plus insatisfaits du réalisme naïf, du behaviorisme, de la science du XIXe siècle, de la pensée économique, du matérialisme, du déterminisme et du pouvoir. Cette insatisfaction donne naissance à une spiritualité nouvelle et grandement diversifiée. De plus, nous avons maintenant la certitude qu'une vie transcendante est possible, une vie où la personne devient beaucoup plus qu'un simple être physique et mental. Même si cette nouvelle conscience prend sa source dans un mysticisme, une magie et une spiritualité du passé, elle représente en réalité une *nouvelle force*. La spiritualité s'est toujours rattachée à un merveilleux fait constitué de peur et de foi. Selon moi, la spiritualité nouvelle ne vient pas de la peur et de l'ignorance mais bien au contraire de la confiance et de la foi. Cette nouvelle confiance surgit après la reconnaissance à la fois des quasi-miracles et des limites de la science, du matérialisme et du réalisme naïf. Une confiance basée sur la connaissance et sur une vaste expérience nous semble beaucoup plus solide qu'une confiance fondée sur la foi qui précède l'expérience.

Pour ma part, la spiritualité correspond simplement à *l'expression* de la confiance. Elle apparaît lorsque j'ai confiance en moi, aux autres et aux processus naturels de la vie. Je ne tiens pas à définir la spiritualité avec précision ; je crois simplement en une conscience qui dépasse les états physiques et mentaux.

3. Les modes de vie coopératifs

De nouveaux modes de coopération et d'interdépendance deviendront des forces intégratrices de toutes les formes de vie. La compétition semble nécessaire à la survie lorsque nous vivons dans les plus bas niveaux d'environnement. Elle devient toutefois de moins en moins nécessaire au fur et à mesure que nous atteignons des environnements plus fertiles. En fait, elle disparaît tout à fait avec l'évolution de notre civilisation et avec la transcendance des besoins du moi propre aux niveaux VIII et IX. Selon certaines recherches, on retrouve, à l'état latent, chez les enfants, la coopération comme la compétition. Avec l'apparition de la confiance et la création de meilleurs environnements, la coopération devient un aspect inévitable de toute vie satisfaisante.

Dans une société méfiante, la compétition est inévitable et peut-être nécessaire. On récompense d'ailleurs souvent les enfants, les étudiants et les travailleurs lorsqu'ils manifestent un bon esprit de compétition, mais on oublie d'encourager la coopération. Toutefois, on s'aperçoit que les aspects négatifs de la compétition dépassent nettement ses avantages. Avec l'apparition d'une confiance accrue, nous assisterons à une revalorisation de la collaboration.

4. Viabilité des modèles basés sur la confiance

La confiance agira comme catalyseur dans la vie communautaire, organisationnelle et sociale. La plupart de nos théories, images et modèles sont issus de nos expériences à l'intérieur de sociétés et d'organisations méfiantes. Les énergies ainsi créées maintiennent et même nourrissent la peur et la méfiance. Nous prenons cependant de plus en plus conscience de l'importance de la confiance et nous favorisons ainsi l'application de théories et de modèles nouveaux et viables.

5. Décentralisation

Une décentralisation du gouvernement, des organisations et de toutes les formes de vie favorisera la création d'unités plus petites et la croissance d'un sens de la communauté. Bien sûr, une certaine centralisation demeurera nécessaire pour des raisons d'efficacité et d'économie. Toutefois, seuls des environnements caractérisés par la survie, la pénurie et la peur peuvent vraiment se réclamer de ces motivations. Plusieurs ont fui le piètre environnement des grandes villes et nous nous apercevrons bientôt de l'inefficacité des trop vastes organisations, découvrant les niveaux de production et la grandeur des unités de services favorables à l'épanouissement de la vie. Des entreprises, des états et des pays plus petits seront créés. La qualité de la vie prendra alors plus d'importance que l'efficacité de la production ou du gouvernement.

6. Communauté et sollicitude

Une redécouverte de l'importance de la communauté permettra une vie basée sur la sollicitude, l'intimité et la profondeur. Nous découvrirons et créerons des communautés de vie et de travail qui favoriseront l'ouverture, l'autodétermination, l'interdépendance créatrice et l'épanouissement de la personne. Les gens inventeront de nouvelles formes de vie qui nous procureront un *sentiment* de communauté, de communication profonde, de liberté dans l'intimité et le respect de notre entourage. Dans les années 50 et 60, la « découverte » des petits groupes a changé les sciences du comportement. De la même façon,la découverte de la communauté permettra, dans les années 80 et 90, la libération des énergies.

7. Abolition de la spécialisation des groupes et des organisations

Des organisations à buts multiples et non spécialisées remplaceront graduellement les groupes spécialisés, à but unique, où les membres sont répartis en classes. La grande précision des rôles a conduit les groupes et les organisations vers la spécialisation. Ainsi, particulièrement chez les directeurs et les professionnels, on a tendance à créer, pour chaque rôle et pour chaque fonction, un groupe ou une organisation. Ce processus accentue la segmentation, la fragmentation et la structure de classe de notre société et il en résulte un manque de compréhension et de sympathie entre les groupes. Je crois que cette tendance sera un jour renversée. Les groupes, les communautés et les organisations auront en effet une plus grande diversité interne et dépasseront les frontières de race, de sexe, d'occupation et même d'intérêt. Notre vie sociale deviendra alors plus intégrale et les gens reconnaîtront leur valeur et leur diversité.

Enfin, cette tendance favorisera l'émergence de groupes, de communautés et d'organisations où les gens apprendront, travailleront, aimeront et pratiqueront une religion. Nous ne sentirons plus le besoin de créer des institutions séparées pour réaliser chacune de ces activités. Les distinctions entre travail, loisir et culte diminueront. La vie deviendra plus fertile et plus intégrée. Ces développements accompagneront une redécouverte de la communauté et surgiront de plus en plus rapidement.

8. Déstructuration de la vie

Dans toutes les institutions, la discipline, le contrôle, la « loi et l'ordre », l'obéissance, l'autorité, les récompenses, les punitions et les structures arbitraires perdront de leur importance. Les principes de direction et d'organisation ne s'appuieront plus sur la peur. Avec l'augmentation de la confiance, les gens découvriront des modes de vie et de travail plus créateurs. Ils apprendront à reconnaître la diversité, la liberté, l'essai, l'erreur et les différences individuelles de tout être humain. Cette reconnaissance de la liberté des autres surgit à l'intérieur de nombreux cycles historiques. Des périodes de peur et de doute précèdent en effet les moments de confiance et de liberté. Toutefois, historiquement, la liberté s'accroît plus rapidement que la discipline et le contrôle.

9. Déprofessionnalisation de la culture

Les gens deviendront de plus en plus responsables d'eux-mêmes. Par conséquent, ils auront de moins en moins recours à des spécialistes de relation d'aide dans leur vie personnelle et organisationnelle. La recrudescense actuelle des fonctions d'aide est due à une prise de conscience des besoins sociaux, à un mouvement vers la bienveillance propre au niveau III, au besoin d'aider les autres, au désir d'obtenir un statut de professionnel, au désenchantement à l'égard du travail et à l'abondance de l'argent qui permet de s'offrir les services de ces professionnels.

Cependant, nous découvrirons et créerons bientôt de nouvelles communautés de vie et de travail, de nouveaux environnements qui encourageront la responsabilité personnelle, la direction de notre propre vie, la sollicitude envers nous-mêmes et, enfin, la vie active et holistique. Avec l'émergence de la confiance, les directeurs et les travailleurs apprendront à communiquer entre eux plutôt que par l'intermédiaire de spécialistes de la communication. Ils adopteront des attitudes saines et se traiteront avec respect, sans l'aide de gardes pour protéger leur vie, leur propriété et les secrets de la compagnie. Ils rechercheront et créeront des solutions plus simples aux problèmes des gens.

L'avenir du processus CORI

Pour plusieurs milliers d'entre nous, le mot CORI décrit la quête commune d'une vie meilleure, la recherche d'une théorie de la vie plus intégrale et une façon de se joindre aux autres dans une action sociale interdépendante.

Quel sera l'avenir du processus CORI ? Les énergies s'orientent présentement vers plusieurs voies prometteuses :

1. L'évolution constante de la théorie

Cette théorie constamment émergente provient de l'interaction et des processus d'environ 10 000 personnes qui, depuis plusieurs années, ont participé aux activités de la communauté CORI.

La rédaction de ce volume ne représente qu'une expression des forces grandissantes de la théorie à l'intérieur des communautés CORI. Celles-ci s'attachent à libérer les énergies, à accélérer le dialogue et à préciser les différences. Elles appliquent la théorie avec succès et elles l'expérimentent. De plus en plus de cours universitaires se penchent sur la théorie CORI. Des équipes se regroupent et prévoient certaines publications chez Astron. Tous ces indices prouvent que la théorie devient de plus en plus utile et fondamentale à l'intérieur des communautés.

2. Recherche sur la théorie et sur ses applications

La théorie suscite de multiples recherches formelles et informelles*.

Ces études s'orientent vers une compréhension des dynamiques fondamentales du niveau de confiance, soit la persuasion, la stratégie, la libération des rôles, l'ouverture, la communication défensive et l'interdépendance. Plusieurs études s'attachent à vérifier les principales hypothèses de la théorie, alors que d'autres tentent d'en mesurer les conséquences. Nous employons dans ce livre une définition universelle, mais toutefois, il est difficile de définir la confiance d'une manière opérationnelle. Ce concept intéresse de nombreux chercheurs et il leur est utile pour l'élaboration d'une théorie et pour la recherche expérimentale.

---

* Nous ne tenterons pas ici de résumer ces recherches. Les personnes intéressées trouveront une liste d'études dans la bibliographie en fin de volume. Elles peuvent obtenir sans frais une liste annotée des études effectuées, une liste annotée des publications sur la théorie CORI et ses applications et d'autres descriptions des activités CORI. Adressez-vous pour cela à TORI United States, P.O. Box 8482, Toledo, Ohio 43623 ; ou à TORI Canada, 68 South Drive, Toronto, Ontario, Canada M4W 1R5.

D'autres études évaluent les effets des programmes et des expériences basés sur la théorie CORI, soit les activités de formation et de développement, les groupes sans leaders, les communautés CORI, les cours de relations humaines, les programmes de santé holistique et, enfin, les applications de la théorie CORI à l'industrie et au monde de l'éducation. On s'est ainsi aperçu de l'efficacité des communautés CORI dans les domaines suivants : l'interdépendance, l'ouverture, l'activité personnelle, l'acceptation de soi et l'efficacité interpersonnelle.

La plupart des recherches sont préliminaires à d'autres études plus approfondies, et on ne peut en tirer encore de conclusions. Certains résultats s'opposent et, parfois, la méthodologie employée se révèle inadéquate. Cependant, certaines études, particulièrement certaines thèses de doctorat, laissent prévoir la puissance future et les possibilités d'application de cette théorie.

3. Création et préparation de nouvelles ressources

Les membres expérimentent divers processus qui serviront au développement communautaire, à la communication, au dialogue, à l'évolution de la théorie, à de nouvelles formes de relations profondes, à la création d'équipes et à la formation de la confiance. Nous mettons aussi à l'essai des environnements physiques, des vêtements fonctionnels, de la danse, de la musique, de la poésie, de la photographie, de l'écriture organique, des analyses de rêves, des « conférences » non verbales, l'emploi de cassettes afin d'enregistrer et d'échanger l'expression verbale, un journal personnel de la communauté, des films, des guides, du matériel de croissance personnelle, des fermes d'agriculture biologique, des livres, bref, tous les moyens qui peuvent nourrir la confiance.

Les membres de la communauté accordent beaucoup d'importance à la communication interpersonnelle directe, mais ils expérimentent aussi les formes d'écriture conventionnelles. Les communautés individuelles publient fréquemment des bulletins ; à certaines occasions,des numéros paraissent à l'échelle internationale ; un nouveau journal existe depuis 1979 ; plusieurs livres sont actuellement en préparation. On prépare aussi des livres et diverses présentations se rattachant aux applications de la théorie CORI à la famille, à la thérapie, au groupe, à la direction, à l'administration, au développement organisationnel, à la communication confiante, à la création de climats d'apprentissage, à la psychohistoire et à la conception d'environnements confiants. Les membres de la communauté qui travaillent au développement de ces ressources viennent de divers milieux . Nous y retrouvons donc des psychiatres, des spécialistes du développement organisationnel, des médecins, des fonctionnaires gouvernementaux, des syndicalistes, des avocats, des travailleurs sociaux, des menuisiers, des fermiers, des directeurs d'usines, des spécialistes de la mise en marché, des ingénieurs, des journalistes, des infirmières, des conseillers matrimoniaux, des dentistes, etc.

Nous devons en fait repenser, et peut-être détruire, les vieilles hypothèses sur l'apprentissage, la croissance et la nature des personnes-ressources. Malgré l'apparition de nouvelles techniques prometteuses, la relation entre le moyen d'apprentissage et la personne se base encore souvent sur une faible confiance et sur des modèles de persuasion et d'influence. On s'attache de plus en plus aux processus et on accorde moins d'importance aux « matériaux ». Je me rends compte d'ailleurs, en écrivant ce livre, de la dissonance entre mon processus et le medium que j'utilise. Je prends de plus en plus conscience des difficultés qui surgissent alors que je tente de créer une relation de codécouverte entre vous et moi. Une part de mon malaise provient de mes limites, mais une autre partie importante tient directement aux limites du medium lui-même. Je crois cependant que vous saurez sûrement créer votre propre expérience.

4. Croissance et développement des personnes et des organisations

Plusieurs de nos membres les plus actifs travaillent dans les domaines du développement personnel et organisationnel. La théorie du niveau de confiance s'y révèle particulièrement pertinente.

Les quatre groupes pilotes du programme de développement professionnel mentionné au chapitre IV participaient aussi à un programme expérimental tentant de découvrir les possibilités de relier la théorie CORI aux objectifs suivants :

a) l'amélioration de l'efficacité individuelle dans tous les domaines professionnels, particulièrement en ce qui concerne le développement organisationnel, les thérapies, l'éducation, les activités gouvernementales, l'administration et la religion ;

b) l'accélération de l'évolution vers des environnements plus fertiles dans des communautés, des groupes et des organisations formés volontairement. Chaque groupe de trente-deux, par exemple, utilisait sa propre communauté à cette fin ;

c) le développement volontaire de nouvelles formes de communautés et d'organisations à l'intérieur d'institutions clientes ou d'organisations nouvellement créées.

Plusieurs de ces programmes s'appliquaient au développement personnel et organisationnel. Lors d'une première analyse, voici les facteurs qui se sont révélés particulièrement importants dans ces domaines :

a) les niveaux de confiance des personnes et des organisations ;

b) la participation spontanée à une communauté CORI de cinq jours ;

c) la vie dans une communauté fournissant un soutien telles les communautés locales CORI, un des groupes internes de trois ans ou un des groupes de la société Astron ;

d) l'intériorisation de la théorie CORI ou d'une théorie semblable créée par la personne ;

e) la création authentique de notre propre théorie particulière, de notre style de vie et de notre environnement holistique. Nous découvrons d'ailleurs que cet élément est encore plus important que nous ne l'avions d'abord prévu ;

f) une ou plusieurs expériences transcendantales émergeant de notre style de vie orienté vers la personne.

5. Découverte de nouvelles formes organisationnelles

Les processus de création de nouvelles formes de communautés et d'organisations se révèlent très passionnants pour les théoriciens et les praticiens CORI. Cette découverte se manifeste de diverses façons. Nos efforts de création se composent des éléments suivants :

a) l'évolution graduelle de la forme émergente grâce à l'interaction à l'intérieur des communautés CORI ;

b) une forme institutionnelle inspirée des principes de la théorie ;

c) la création dans l'imagination des plus hauts niveaux de confiance. Ainsi, Robert Heinlein aurait écrit son roman *En terre étrangère* de cette façon, et ses images ont beaucoup influencé les processus sociaux contemporains ;

d) la planification et la création d'une organisation pilote. Les Associés CORI et la société Astron en sont des bons exemples.

Nous nous entendons sur les critères suivants pour choisir parmi ces nouvelles formes et pour orienter nos énergies vers le libre mouvement de l'organisation :

a) c'est épanouissant et passionnant pour les gens qui se joindront aux activités de l'organisation ;

b) c'est une forme qui, de par sa nature intrinsèque, évoluera vers des environnements plus fertiles ;

c) elle favorise les relations profondes ;

d) elle encourage la plus grande confiance ;

e) elle influencera probablement les autres organisations (elle résout d'une manière spectaculaire un problème technique important, elle prouve son efficacité).

Les Associés CORI et la communauté internationale CORI

Au cours des chapitres VIII et IX, nous avons présenté les Associés CORI comme une organisation prototype. Celle-ci remplit très bien les cinq critères énumérés plus haut. Toutefois, elle a un futur incertain. Pour certains, cette communauté est importante par ses conséquences spirituelles et intégratrices sur la vie de ses membres. D'autres croient qu'elle comptera d'ici quelques années plusieurs millions de membres dans tous les pays. D'autres encore la considèrent comme une simple transition vers un modèle complètement différent. Selon moi, quelques milliers de personnes seulement sont à créer une organisation qui influencera énormément notre avenir à nous tous. En voici les aspects positifs :

a) un nombre grandissant de membres actifs et profondément convaincus ;

b) la diversité des personnes impliquées ;

c) le sentiment de liberté et l'absence de contraintes ;

d) l'absence de contraintes financières de toutes sortes ;

e) la participation de tous les membres de la famille à la vie de la communauté ;

f) l'esprit de découverte et d'aventure ;

g) le sens de l'idéal et l'engagement dans une recherche spirituelle ;

h) la correspondance entre l'organisation et l'expression du besoin culturel de créer une communauté ;

i) la nature du modèle conçu pour évoluer rapidement vers des environnements meilleurs.

Les communautés ne manquent pas de connaître, à l'occasion, certaines frustrations. Certains membres s'ennuient, s'impatientent lorsqu'ils sont inactifs, se fâchent contre d'autres membres, sont déçus par la théorie, se méfient des autres et du « processus », en veulent à ceux qui ne participent pas vraiment, n'aiment pas certains comportements qu'ils jugent vulgaires ou sont jaloux de la facilité des autres à se faire des amis et à réaliser leurs désirs. Voici les facteurs négatifs perçus par certains membres :

a) les communautés devancent trop les valeurs traditionnelles de notre culture ;

b) le manque de leadership ;

c) le manque de contraintes normales et le comportement de certains des membres ;

d) la peur de la censure et de la désapprobation sociale ;

e) le manque de techniques qui permettraient de réaliser les tâches habituellement accomplies par un secrétariat et par une équipe de direction ;

f) le malaise qui surgit lorsqu'il s'agit d'être responsable de la création de son expérience et de la réalisation de ses désirs ;

g) l'absence d'un programme d'activités structuré ;

h) les frais de voyage (car les membres habitent dans des régions très éloignées les unes des autres) ;

i) le nombre insuffisant de certaines activités ;

j) la fascination pour des activités et des programmes d'une toute autre nature.

La société Astron et diverses autres compagnies et organisations

Nous avons décrit la société Astron au chapitre VIII. En fait, nous ne sommes qu'au début de l'expérimentation auprès d'entreprises à but lucratif; ainsi pouvons-nous difficilement prévoir l'avenir de ces programmes. Pour plusieurs, il s'agit là d'une des activités CORI les plus passionnantes et les plus prometteuses. La possibilité d'intégrer notre vie personnelle et nos désirs intrinsèques tout en gagnant un salaire convenable représente une possibilité très réjouissante.

Selon moi, le monde des affaires n'a nul besoin de conduire à la dépersonnalisation, au compromis, au sacrifice de ses aspirations, à la tension improductive et à l'habituelle dichotomie vie personnelle/vie organisationnelle.

Je crois que nous sommes en mesure de réaliser tout ce que nous imaginons. Nous avons besoin de modèles *immédiatement applicables* d'environnements de travail humains, d'un heureux mélange de spiritualité et de labeur, d'expériences efficaces aux niveaux VI, VII et VIII et, enfin, d'organisations efficaces et réalistes dans notre monde actuel, mais composées toutefois de personnes croyant en de nouvelles possibilités. Nos besoins sont donc immenses, mais nous croyons que nous pouvons accomplir ce travail ici et maintenant, malgré la présence d'un environnement qui semble s'opposer à de telles conceptions.

Voici les facteurs qui favoriseront le succès de ce programme :

a) les participants ont des compétences reconnues et plusieurs d'entre eux travaillent dans des entreprises florissantes et possèdent une grande expérience dans leur domaine ;

b) nous avons affaire à un groupe d'environ 90 personnes convaincues, ayant intériorisé la théorie et croyant au succès de l'expérience ;

c) l'implication de plusieurs des 128 participants aux quatre groupes professionnels CORI a assuré un contact étroit sur une période d'au moins trois ans ;

d) nous observons le succès des Associés CORI qui ont vérifié certains principes fondamentaux d'organisation ;

e) plusieurs années de discussions, de planification et d'expérimentation des idées viennent appuyer nos efforts ;

f) le monde des affaires se montre prêt à expérimenter la théorie, contrairement à certains autres groupes sociaux et organisations ;

g) la participation d'un nombre égal d'hommes et de femmes amène une force et une diversité particulières.

Nous prévoyons des difficultés, des défis et des obstacles mais ils représentent pour nous un aspect stimulant de cette expérience. Voici un certain nombre de ces difficultés :

a) les groupes CORI accordent plus d'importance aux valeurs personnelles qu'au profit et à la compétition ;

b) la majorité des membres du groupe Astron ne viennent pas du monde des affaires et préfèrent travailler à d'autres activités ;

c) il y a un manque sérieux de capitaux à l'intérieur de l'entreprise ;

d) nous travaillons dans des domaines inexplorés, sans pouvoir suivre de modèles ;

e) les membres sont dans l'impossibilité ou refusent carrément de s'impliquer à temps plein et on doit prévoir une longue période de participation à temps partiel ;

f) les membres expriment une extrême diversité dans leurs conceptions du travail idéal à l'intérieur d'une entreprise basée sur la confiance ;

g) l'ambiguïté de notre projet crée la peur de ce qui pourrait arriver et une certaine méfiance envers le processus et envers les autres ;

h) les gens possèdent un grand éventail d'activités préférées et nous éprouvons certaines difficultés à trouver un produit ou un service autour duquel l'entreprise pourrait s'organiser.

Si ces éléments nous créent des problèmes, ils nous apportent aussi un défi à relever. D'ailleurs, il en résultera probablement une énergie nouvelle et transcendante.

6. La découverte de la collaboration avec les autres organisations

Plusieurs membres de la communauté internationale CORI désirent travailler de manière interdépendante avec d'autres personnes afin d'accroître la confiance, la paix et le bien-être de l'homme. Ils croient avec raison qu'une production basée sur la confiance aura des conséquences bénéfiques sur le monde dans son ensemble.

L'évolution de la théorie et la croissance des organisations CORI nous permet maintenant de collaborer avec d'autres organisations. Nous sommes intéressés à agir de manière interdépendante et à étudier la nature de cette action. Nous prenons d'ailleurs l'initiative et nous proposons ce type de collaboration aux organisations qui remplissent les critères suivants, assurance d'une collaboration fructueuse :

a) la collaboration se révèle passionnante et satisfaisante pour tous ceux qui y participent ;

b) l'organisation collaboratrice peut évoluer vers des niveaux d'environnement de plus en plus élevés ;

c) l'organisation encouragera les relations profondes à tous les niveaux ;

d) elle tente déjà d'augmenter la confiance ;

e) elle influencera vraisemblablement d'autres institutions ;

f) elle change constamment et regarde à la fois à l'intérieur comme à l'extérieur ;

g) il existe une attraction réciproque entre l'organisation et les Associés CORI et les deux sentent qu'ils bénéficient de cet échange créateur ;

h) les possibilités surgissent et nous faisons tout pour les créer car elles ne sont pas accidentelles ;

i) les relations entre les organisations sont satisfaisantes. Nous croyons en effet qu'il faut suivre à cet égard nos impulsions et nos intuitions. Il s'agit d'ailleurs là du critère le plus important.

Plusieurs de nos membres appartiennent à d'autres organisations qui correspondent à la plupart de ces critères et dont les buts rejoignent les nôtres. Ils ont travaillé à augmenter le niveau de confiance et à améliorer les conditions qui y sont reliées, soit une meilleure communication parmi les membres professionnels, une disponibilité plus grande des traitements holistiques, l'amélioration du développement organisationnel, une amélioration à tous les niveaux de l'éducation et l'amélioration de la pratique des sciences du comportement.

Les six organisations suivantes sont des exemples d'institutions qui correspondent à plusieurs de nos neuf critères. Chacune tente d'unifier les trois processus interdépendants de la recherche, de la formation et du changement social. Chacune fournit un environnement qui facilite l'échange créatif parmi les membres les plus libéraux, les plus humanistes et les plus novateurs, c'est-à-dire parmi ceux qui acceptent la confiance, le risque, la vulnérabilité et l'exploration des voies les plus aventureuses. Chaque organisation compte des membres qui font partie des Associés CORI.

L'Association de psychologie humaniste. Cette organisation réunit des psychologues et d'autres spécialistes des sciences humaines orientés vers une philosophie humaniste. Elle était au départ une tentative de mobilisation de la troisième force en psychologie, comme on appelait le groupe d'Abraham Maslow. Cette association permet la rencontre des gens les plus innovateurs, les plus humanistes et les plus socialement conscients et ce, dans les domaines du développement personnel et organisationnel et du mouvement pour le développement des ressources humaines. Cette organisation se veut un heureux mélange de mysticisme oriental et d'empirisme occidental. Elle favorise de plus l'innovation dans les domaines de la psychologie, de la thérapie, de l'éducation, de la croissance personnelle, du développement organisationnel et de l'apprentissage. Elle est une organisation internationale, orientée vers l'action et vers le futur et elle représente une force qui favorise l'évolution vers un monde plus confiant.

Les laboratoires nationaux de formation en sciences du comportement. Cette organisation a été fondée au départ pour appliquer les recherches et la théorie de Kurt Lewin et de ses collaborateurs aux dynamiques de groupes et à la formation aux relations humaines. Elle est responsable de plusieurs expériences intéressantes : les groupes de sensibilisation, les groupes de formation connus plus tard sous le nom de groupes de rencontre, la formation au travail en équipe, la dynamique de groupe appliquée à la thérapie, à l'éducation et à la formation et, enfin, le développement organisationnel. Stimulé par ses fondateurs, Leland Bradford, Ronald Lippitt et Kenneth Benne, cet institut fournit un environnement à plusieurs milliers de personnes à travers le monde, par l'intermédiaire de « laboratoires » de formation. Ceux-ci transmettent une nouvelle image d'un monde confiant. La théorie CORI est issue en grande partie des expériences que Lorraine et moi avons menées, il y a plusieurs années, dans ces groupes de formation. Cette organisation a de plus une riche tradition d'intégration de la recherche, de la formation et de l'action sociale.

L'Association pour la santé holistique. Créée par David J. Harris et ses collègues, cette organisation s'attache à l'intégration du concept de « santé holistique ». Elle s'adresse au monde de la médecine et des sciences humaines. De ce travail de pionnier surgiront de nouveaux modèles qui aideront notre culture à évoluer vers les environnements holistiques et transcendants, ainsi que vers de nouveaux niveaux de confiance. Cette association s'intéresse à la recherche et à l'action en collaboration avec d'autres organisations. La présence, à l'intérieur de cette association, de plusieurs médecins est particulièrement encourageante. Cette profession s'était en effet montrée par le passé très conservatrice et s'était souvent opposée à tout changement social.

L'Association pour le changement créateur. Cette organisation réunit l'aile libérale de groupes qui s'intéressent au changement des systèmes religieux. Elle est issue d'expériences de dynamiques de groupes et de développement organisationnel et compte parmi les organisations qui se sont formées à la suite du travail des Laboratoires nationaux de formation. La théorie et les organisations religieuses changent rapidement de nos jours. La « nouvelle spiritualité » dont nous avons parlé au chapitre précédent est due en partie au travail des membres de l'A.C.C. Ceux-ci créent une nouvelle synergie entre, d'une part, les valeurs spirituelles et les concepts de l'église traditionnelle et, d'autre part, les riches contributions de la médecine holistique, de la psychologie humaniste, du mouvement pour le développement des ressources humaines, de la méthode de laboratoire des L.N.F. et du nouveau transcendantalisme.

La Société pour l'étude psychologique des questions sociales. Ce groupe correspond à l'aile libérale de l'Association américaine de psychologie. L'organisation réunit recherche et action sociale et se montre courageuse et progressiste. Elle sert de lien entre des groupes conservateurs comme l'Association de psychologie américaine et des groupes plus radicaux comme l'Association de psychologie humaniste. Elle a encouragé d'importantes études dans le domaine de la psychologie sociale.

Le Collège international. Celui-ci crée une approche expérimentale de l'éducation et un environnement propice à l'innovation par l'intermédiaire de ses programmes éducatifs, de sa *Guild of Tutors Press* et d'un ensemble unique de conférences et de programmes. Par exemple, Byron Lane et moi sommes les directeurs d'un programme de doctorat en développement organisationnel et en sciences du comportement. Ce programme permet à un petit groupe de professionnels choisis d'acquérir les bases expérimentales et scientifiques de la théorie CORI pour ensuite l'appliquer dans les milieux les plus divers. En collaboration avec d'autres universités et collèges, le Collège international propose des façons de réunir les contraintes formelles du monde traditionnel de l'éducation et le monde professionnel actif.

Les membres des Associés CORI participent activement à divers programmes de ces organisations et nous aimerions accroître le plus possible l'efficacité de cette collaboration. Celle-ci devient d'ailleurs plus efficace lorsque :

a) *les relations sont personnelles*. Elles se basent sur les intérêts de chacun et fuient les contacts établis par l'intermédiaire de structures formelles ;

b) *les actions sont ouvertes et directes*. Les désirs personnels, les emplois du temps, les objectifs visés et les ententes sont analysés publiquement. On évite ou on examine ouvertement les stratégies cachées ;

c) *les personnes qui travailleront au changement planifient leurs actions*. L'autodétermination signifie que les jeunes planifient pour les jeunes, les défavorisés pour les défavorisés, les consultants pour les consultants, les agents de changement pour les agents de changement et les clients pour les clients. Il est très difficile de faire participer massivement les gens concernés par une action. Toutefois, ces personnes peuvent toujours être représentées lors de la planification des projets ;

d) *le processus en est un de codécouverte*. Si le programme est interorganisationnel, il doit exister un processus commun d'enquête, de définition des objectifs, de prise de décision et de planification de l'action. J'ai déjà été membre du conseil d'administration d'une organisation internationale où certains membres tentèrent un jour de faire adopter une proposition selon laquelle un de nos buts était d'influencer le monde des affaires et de la médecine afin que ceux-ci se basent davantage sur la participation, l'esprit et la personne. Je me retrouvai alors parmi la minorité qui soutenait que nous n'avions pas à prendre de décisions à leur place. Je proposai enfin d'inviter des représentants du monde des affaires et de la médecine afin de déterminer si *nous* voulions et s'*ils* souhaitaient accorder plus d'importance à la participation. Nous pourrions ensuite voir ensemble comment nous pouvions améliorer nos organisations respectives.

Je n'aime pas qu'un autre groupe tente de changer une organisation dont je fais partie. J'aime encore moins que mon organisation tente d'en changer une autre. Certains groupes d'aide disent vouloir « impliquer » les autres dans une planification commune alors qu'en réalité ils planifient *pour* le groupe aidé. Les organisations formées de professionnels de l'aide collaborent souvent entre elles afin de changer un troisième groupe.

En fait, nous voulons accroître la confiance entre organisations. Certains membres des Associés CORI veulent se pencher sur les questions de la confiance entre nations, de la paix mondiale et de la collaboration internationale. Nous comptons des membres actifs dans plusieurs pays qui travaillent dans cette direction.

Peut-on faire confiance aux gens ?

Pouvons-nous vraiment changer le niveau de confiance en nous, dans nos familles, au travail, à l'école et dans les organisations ? Pouvons-nous le faire globalement ? Les changements réalisés dans certaines salles de cours, dans des groupes de formation et dans des programmes gouvernementaux ne sont-ils qu'une goutte d'eau dans l'océan ? La nature et l'être humain sont-ils immuables ? Peut-on percevoir la réalité ? Puis-je *vraiment* me créer ? Créer mon environnement ? Nos espoirs de créer un environnement holistique et une paix durable ne sont-ils qu'une illusion de plus ?

Je ne peux répondre à ces questions, mais je choisis la confiance et l'espoir d'un monde meilleur. Je crois *profondément* que nous pouvons changer ce monde dans lequel nous vivons.

Le temps est venu de nous mettre à l'oeuvre. L'avenir brille en nous. Nous vivons une étape cruciale de notre histoire ; l'oeuf cosmique craque de partout. On *peut* se fier au monde et aux personnes. Si nous croyons cette confiance possible, nous pourrons atteindre une nouvelle ère de créativité et de paix. L'avenir se trouve dans la *découverte* et dans le processus. Peu importe le temps qu'il faudra pour atteindre nos objectifs. La douleur et la crainte existent. La confiance et l'amour existent aussi. Je les crée.

ANNEXE A

GRILLE D'AUTOÉVALUATION CORI

Directive: Écrire une des lettres suivantes devant chaque affirmation.

TD : Totalement en désaccord D : En désaccord A : D'accord TA : Totalement d'accord

____ 1. Quelle que soit mon attitude, les gens m'acceptent et me comprennent.

____ 2. Je dissimule une partie importante de moi-même.

____ 3. Je m'affirme dans presque toutes les circonstances.

____ 4. Je recherche rarement l'aide des autres.

____ 5. La plupart des gens tendent à se faire confiance.

____ 6. Les gens ne s'intéressent habituellement pas aux paroles des autres.

____ 7. La plupart des gens ne tentent pas d'influencer les faits et gestes d'autrui.

____ 8. La plupart des gens suivent leur chemin et ne pensent presque pas aux autres.

____ 9. Je suis habituellement une personne très prudente.

____ 10. Je sens peu le besoin de dissimuler mes faits et gestes.

____ 11. Je tente habituellement de faire ce que je dois faire.

____ 12. Les gens m'aident volontiers lorsque je le leur demande.

____ 13. La plupart des gens s'intéressent davantage au travail à accomplir qu'aux individus.

____ 14. La plupart des gens s'expriment avec franchise.

____ 15. La plupart des gens accomplissent leurs tâches sans se sentir responsables des autres.

____ 16. La plupart des gens que je rencontre agissent en étroite collaboration avec les autres.

____ 17. Je fais habituellement confiance aux gens que je rencontre.

____ 18. J'ai peur de choquer les gens si je leur dévoile mes véritables pensées.

____ 19. Je me sens libre d'agir selon mes désirs dans la plupart des circonstances.

____ 20. Je me sens souvent seul à l'intérieur des groupes auxquels j'appartiens.
____ 21. Les gens que je rencontre habituellement semblent bien se connaître ; ils se perçoivent vraiment comme des individus.
____ 22. La plupart des gens que je côtoie s'efforcent de n'exprimer que des idées pertinentes lorsque nous réalisons quelque chose ensemble.
____ 23. La plupart des gens voient très clairement leurs objectifs et savent ce qu'ils font dans la vie.
____ 24. La plupart des groupes que je connais arrivent difficilement à s'entendre et à appliquer leurs décisions.
____ 25. Si je quitte la plupart des groupes dont je suis membre, ils déploreront mon absence.
____ 26. Je peux me fier à la plupart des gens que je connais lorsque j'exprime mes sentiments et opinions les plus personnels et les plus importants.
____ 27. Mes objectifs diffèrent de ceux de mon entourage.
____ 28. J'ai hâte de rencontrer les membres des groupes auxquels j'appartiens.
____ 29. La plupart des gens que je rencontre jouent un rôle et ne sont pas eux-mêmes.
____ 30. La plupart des gens que je connais communiquent très bien les uns avec les autres.
____ 31. Dans la plupart des groupes auxquels j'appartiens, les gens poussent les autres à réaliser les buts du groupe.
____ 32. Dans les situations d'urgence, la plupart des gens agissent avec sollicitude et de manière efficace.
____ 33. Je suis habituellement satisfait de moi-même.
____ 34. Je n'exprime pas facilement mes sentiments négatifs.
____ 35. Je prends facilement des risques.
____ 36. J'accorde souvent mon appui aux autres simplement parce que je me sens obligé de correspondre à certaines attentes.
____ 37. Dans les groupes auxquels j'appartiens, les gens manifestent beaucoup de sollicitude les uns envers les autres.
____ 38. La plupart des gens ont une tendance à la malhonnêteté.
____ 39. La plupart des gens que je connais respectent l'identité et les opinions des autres.

____ 40. La plupart des gens aiment diriger ou être dirigés. Ils n'aiment pas travailler avec les autres d'égal à égal.

____ 41. J'ai des relations impersonnelles avec la plupart des gens.

____ 42. Je me sens à l'aise lorsque j'exprime des sentiments qui me tiennent à coeur.

____ 43. Dans la plupart des situations, je sens que je dois cacher mes véritables sentiments et opinions.

____ 44. J'aime habituellement travailler avec les gens.

____ 45. La plupart des gens que je connais jouent des rôles clairs et précis. Plus ils agissent selon ces rôles, plus on les respecte.

____ 46. Les gens que je connais expriment habituellement leurs sentiments négatifs.

____ 47. Dans les groupes dont je fais partie, la plupart des gens sont passifs et apathiques.

____ 48. La plupart des gens que je connais sont bien intégrés à plusieurs niveaux.

____ 49. Je me sens un être unique et j'apprécie cette caractéristique.

____ 50. Je me sentirais très vulnérable si je disais mes opinions et mes sentiments les plus intimes.

____ 51. La plupart des gens que je connais croient en l'importance de ma croissance personnelle.

____ 52. Souvent, la collaboration avec les autres ne m'attire pas.

____ 53. Les gens jugent très favorablement mes conversations et mon apport au groupe.

____ 54. La plupart des gens craignent d'être ouverts et honnêtes avec les autres.

____ 55. Les gens que je connais expriment très bien leurs désirs.

____ 56. La plupart des gens sont très individualistes et travaillent difficilement en équipe.

____ 57. Je suis souvent insatisfait de moi-même.

____ 58. Je me sens habituellement libre d'agir selon mes désirs et je ne prétends pas être quelqu'un d'autre.

____ 59. Il est important pour moi de correspondre à l'image que les autres se font de ma personne.

____ 60. Je me sens très près des gens avec lesquels je travaille et toute personne qui quitterait mon cercle d'amis ou de collègues me manquerait.

____ 61. On distingue facilement les personnes très impliquées dans les groupes auxquels j'appartiens.
____ 62. La plupart des gens écoutent les autres avec compréhension et sympathie.
____ 63. Je crois que beaucoup de personnes dépensent une grande énergie à pousser les autres à agir contre leurs véritables désirs.
____ 64. La plupart des gens que je connais aiment être avec les autres.
____ 65. Les groupes dont je fais partie me perçoivent comme un membre important.
____ 66. Les autres déforment souvent mes idées et mes opinions.
____ 67. Mes objectifs fondamentaux ressemblent à ceux des autres.
____ 68. Les gens ne s'empressent pas de m'aider lorsque je suis aux prises avec un problème qui me préoccupe.
____ 69. Les gens écoutent habituellement ce que j'ai à dire.
____ 70. Lorsqu'ils se sentent négatifs, la plupart des gens gardent ces sentiments pour eux-mêmes.
____ 71. Les groupes auxquels j'appartiens dirigent leurs énergies vers l'action.
____ 72. Le pouvoir est important si vous voulez faire quelque chose dans la vie.
____ 73. Je ne me sens pas très vrai et très authentique lorsque je suis avec des gens.
____ 74. Je connais presque tout de mes amis intimes.
____ 75. Si j'agissais selon mes véritables désirs, mes activités changeraient complètement.
____ 76. J'ai souvent conscience que les gens m'aident à réaliser mes désirs.
____ 77. La plupart des gens sont craintifs.
____ 78. Les gens que je connais ne sont pas inhibés et sont au contraire habituellement très spontanés les uns avec les autres.
____ 79. La plupart des gens n'expriment pas clairement ce qu'ils attendent de la vie.

____ 80. La plupart des groupes auxquels j'appartiens se caractérisent par un esprit de collaboration et par la solidité des équipes.

____ 81. Les personnes avec lesquelles je travaille m'importent beaucoup.

____ 82. Souvent, les gens ne comprennent pas mes sentiments.

____ 83. Je suis habituellement d'accord avec les décisions prises dans un groupe.

____ 84. Je n'ai pas vraiment l'impression d'appartenir aux groupes dont je suis membre.

____ 85. Dans les groupes auxquels j'appartiens, les gens considèrent les autres comme des personnes importantes.

____ 86. J'exprime facilement mes sentiments positifs mais il n'en est pas de même pour mes sentiments négatifs.

____ 87. La plupart des personnes que je connais évoluent constamment.

____ 88. Je crois que la plupart des gens ont besoin de contrôles étroits pour les maintenir dans la bonne voie.

____ 89. Je me sens souvent sur la défensive.

____ 90. Je ne cache pratiquement rien à mes associés.

____ 91. J'éprouve de la difficulté à être moi-même à l'intérieur d'un groupe.

____ 92. Je sens un fort sentiment d'appartenance à plusieurs groupes.

____ 93. Dans les groupes auxquels j'appartiens, on distingue facilement les personnes importantes.

____ 94. La plupart des gens ne cachent pratiquement rien aux autres.

____ 95. Dans les groupes dont je fais partie, la plupart de nos énergies sont consacrées à des choses sans importance ou sans pertinence.

____ 96. Il existe très peu de compétition entre les gens que je connais ou avec lesquels je travaille.

FEUILLE DE POINTAGE DE L'AUTOÉVALUATION CORI

Directives : La grille d'autoévaluation CORI présente huit pointages. Quatre illustrent votre perception de vous-mêmes selon les quatre processus de croissance et quatre autres décrivent votre perception d'autrui. Lisez votre réponse à chaque question et encerclez le chiffre qui y correspond sur la feuille de pointage. Faites ensuite le total.

CONFIANCE-ÊTRE.					OUVERTURE-MANIFESTATION					RÉALISATION-DEVENIR					INTERDÉPENDANCE-RELATION PROFONDE				
	TD	D	A	TA		TD	D	A	TA		TD	D	A	TA		TD	D	A	TA
1.	0	1	2	3	2.	3	2	1	0	3.	0	1	2	3	4.	3	2	1	0
9.	3	2	1	0	10.	0	1	2	3	11.	3	2	1	0	12.	0	1	2	3
17.	0	1	2	3	18.	3	2	1	0	19.	0	1	2	3	20.	3	2	1	0
25.	3	2	1	0	26.	0	1	2	3	27.	3	2	1	0	28.	0	1	2	3
33.	0	1	2	3	34.	3	2	1	0	35.	0	1	2	3	36.	3	2	1	0
41.	3	2	1	0	42.	0	1	2	3	43.	3	2	1	0	44.	0	1	2	3
49.	0	1	2	3	50.	3	2	1	0	51.	0	1	2	3	52.	3	2	1	0
57.	3	2	1	0	58.	0	1	2	3	59.	3	2	1	0	60.	0	1	2	3
65.	0	1	2	3	66.	3	2	1	0	67.	0	1	2	3	68.	3	2	1	0
73.	3	2	1	0	74.	0	1	2	3	75.	3	2	1	0	76.	0	1	2	3
81.	0	1	2	3	82.	3	2	1	0	83.	0	1	2	3	84.	3	2	1	0
89.	3	2	1	0	90.	0	1	2	3	91.	3	2	1	0	92.	0	1	2	3

Je me perçois :

C ☐ O ☐ R ☐ I ☐

CONFIANCE-ÊTRE					OUVERTURE-MANIFESTATION					RÉALISATION-DEVENIR					INTERDÉPENDANCE-RELATION PROFONDE				
	TD	D	A	TA		TD	D	A	TA		TD	D	A	TA		TD	D	A	TA
5.	0	1	2	3	6.	3	2	1	0	7.	0	1	2	3	8.	3	2	1	0
13.	3	2	1	0	14.	0	1	2	3	15.	3	2	1	0	16.	0	1	2	3
21.	0	1	2	3	22.	3	2	1	0	23.	0	1	2	3	24.	3	2	1	0
29.	3	2	1	0	30.	0	1	2	3	31.	3	2	1	0	32.	0	1	2	3
37.	0	1	2	3	38.	3	2	1	0	39.	0	1	2	3	40.	3	2	1	0
45.	3	2	1	0	46.	0	1	2	3	47.	3	2	1	0	48.	0	1	2	3
53.	0	1	2	3	54.	3	2	1	0	55.	0	1	2	3	56.	3	2	1	0
61.	3	2	1	0	62.	0	1	2	3	63.	3	2	1	0	64.	0	1	2	3
69.	0	1	2	3	70.	3	2	1	0	71.	0	1	2	3	72.	3	2	1	0
77.	3	2	1	0	78.	0	1	2	3	79.	3	2	1	0	80.	0	1	2	3
85.	0	1	2	3	86.	3	2	1	0	87.	0	1	2	3	88.	3	2	1	0
93.	3	2	1	0	94.	0	1	2	3	95.	3	2	1	0	96.	0	1	2	3

Je perçois les autres :

C ☐ O ☐ R ☐ I ☐

INTERPRÉTATION DE LA GRILLE D'AUTOÉVALUATION CORI

CONFIANCE-ÊTRE

Des résultats élevés signifient :

Perception de soi : « J'ai confiance en moi, je vois assez clairement ma propre identité et mon caractère unique, je me sens bien dans ma peau. »

Perception des autres : « Je perçois les gens comme confiants et je crois qu'ils m'apportent un environnement favorable. »

De faibles résultats signifient :

Perception de soi : « Je n'ai pas vraiment confiance en moi, je ne vois pas clairement mon identité et mon caractère unique, je ne me sens pas très bien dans ma peau. »

Perception des autres : « Les gens ne sont pas confiants, ils sont impersonnels et correspondent à un rôle ; ils m'apportent et apportent aux autres un environnement source de menace et de méfiance. »

OUVERTURE-MANIFESTATION

Des résultats élevés signifient :

Perception de soi : « Je me sens libre de me dévoiler aux autres, de montrer qui je suis, d'exprimer mes sentiments ouvertement. »

Perception des autres : « Je sens les gens ouverts, spontanés et je vois qu'ils se dévoilent aux autres. »

De faibles résultats signifient :

Perception de soi : « Je ne me sens pas libre d'être ouvert, je me sens vulnérable et obligé de cacher une bonne part de mes sentiments intimes. »

Perception des autres : « Les gens sont méfiants, prudents et ne veulent pas dévoiler leurs sentiments ou leurs opinions, surtout si ceux-ci sont négatifs. »

RÉALISATION — DEVENIR

Des résultats élevés signifient :

Perception de soi : « Je me sens libre de prendre des risques, de m'affirmer moi-même, d'agir selon mes désirs et de suivre mes motivations intérieures. Je crois que je me réalise moi-même. »

Perception des autres : « Les gens ne nuisent pas à la liberté des autres. Ils apportent un environnement favorable à la réalisation des objectifs intérieurs. Ils laissent les autres être eux-mêmes. »

De faibles résultats signifient :

Perception de soi : « Je suis conscient de la présence de motivations extérieures. Je dois tenter de bien remplir mon rôle et de réaliser les attentes des autres à mon sujet. »

Perception des autres : « Les autres nous forcent à vivre en conformité avec un rôle, à agir contre nos désirs et à travailler à la réalisation d'objectifs qui nous importent peu. »

INTERDÉPENDANCE — RELATION PROFONDE

Des résultats élevés signifient :

Perception de soi : « J'ai un fort sentiment d'appartenance aux groupes qui m'importent et j'aime travailler avec les gens, les rencontrer et les aider. »
d'une manière efficace et sont bien intégrés à leurs groupes et à leur entourage. »

De faibles résultats signifient :

Perception de soi : « Je n'ai pas un fort sentiment d'appartenance aux groupes dont je suis membre et je n'aime pas particulièrement travailler en équipe. Mon esprit de compétition, ma dépendance ou d'autres sentiments m'empêchent de collaborer avec les autres. »

Perception des autres : « Selon moi, les gens n'ont pas d'esprit de collaboration et ne travaillent pas efficacement avec les autres. Il n'est pas facile de travailler avec eux et leurs sentiments leur nuisent. »

ANNEXE B

GRILLE D'ÉVALUATION D'ÉQUIPE SELON LES ÉCHELLES CORI

Directives : Écrire une des lettres suivantes devant chaque affirmation. TD : Totalement en désaccord D : Désaccord A : D'accord TA : Totalement d'accord

____ 1. Je crois que l'équipe m'acceptera comme membre à part entière quels que soient mes faits et gestes.

____ 2. Je cache beaucoup de choses à l'équipe et celle-ci fait de même.

____ 3. Je m'affirme à l'intérieur de l'équipe.

____ 4. Je recherche rarement l'aide des autres pour réaliser une tâche.

____ 5. Il règne une grande confiance parmi les membres de l'équipe.

____ 6. Les membres ne s'intéressent pas vraiment à l'opinion des autres.

____ 7. L'équipe ne pousse pas ses membres à accomplir leurs tâches.

____ 8. Chaque membre accomplit ses tâches sans penser aux autres.

____ 9. Je suis très prudent à l'intérieur de l'équipe.

____ 10. Je ne pense pas devoir cacher des choses au groupe.

____ 11. Je ne travaille qu'aux tâches qui me sont assignées.

____ 12. Je crois que tous les membres de l'équipe m'aideront volontiers si je le leur demande.

____ 13. L'équipe accorde plus d'importance à réaliser les tâches qu'à aider les membres à résoudre leurs problèmes personnels.

____ 14. Les membres s'expriment avec franchise.

____ 15. Les membres réalisent leurs tâches sans se sentir responsables pour l'équipe.

____ 16. L'équipe est très unie.

____ 17. Je fais confiance aux membres de l'équipe.

____ 18. J'ai peur de choquer les membres de l'équipe si je leur dévoile mes véritables pensées.

____ 19. Je me sens libre d'agir selon mes désirs à l'intérieur de l'équipe.

____ 20. Je me sens souvent seul dans l'équipe.

____ 21. Les membres de l'équipe savent qui ils sont ; ils se perçoivent vraiment comme des individus.

____ 22. Au travail, les membres de l'équipe s'efforcent de n'exprimer que des idées pertinentes à l'objet de leurs tâches.

____ 23. Les objectifs de l'équipe sont clairs.

____ 24. L'équipe arrive difficilement à progresser et à appliquer ses décisions.

____ 25. Si je quitte l'équipe, les membres déploreront mon départ.

____ 26. Je peux exprimer en toute confiance mes idées et mes opinions les plus importantes et les plus intimes.

____ 27. Mes objectifs diffèrent de ceux des membres de l'équipe.

____ 28. J'ai hâte de me retrouver parmi les membres de l'équipe.

____ 29. Les membres de l'équipe ne sont pas vraiment eux-mêmes et jouent des rôles.

____ 30. Nous nous connaissons très bien les uns les autres.

____ 31. L'équipe pousse ses membres à travailler.

____ 32. L'équipe peut affronter efficacement une situation d'urgence.

____ 33. Je me sens bien dans ma peau à l'intérieur de l'équipe.

____ 34. J'exprime difficilement mes sentiments négatifs à l'intérieur de l'équipe.

____ 35. Je prends facilement des risques lorsque je travaille avec l'équipe.

____ 36. J'accorde souvent mon appui aux autres parce que je m'y sens obligé.

____ 37. Les membres de l'équipe manifestent beaucoup de sollicitude les uns envers les autres.

____ 38. Les membres expriment plus souvent leurs divergences d'opinions à l'extérieur des réunions qu'en présence des autres membres.

____ 39. Les membres sont libres de correspondre à leur identité.

____ 40. Les membres de l'équipe aiment diriger ou être dirigés. Ils n'aiment pas travailler avec les autres d'égal à égal.

____ 41. J'agis de manière très impersonnelle à l'intérieur de l'équipe.

____ 42. Je me sens à l'aise lorsque j'exprime des sentiments qui me tiennent à coeur.

____ 43. Je sens que je ne dois pas exprimer mes véritables opinions.

____ 44. J'aime travailler avec les membres de l'équipe.

____ 45. Chaque membre a un rôle clair et précis à jouer. Plus il agit selon ce rôle, plus on le respecte.

____ 46. Nous pouvons exprimer nos sentiments négatifs à l'intérieur de l'équipe.

____ 47. Les membres paraissent parfois très apathiques et passifs.

____ 48. L'équipe se caractérise par l'intégration et la coordination à plusieurs niveaux.

____ 49. Je me sens un être unique au milieu de l'équipe.

____ 50. Je me sentirais très vulnérable si je dévoilais aux membres de l'équipe mes sentiments et mes opinions les plus intimes.

____ 51. L'équipe attache beaucoup d'importance à ma croissance et à mes apprentissages personnels.

____ 52. Je ne tiens pas à collaborer avec les autres membres de l'équipe.

____ 53. Les membres de l'équipe jugent très favorablement mon apport au groupe.

____ 54. Les membres craignent d'être ouverts et honnêtes les uns avec les autres.

____ 55. Les membres expriment rapidement leurs désirs lors de la prise de décision.

____ 56. Les membres sont très individualistes et ne travaillent pas vraiment ensemble.

____ 57. Je suis insatisfait de moi lorsque je travaille avec l'équipe.

____ 58. À l'intérieur de l'équipe, je suis libre d'être moi-même et je ne sens pas le besoin de jouer un rôle.

____ 59. Il est important pour moi de correspondre à l'image que les autres se font de moi.

____ 60. Toute personne qui quitterait l'équipe me manquerait car chaque membre y est important.

____ 61. On distingue facilement les personnes très impliquées dans l'équipe.

____ 62. Les membres écoutent les autres avec compréhension et sympathie.

____ 63. L'équipe dépense beaucoup d'énergie à pousser les autres à agir contre leurs véritables désirs.

____ 64. Les membres aiment être en présence les uns des autres.

____ 65. Je suis un membre important dans l'équipe.

____ 66. L'équipe déforme souvent mes idées et mes opinions.

____ 67. Mes objectifs ressemblent aux objectifs de l'équipe dans son ensemble.

____ 68. Les membres de l'équipe m'aident rarement lorsque je suis aux prises avec un problème.

____ 69. Les membres de l'équipe m'écoutent lorsque je m'exprime.

____ 70. Les membres ne dévoilent pas leurs sentiments négatifs.

____ 71. Les membres dirigent leurs énergies vers l'action.

____ 72. Le pouvoir est important si vous voulez réaliser quelque chose à l'intérieur de l'équipe.

____ 73. Je ne me sens pas très authentique lorsque je suis en présence de l'équipe.

____ 74. Je connais presque tout sur les membres de l'équipe.

____ 75. Si j'agissais selon mes véritables désirs, mes activités à l'intérieur de l'équipe changeraient complètement.

____ 76. Les membres de l'équipe m'aident souvent à réaliser mes objectifs.

____ 77. Certains membres ont peur de l'équipe et des autres membres.

____ 78. Les membres de l'équipe ne sont pas inhibés et sont très spontanés les uns avec les autres.

____ 79. Les objectifs de l'équipe sont souvent obscurs.

____ 80. Les membres de l'équipe travaillent très bien ensemble.

____ 81. Les membres de l'équipe m'importent beaucoup.

____ 82. Les membres ne comprennent pas mes sentiments et mes opinions.

—— 83. Je suis habituellement d'accord avec les décisions de l'équipe.

—— 84. Je n'ai pas vraiment l'impression d'appartenir à l'équipe.

—— 85. Chaque personne est considérée comme un membre important de l'équipe.

—— 86. J'exprime facilement mes sentiments positifs mais il n'en est pas de même pour mes sentiments négatifs.

—— 87. Les membres de l'équipe évoluent constamment.

—— 88. Nous avons besoin de contrôles sévères pour nous maintenir dans le droit chemin.

—— 89. Je me sens souvent sur la défensive à l'intérieur de l'équipe.

—— 90. Je n'ai presque pas de secrets pour les autres membres de l'équipe.

—— 91. J'éprouve de la difficulté à être moi-même à l'intérieur de l'équipe.

—— 92. Je sens un fort sentiment d'appartenance.

—— 93. Je distingue facilement les membres les plus importants de l'équipe.

—— 94. Les membres de l'équipe n'ont pas de secrets les uns pour les autres.

—— 95. La plupart de nos énergies sont consacrées à des tâches non pertinentes.

—— 96. Il existe très peu de compétition parmi les membres de l'équipe.

FEUILLE DE POINTAGE DE L'ÉVALUATION DE L'ÉQUIPE

Directives : La grille d'évaluation de l'équipe propose huit pointages qui se basent sur les quatre processus fondamentaux. Quatre illustrent votre perception de vous-mêmes à l'intérieur de l'équipe et quatre autres décrivent votre perception de l'équipe. Lisez vos réponses à chaque question et encerclez le chiffre qui y correspond sur la feuille de pointage. Faites ensuite le total.

CONFIANCE-ÊTRE					OUVERTURE-MANIFESTATION					RÉALISATION-CROISSANCE					INTERDÉPENDANCE-APPARTENANCE À L'ÉQUIPE				
	TD	D	A	TA		TD	D	A	TA		TD	D	A	TA		TD	D	A	TA
1.	0	1	2	3	2.	3	2	1	0	3.	0	1	2	3	4.	3	2	1	0
9.	3	2	1	0	10.	0	1	2	3	11.	3	2	1	0	12.	0	1	2	3
17.	0	1	2	3	18.	3	2	1	0	19.	0	1	2	3	20.	3	2	1	0
25.	3	2	1	0	26.	0	1	2	3	27.	3	2	1	0	28.	0	1	2	3
33.	0	1	2	3	34.	3	2	1	0	35.	0	1	2	3	36.	3	2	1	0
41.	3	2	1	0	42.	0	1	2	3	43.	3	2	1	0	44.	0	1	2	3
49.	0	1	2	3	50.	3	2	1	0	51.	0	1	2	3	52.	3	2	1	0
57.	3	2	1	0	58.	0	1	2	3	59.	3	2	1	0	60.	0	1	2	3
65.	0	1	2	3	66.	3	2	1	0	67.	0	1	2	3	68.	3	2	1	0
73.	3	2	1	0	74.	0	1	2	3	75.	3	2	1	0	76.	0	1	2	3
81.	0	1	2	3	82.	3	2	1	0	83.	0	1	2	3	84.	3	2	1	0
89.	3	2	1	0	90.	0	1	2	3	91.	3	2	1	0	92.	0	1	2	3

Je me perçois à l'intérieur de l'équipe :

C ☐ O ☐ R ☐ I ☐

CONFIANCE-ÊTRE					OUVERTURE-MANIFESTATION					RÉALISATION-CROISSANCE					INTERDÉPENDANCE-APPARTENANCE À L'ÉQUIPE				
	TD	D	A	TA		TD	D	A	TA		TD	D	A	TA		TD	D	A	TA
5.	0	1	2	3	6.	3	2	1	0	7.	0	1	2	3	8.	3	2	1	0
13.	3	2	1	0	14.	0	1	2	3	15.	3	2	1	0	16.	0	1	2	3
21.	0	1	2	3	22.	3	2	1	0	23.	0	1	2	3	24.	3	2	1	0
29.	3	2	1	0	30.	0	1	2	3	31.	3	2	1	0	32.	0	1	2	3
37.	0	1	2	3	38.	3	2	1	0	39.	0	1	2	3	40.	3	2	1	0
45.	3	2	1	0	46.	0	1	2	3	47.	3	2	1	0	48.	0	1	2	3
53.	0	1	2	3	54.	3	2	1	0	55.	0	1	2	3	56.	3	2	1	0
61.	3	2	1	0	62.	0	1	2	3	63.	3	2	1	0	64.	0	1	2	3
69.	0	1	2	3	70.	3	2	1	0	71.	0	1	2	3	72.	3	2	1	0
77.	3	2	1	0	78.	0	1	2	3	79.	3	2	1	0	80.	0	1	2	3
85.	0	1	2	3	86.	3	2	1	0	87.	0	1	2	3	88.	3	2	1	0
93.	3	2	1	0	94.	0	1	2	3	95.	3	2	1	0	96.	0	1	2	3

Je perçois l'équipe :

C☐ O☐ R☐ I☐

INTERPRÉTATION DE LA GRILLE D'ÉVALUATION DE L'ÉQUIPE

CONFIANCE-ÊTRE

Des résultats élevés signifient :

Perception de soi : « J'ai confiance en moi, je vois assez clairement ma propre identité et mon caractère unique, je me sens bien dans ma peau à l'intérieur de l'équipe. »

Perception de l'équipe : « Je perçois les membres comme confiants et je crois qu'ils m'apportent un environnement de travail favorable. »

De faibles résultats signifient :

Perception de soi : « Je n'ai pas vraiment confiance en moi, je ne vois pas clairement mon identité et mon caractère unique, je ne me sens pas très bien dans ma peau en présence de l'équipe. »

Perception de l'équipe : « J'ai tendance à voir des membres de l'équipe comme méfiants, impersonnels, jouant des rôles ; j'ai l'impression qu'ils fournissent un environnement négatif et défensif, tant pour moi que pour les autres membres de l'équipe. »

OUVERTURE-MANIFESTATION

Des résultats élevés signifient :

Perception de soi : « À l'intérieur de l'équipe, je me sens libre de me dévoiler, de montrer qui je suis, d'exprimer mes sentiments ouvertement. »

Perception de l'équipe : « Pour moi, les membres de l'équipe sont ouverts, spontanés et se dévoilent les uns aux autres. »

De faibles résultats signifient :

Perception de soi : « Je ne me sens pas libre d'être ouvert, je me sens vulnérable et obligé de cacher une bonne partie de mes sentiments intimes aux autres membres. »

Perception de l'équipe : « Les membres de l'équipe sont méfiants, prudents et ne veulent pas dévoiler leurs sentiments et leurs opinions surtout si ces derniers sont négatifs. »

RÉALISATION-CROISSANCE

Des résultats élevés signifient :

Perception de soi : « Je me sens libre de prendre des risques, de m'affirmer moi-même, d'agir selon mes désirs et de suivre mes motivations intérieures. »

Perception de l'équipe : « Les membres de l'équipe ne nuisent pas à la liberté des autres. Ils apportent un environnement favorable à la réalisation de nos objectifs. Ils laissent les autres être eux-mêmes. »

De faibles résultats signifient :

Perception de soi : « Je suis conscient de la présence de motivations extérieures. Je dois tenter de bien remplir mon rôle et de réaliser les attentes des autres membres à mon sujet. »

Perception de l'équipe : « Les membres de l'équipe forcent les autres à vivre en conformité avec un rôle, à agir contrairement à leurs désirs et à travailler à la réalisation d'objectifs qui leur importent peu. »

INTERDÉPENDANCE — APPARTENANCE À L'ÉQUIPE

Des résultats élevés signifient :

Perception de soi : « J'ai un fort sentiment d'appartenance à l'équipe, j'aime travailler avec les membres, les rencontrer et les aider. »

Perception de l'équipe : « Les membres de l'équipe collaborent entre eux, travaillent d'une manière efficace et sont bien intégrés à l'équipe. »

De faibles résultats signifient :

Perception de soi : « Je n'ai pas un fort sentiment d'appartenance à l'équipe, je n'aime pas particulièrement y travailler. Mon esprit de compétition, ma dépendance ou d'autres sentiments m'empêchent de collaborer avec les autres membres. »

Perception de l'équipe : « Selon moi, les membres n'ont pas d'esprit de collaboration et ne travaillent pas efficacement les uns avec les autres. Il n'est pas facile de travailler avec eux et leurs sentiments leur nuisent. »

Appendice C

Bibliographie

Voici une liste de quelques ouvrages sur la théorie CORI et sur ses applications.

1. Principes généraux

Gibb, J.R., "Defense Level and Influence Potential in Small Groups." In L. Petrullo & B.M. Bass (Eds.), *Leadership and Interpersonal Behavior.* New York: Holt, Rinehart and Winston, 1961.

Gibb, J.R., *Factors Producing Defensive Behavior Within Groups.* Final Technical Report, Group Psychology Branch, Office of Naval Research, Contract Nonr-3088 (00), 1962.

Gibb, J.R., "TORI Community." In G. Egan (ED.), *Encounter Groups: Basic Readings.* Belmont, California: Brooks/Cole, 1971.

Gibb, J.R., "TORI Theory and Practice." In J.W. Pfeiffer and J.E. Jones (Eds.), *The 1972 Annual Handbook for Group Facilitators.* Iowa City, Iowa: University Associates.

Jones, J.E., "Interviews with TORI Conveners Jack and Lorraine Gibb." *Group and Organizational Studies,* 1976, 1, 398-414.

II. Application de la théorie CORI au développement organisationnel, au monde des affaires et à d'autres institutions.

Gibb, J.R., "Communication and Productivity." *Personnel Administration,* 1964, 27, 8-13.

Gibb, J.R., "Fear and Facade: Defensive Management." In R.E. Farson (Ed.), *Science and Human Affairs.* Palo Alto: Science and Behavior Books, 1965.

Gibb, J.R., "Building a Teamwork Climate." *Weyerhaeuser Management Viewpoint,* 1969, 1, 10-12.

Gibb, J.R., "Management Tunes In." *Weyerhaeuser World,* 1969, 1, 3.

Gibb, J.R., Managing for Creativity in the Organization." In C.W. Taylor (Ed.), *Climate for Creativity. New York: Pergamon Co., 1971.*

Gibb, J.R., "The TORI Community Experience as an Organizational Change Intervention." In W.W. Burke (Ed.), *Contemporary Organizational Development.* Washington, D.C.: NTL Institute for Applied Behavioral Science, 1972.

Gibb, J.R., "TORI Theory: Consultantless Team Building." *Journal of Contemporary Business, 1972, 1 (3), 33-42.*

Gibb, J.R., "A Case for Nonstructure." *Group and Organizational Studies,* 1976, 1, 135-139.

Gibb, J.R., "Organizational Options: Emergent versus Defensive Management." In B. McWaters (Ed.), *Human Perspectives: Current Trends in Psychology.* Monterey, California: Brooks/Cole, 1977.

Gibb, J.R., "To Structure or Not to Structure." *Contemporary Psychology,* 1977, 22(12), 916-917.

III. Application de la théorie CORI aux groupes de formation et de développement.

Gibb, J.R., "Climate for Trust Formation." In L.P. Bradford, J.R. Gibb, and K.D. Benne (Eds.), *T-Group Theory and Laboratory Method.* New York: Wiley, 1964.

Gibb, J.R., "The Search for With-ness: A New Looks at Interdependence." In G.W. Dyer (Ed.), *Modern Theory and Method in Group Training.* New York: Van Nostrand, 1972.

Gibb, J.R., "TORI Theory: Nonverbal Behavior and the Experience of Community." *Comparative Group Studies,* 1972, 3, 461-472.

Gibb, J.R., "Meaning of the Small Group Experience." In L.N. Solomon and B. Berzon (Eds.), *New Perspectives on Encounter Groups.* San Francisco: Jossey-Bass, 1972.

Gibb, J.R., "The Training Group." In K.D. Benne, L.P. Bradford, J.R. Gibb, and R.O. Lippitt (Eds), *The Laboratory Method of Changing and Learning*. Palo Alto, California: Science and Behavior Books, 1975.

Gibb, J.R., "TORI Group Self-Diagnosis Scale." In J.E. Jones and J.W. Pfeiffer (Eds.), *The 1977 Annual Handbook for Group Facilitators*. La Jolla, California: University Associates.

Gibb, J.R., and Gibb, Lorraine M., "Humanistic Elements in Group Growth." In J.F.T. Bugental (ED.), *Challenges of Humanistic Psychology*. New York McGraw-Hill, 1967.

Gibb, J.R., and Gibb, Lorraine M., "Leaderless Groups: Growth-Centered Values and Potential." In H.A. Otto and J. Mann (Eds.), *Ways of Grouth*. New York: Grossman, 1968.

Gibb, J.R., and Gibb, Lorraine M., "Group Experiences and Human Possibilities." In H.A. Otto (Ed.), *Human Potentialities*. St. Louis: W.H. Green, 1968.

Gibb, J.R., and Gibb, Lorraine M., "Role Freedom in a TORI Group." In A. Burton (Ed.), *Encounter: The Theory and Practice of Encounter Groups*. San Francisco: Jossey-Bass, 1969.

Gibb, J.R., and Gibb, Lorraine M., "The Process of Group Actualization." In J. Akin, et al (Eds.), *Language Behavior*. The Hague, The Netherlands: Mouton, 1971.

IV. Application de la théorie CORI aux thérapies et à la santé mentale.

Gibb, J.R., "Defensive Communication." *The Journal of Communication*. 1961, 11 (3), 141-148.

Gibb, J.R., "Is Help Helpful?" *YMCA Association Forum and Section Journal,* February, 1964, 25-27.

Gibb, J.R., and Gibb, Lorraine, "Emergence Therapy: The TORI Process in an Emergent Group." In G.M. Gazda (Ed.), *Innovations to Group Psychotherapy*. Springfield, Illinois: Thomas, 1968.

Gibb, J.R., "The Counselor as a Role-Free Person." In C.A. Parker (Ed.), *Counseling Theories and Counselor Education*. Boston: Houghton Mifflin, 1968.

Gibb, J.R., "Psycho-sociological Aspects of Holistic Health." *The Journal of Holistic Health,* 1977, 1, 43-46.

V. Application de la théorie CORI à l'éducation et à l'apprentissage.

Gibb, J.R., "Climate for Growth." *National Education Association Journal,* 1956, 55, 97-103.

Gibb, J.R., "Sociopsychological Processes of Group Instruction." In N.B. Henry (Ed.), "The Dynamics of Instructional Groups." *Yearbook of the National Society for the Study of Education,* Part II. Chicago: University of Chicago Press, 1960.

Gibb, J.R., "Learning Theory in Adult Education." In M.S. Knowles (Ed.), *Handbook of Adult Education in the United States.* Chicago: Adult Education Association of the U.S.A, 1960. pp. 54-64.

Gibb, J.R., ., "Achieving Group Membership in the Classroom." *The High School Journal,* 1961, 45, 2-6.

Gibb, J.R., "Learning as a Quest." *Second Yearbook of the National Association of Public Education,* 1962. pp. 102-107.

Gibb, J.R., "Dynamics of Leadership." In *Current Issues in Higher Education,* Washington, D.C.: American Association for Higher Education, 1967. pp. 55-66.

Gibb, J.R., "Expanding Role of the Administrator." *The Bulletin of the National Association of Secondary-School Principals,* 1967, 50, 46-40.

Gibb, J.R., "Trust and Freedom: A TORI Innovation in Educational Community." *Journal of Research and Development in Education,* Spring, 1972, 5 (3), 76-85.

Voici une liste de quelques études et recherches reliées à la théorie CORI.

I. Vérification des hypothèses et des principes.

Coppersmith, Evan, "A Study of the Development of Role Freedom in the TORI Community Experience." Unpublished Master's thesis, California State University, Hayward, 1974.

Draeger, C., "Level of Trust in Intensive Small Groups." Unpublished doctoral dissertation, University of Texas, Austin, 1968.

Friedlander, Frank., "The Primacy of Trust as a Facilitator of Further Group Accomplishment." *Journal of Applied Behavioral Science,* 1970, 6, 387-400.

Garner, H.G. "Effects of Human Relations Training on the Personal, Social and Classroom Adjustment of Elementary School Children with Behavior Problem." Unpublished doctoral dissertation, University of Florida, 1970.

Gibb, J.R., "Defense Level and Influence Potential in Small Groups." In L. Petrullo and B.M. Bass (Eds.), *Leadership and Interpersonal Behavior.* New York: Holt, Rinehart and Winston, 1961.

Gibb, J.R., "Defensive Communication." *The Journal of Communication,* 1961, 2 (3), 141-148.

Gibb, J.R., *Factors Producing Defensive Behavior Within Groups.* Final Technical Report, Group Psychology Branch Office of Naval Research, Contract Nonr-3088 (00), 1962.

Gibb, J.R., "Climate for Trust Formation." In L.P. Bradford, J.R. Gibb, and K. Benne (Eds.), *T-group Theory and Laboratory Method.* New York: Wiley, 1964.

Leon, J.E., "Attitude Change, as a Result of T-group Sessions, in a Pre-teaching Population." Unpublished doctoral dissertation, Case Western Reserve University, 1972.

Rutan, J.C. "Self-Acceptace Change as a Function of a Short Term Small Group Experience." Unpublished doctoral dissertation, Boston University, 1971.

II. Recherches sur l'influence de la communauté CORI.

Dahl, Rick F., "The Relationship of the TORI Community Experience to the Perceived-ideal Self Discrepancy." Unpublished doctoral Dissertation, United States International University, 1973.

LaBoon, Sandra, "TORI: A Theory of Community Growth." Unpublished Master's thesis, United States International University, 1971.

Lynch, JoAn, "A Study of Interdependence in a TORI Community." Unpublished Master's thesis, United States International University, 1974.

Pressman, Marcia L., "A Study of an Intensive TORI Weekend Group Experience and its Effects on Interpersonal Skills." Unpublished Master's thesis, University of Utah, 1970.

Rossman, Sue A., "A Comparative Study of Self-disclosure in a TORI Community Experience." Unpublished Master's thesis, United States International University, 1974.

III. Recherches sur les conséquences de l'application de la théorie CORI à d'autres milieux.

Byrd, Richard E., "Self-actualization Through Creative Risk Taking: A New Laboratory Model." Unpublished doctoral dissertation, New York University, 1970.

Clarke, Jack F., "Some Effects of Nonverbal Activities and Group Discussion on Interpersonal Trust Development in Small Groups." Unpublished doctoral dissertation, Arizona State University, 1971.

Gibb, Lorraine M., and Gibb, J.R., "The Effects of the Use of Participative Action Groups in a Course in General Psychology." *American Psychologist,* 1952, 7, 247.

Himber, Charlotte, "Evaluating Sensitivity Training for Teenagers." *Journal of Applied Behavioral Science,* 1970, 6, 307-322.

Ralph, Sara J., "The Effects of Positive Value Statements on Self-esteem." Unpublished doctoral dissertation, United States International University, 1972.

Robertson, V.M., & Wallace, S., "Self-perceived Gains by Adolescents from a Sensitivity Lab: A Study of Participants in the 12th National Hi-Y Assembly." Unpublished manuscript, October, 1968, 45 pp.

IV. Études des aspects méthodologiques des recherches sur les variables CORI.

Gibb, J.R., "The Present Status of T-group Theory." In L.P. Bradford, J.R. Gibb, and K. Benne (Eds.), *T-Group Theory and Laboratory Method.* New York: Wiley, 1964.

Gibb, J.R., "Comments on Longitudinal Methodology." In J.L. Fearing and G.T. Kowitz (Eds.), *Some Views on Longitudinal Inquiry.* Houston, Texas: Bureau of Education Research and Services, University of Houston, 1967, pp. 28-32.

Gibb, J.R., "Sensitivity Training as a Medium for Personal Growth and Improved Interpersonal Relationships." *Interpersonal Development*. 1970, 1, 6-31.

Gibb, J.R., "Effects of Human Relations Training." In A.E. Bergin and S.L. Garfield (Eds.), *Handbook of Psychotherapy and Behavior Change*. New York: Wiley, 1971.

Gibb, J.R., "The Message from Research." In J.W. Pfeiffer and J.E. Jones (Eds.). *The 1974 Annual Handbook for Group Facilitators*. La Jolla, California: University Associates.

Gibb, J.R., "A Research Perspective on the Laboratory Method." In K. D. Benne, L.P. Bradford, J.R. Gibb, and R.O. Lippitt (Eds.), *The Laboratory Method of Changing and Learning*. Palo Alto, California: Science and Behavior Books, 1975.

Kegan, D.L., "Measures of Trust and Openess." *Comparative Group Studies*, 1972, 3 (2), 179-201.

Appendice E

Voici une liste de quelques ouvrages traitant de la confiance, de la peur, de leurs effets sur la vie et de leur utilisation lors de l'élaboration d'une théorie.

Anderson, Walter, *Politics and the New Humanism*. Pacific Palisades, California: Goodyear, 1973.

Argyris, Chris, *Interpersonal Competence and Organizational Effectiveness*. Homewood, Illinois: Dorsey, 1962.

Benne, Kenneth, D., *Education for Tragedy*. Lexington: University of Kentucky Press, 1967.

Bennis, Warren G., *American Bureaucracy*. Chicago: Aldine, 1971.

Bennis, Warren G., *The Leaning Ivory Tower*. San Francisco: Jossey-Bass, 1973.

Bennis, Warren, and Philip Slater, *The Temprary Society*. New York: Harper and Row, 1968.

Bridgman, P.W., *The Nature of Physical Theory*. New York: Wiley, 1964.

Bugental, J.F.T., *The Search for Authenticity.* New York: Holt, Reinhart and Winston, 1965.

Castaneda, Carlos, *Tales of Power* New York: Simon and Schuster, 1975.

Castaneda, Carlos, *Histoires de pouvoir.* Paris, Gallimard, 1975. 278 p.

Egan, Gerard, *Interpersonal Living.* Monterey, California: Brooks-Cole, 1976.

Friedman, Maurice, *Touchstones of Reality.* New York: Dutton, 1972.

Hampdon-Turner, Charles, *Radical Man.* Cambridge, Massachusetts: Schenkman, 1970.

Hanna, Thomas, *The End of Tyranny.* Novato, California: Freeperson Press, 1975.

Kaplan, Abraham, *Conduct of Inquiry.* San Francisco: Chandler, 1964.

Keen, Sam, *Apology for Wonder.* New York: Harper and Row, 1969.

Kopp, Sheldon, *If You Meet the Buddha on the Road, Kill Him.* Palo Alto: Science and Behavior Books, 1972.

Krippner, Stanley, *Song of the Siren.* New York: Harper and Row, 1976.

Laing, Ronald D., *The Self and Others.* New York: Pantheon, 1972.

Laing, Ronald D., *Soi et les autres.* Paris, Gallimard, 1971. 236 p.

Leonard, George, *The Transformation.* New York: Delacorte, 1972.

Likert, Rensis, *The Human Organization.* New York: McCraw-Hill, 1967.

Marrow, Alfred J., *The Practical Theorist; the Life and Work of Kurt Lewin.* New York: Basic Books, 1969.

Maslow, Abraham, *Psychology of Science.* New York: Harper and Row, 1966.

Matson, Floyd, *Broken Image.* New York: Braziller, 1967.

May, Rollo, *Love and Will.* New York: Norton, 1969.

May, Rollo, *Amour et volonté.* Paris, Stock, 1971. 439 p.

McGregor, Douglas, *The Human Side of Enterprise.* New York: McGraw-Hill, 1960.

McGregor, Douglas, *La dimension humaine dans l'entreprise.* Paris, Gauthier-Villard, 1971. 208 p.

McWatters, B., *Humanistic Perspectives: Current Trends in Psychology.* Monterey, California: Brooks/Cole, 1977.

Murphy, Michael, *Golf in the Kingdom.* New York: Viking, 1972.

Naranjo, Claudio, *The One Quest.* New York: Viking, 1972.

Pearce, Joseph Chilton, *The Crack in the Cosmic Egg.* New York: Julian Press, 1971.

Polanyi, Michael, *Personal Knowledge.* Chicago: University of Chicago Press, 1958.

Satir, Virginia, *Peoplemaking* Palo Alto, California: Science and Behavior Books, 1972.

Satir, Virginia, *Pour retrouver l'harmonie familiale.* Montréal, France-Amérique, 1980. 360 p.

Scheider, Kenneth, R., *Autokind vs. Mankind.* New York: Norton, 1971.

Schutz, William, C., *Joy.* New York: Grove, 1967.

Teilhard de Chardin, Pierre, *The Phenomenon of Man.* New York: Harper, 1959.

Teilhard de Chardin, Pierre, *Le phénomène humain.* Vol. I tiré de *Oeuvres* Paris, Seuil, 1955.

Wertheimer, Max, *Productive Thinking.* New York: Harper, 1971

Table des matières

Préface 7

Chapitre 1 Confiance intégrale 9

Chapitre 2 Découvrir la façon d'être personnel 31

Chapitre 3 Transcendance de l'environnement 47

Chapitre 4 Théorie et vision 75

Chapitre 5 Rythme et mouvement 101

Chapitre 6 Transparence et «être avec» 141

Chapitre 7 Émergence du groupe 167

Chapitre 8 Simplicité et énergie à l'intérieur de l'organisation 199

Chapitre 9 Merveille et puissance de la communauté 219

Chapitre 10 Le processus de direction et la disparition des contraintes 243

Chapitre 11 Changement social : découverte et création d'un monde nouveau 265

Chapitre 12 Images du futur 285

Annexe A 309

Annexe B 317

Bibliographie 326

Ouvrages parus dans la collection

Agressivité créatrice, L',
Dr George R. Bach, Dr Herb Goldberg
Comment mettre au service de la personne cette puissante capacité de s'affirmer, de demander, de s'opposer et d'apprécier.

Aidez votre enfant à choisir,
Dr Sidney B. Simon, Sally Wendkos Olds
Par la communication, le soutien et l'information, les parents peuvent aider leurs enfants à prendre des décisions en accord avec leurs aspirations personnelles.

Clefs de la confiance, Les
Dr Jack Gibb
La méthode CORI, fondée sur la confiance, l'ouverture aux autres, la réalisation et l'interdépendance, permet de vivre son intimité et de communiquer véritablement avec les autres.

Enseignants efficaces,
Dr Thomas Gordon
Une nouvelle approche de l'éducation et de la relation enseignant-élève offrant une alternative à l'autoritarisme et à la permissivité.

Parents efficaces,
Dr Thomas Gordon
Une méthode ≪ sans perdant ≫ qui améliore la qualité des relations parent-enfant et contribue à développer la valeur et la dignité de l'un et de l'autre.

Jeu de la vie, Le,
Carl Frederick
Voici les règles pour jouer le tout pour le tout et assumer l'entière responsabilité de tout ce qui vous arrive.

Mangez ce qui vous chante,
Dr Leonard Pearson, Dr Lillian Dangott, Karola Saekel
Basée sur une saine psychologie de l'alimentation, voici une méthode pour identifier sa vraie faim.

Achevé d'imprimer sur les presses de
L'IMPRIMERIE ELECTRA*
*Division de l'A.D.P. Inc.
Imprimé au Canada/Printed in Canada